3
D0708275

Union européenne

Recueil des traités

TOME I

Volume I

1993

Une fiche bibliographique figure à la fin de l'ouvrage.

Luxembourg: Office des publications officielles des Communautés européennes, 1993

Tome I — Volume I: ISBN 92-824-1110-9
Volume II: à paraître

N° de catalogue (volume I): FX-81-93-236-FR-C

Printed in Germany

Avis au lecteur

Cette nouvelle édition du *Recueil des traités* intervient après l'entrée en vigueur du traité sur l'Union européenne. Elle intègre donc les dispositions de ce traité. Par ailleurs, la structure du Recueil a été modifiée par rapport à celle des précédentes éditions pour tenir compte de la double exigence d'exhaustivité et de maniabilité des textes présentés.

La présente édition se compose de deux tomes, chacun étant subdivisé en deux volumes.

Le tome I contient les textes actuellement en vigueur. Son volume I regroupe le traité sur l'Union européenne (titres I, V, VI et VII) (*) et le traité instituant la Communauté européenne dans la version amendée résultant de ce traité, ainsi qu'un certain nombre d'autres textes d'utilisation fréquente. Le volume II comprend les autres textes en vigueur, dont les traités CECA et CEEA.

Le tome II reprend la collection complète des traités de base, dans leur version d'origine, et des traités ayant successivement modifié ceux-ci (volume I), ainsi que des actes relatifs aux différentes adhésions aux Communautés (volume II).

(*) Les titres II, III et IV du traité sur l'Union européenne modifient respectivement les traités CEE, CECA et CEEA. Un texte complet du traité sur l'Union européenne se trouve dans le volume I du tome II.

La présente édition a été mise à jour à la date du 1er juillet 1993. Elle est publiée en langues espagnole, danoise, allemande, grecque, anglaise, française, irlandaise, italienne, néerlandaise et portugaise (*).

Il s'agit d'un outil de documentation qui n'engage pas la responsabilité des institutions.

(*) Castellano, dansk, deutsch, ellinika, english, français, gaeilge, italiano, nederlands, português.

Abréviations employées dans les notes figurant en bas de page

AA DK/IRL/RU	Acte relatif aux conditions d'adhésion et aux adaptations des traités — Adhésion aux Communautés européennes du royaume de Danemark, de l'Irlande et du Royaume-Uni de Grande-Bretagne et d'Irlande du Nord JO L 73 du 27.3.1972
AA ESP/PORT	Acte relatif aux conditions d'adhésion et aux adaptations des traités — Adhésion aux Communautés européennes du royaume d'Espagne et de la République portugaise JO L 302 du 15.11.1985
AA GR	Acte relatif aux conditions d'adhésion et aux adaptations des traités — Adhésion aux Communautés européennes de la République hellénique JO L 291 du 19.11.1979
Acte portant élection des représentants au Parlement européen	Acte portant élection des représentants au Parlement européen au suffrage universel direct JO L 278 du 8.10.1976
AUE	Acte unique européen JO L 169 du 29.6.1987
DA AA DK/IRL/RU	Décision du Conseil des Communautés européennes du 1er janvier 1973 portant adaptation des actes relatifs à l'adhésion de nouveaux États membres aux Communautés européennes JO L 2 du 1.1.1973
JO	*Journal officiel des Communautés européennes*
Protocole nº 1 annexé à l'AA DK/IRL/RU	Protocole nº 1 concernant les statuts de la Banque européenne d'investissement, annexé à l'acte relatif aux conditions d'adhésion et aux adaptations des traités JO L 73 du 27.3.1972

Traité de fusion	Traité instituant un Conseil unique et une Commission unique des Communautés européennes JO 152 du 13.7.1967
Traité Groenland	Traité modifiant les traités instituant les Communautés européennes en ce qui concerne le Groenland JO L 29 du 1.2.1985
Traité modifiant certaines dispositions budgétaires	Traité portant modification de certaines dispositions budgétaires des traités instituant les Communautés européennes et du traité instituant un Conseil unique et une Commission unique des Communautés européennes JO L 2 du 2.1.1971
Traité modifiant certaines dispositions financières	Traité portant modification de certaines dispositions financières des traités instituant les Communautés européennes et du traité instituant un Conseil unique et une Commission unique des Communautés européennes JO L 359 du 31.12.1977
Traité modifiant le protocole sur les statuts de la Banque	Traité portant modification de certaines dispositions du protocole sur les statuts de la Banque européenne d'investissement JO L 91 du 6.4.1978
TUE	Traité sur l'Union européenne JO C 191 du 29.7.1992

Table générale des matières

(*) Intitulé tel que modifié par l'article G, point 1), du TUE.

1. TRAITÉ
SUR
L'UNION EUROPÉENNE

Sommaire

I — Texte du traité

SA MAJESTÉ LE ROI DES BELGES, SA MAJESTÉ LA REINE DE DANEMARK, LE PRÉSIDENT DE LA RÉPUBLIQUE FÉDÉRALE D'ALLEMAGNE, LE PRÉSIDENT DE LA RÉPUBLIQUE HELLÉNIQUE, SA MAJESTÉ LE ROI D'ESPAGNE, LE PRÉSIDENT DE LA RÉPUBLIQUE FRANÇAISE, LE PRÉSIDENT D'IRLANDE, LE PRÉSIDENT DE LA RÉPUBLIQUE ITALIENNE, SON ALTESSE ROYALE LE GRAND-DUC DE LUXEMBOURG, SA MAJESTÉ LA REINE DES PAYS-BAS, LE PRÉSIDENT DE LA RÉPUBLIQUE PORTUGAISE, SA MAJESTÉ LA REINE DU ROYAUME-UNI DE GRANDE-BRETAGNE ET D'IRLANDE DU NORD,

RÉSOLUS à franchir une nouvelle étape dans le processus d'intégration européenne engagé par la création des Communautés européennes,

RAPPELANT l'importance historique de la fin de la division du continent européen et la nécessité d'établir des bases solides pour l'architecture de l'Europe future,

CONFIRMANT leur attachement aux principes de la liberté, de la démocratie et du respect des droits de l'homme et des libertés fondamentales et de l'État de droit,

DÉSIREUX d'approfondir la solidarité entre leurs peuples dans le respect de leur histoire, de leur culture et de leurs traditions,

DÉSIREUX de renforcer le caractère démocratique et l'efficacité du fonctionnement des institutions, afin de leur permettre de mieux remplir, dans un cadre institutionnel unique, les missions qui leur sont confiées,

RÉSOLUS à renforcer leurs économies ainsi qu'à en assurer la convergence, et à établir une Union économique et monétaire, comportant, conformément aux dispositions du présent traité, une monnaie unique et stable,

DÉTERMINÉS à promouvoir le progrès économique et social de leurs peuples, dans le cadre de l'achèvement du marché intérieur et du renforcement de la cohésion et de la protection de l'environnement, et à mettre en œuvre des politiques assurant des progrès parallèles dans l'intégration économique et dans les autres domaines,

RÉSOLUS à établir une citoyenneté commune aux ressortissants de leurs pays,

RÉSOLUS à mettre en œuvre une politique étrangère et de sécurité commune, y compris la définition à terme d'une politique de défense commune qui pourrait conduire, le moment venu, à une défense commune, renforçant ainsi l'identité de l'Europe et son indépendance afin de promouvoir la paix, la sécurité et le progrès en Europe et dans le monde,

RÉAFFIRMANT leur objectif de faciliter la libre circulation des personnes, tout en assurant la sûreté et la sécurité de leurs peuples, en insérant des dispositions sur la justice et les affaires intérieures dans le présent traité,

RÉSOLUS à poursuivre le processus créant une union sans cesse plus étroite entre les peuples de l'Europe, dans laquelle les décisions sont prises le plus près possible des citoyens, conformément au principe de subsidiarité,

DANS LA PERSPECTIVE des étapes ultérieures à franchir pour faire progresser l'intégration européenne,

ONT DÉCIDÉ d'instituer une Union européenne et ont désigné à cet effet comme plénipotentiaires:

SA MAJESTÉ LE ROI DES BELGES:

Mark EYSKENS, ministre des Affaires étrangères,
Philippe MAYSTADT, ministre des Finances,

SA MAJESTÉ LA REINE DE DANEMARK:

Uffe ELLEMANN-JENSEN, ministre des Affaires étrangères,
Anders FOGH RASMUSSEN, ministre des Affaires économiques,

LE PRÉSIDENT DE LA RÉPUBLIQUE FÉDÉRALE D'ALLEMAGNE:

Hans-Dietrich GENSCHER, ministre fédéral des Affaires étrangères,
Theodor WAIGEL, ministre fédéral des Finances,

LE PRÉSIDENT DE LA RÉPUBLIQUE HELLÉNIQUE:

Antonios SAMARAS, ministre des Affaires étrangères,
Efthymios CHRISTODOULOU, ministre de l'Économie nationale,

SA MAJESTÉ LE ROI D'ESPAGNE:

Francisco FERNÁNDEZ ORDÓÑEZ, ministre des Affaires étrangères,
Carlos SOLCHAGA CATALÁN, ministre de l'Économie et des Finances,

LE PRÉSIDENT DE LA RÉPUBLIQUE FRANÇAISE:

Roland DUMAS, ministre des Affaires étrangères,
Pierre BÉRÉGOVOY, ministre de l'Économie, des Finances et du Budget,

LE PRÉSIDENT D'IRLANDE:

Gerard COLLINS, ministre des Affaires étrangères,

Bertie AHERN, ministre des Finances,

LE PRÉSIDENT DE LA RÉPUBLIQUE ITALIENNE:

Gianni DE MICHELIS, ministre des Affaires étrangères,

Guido CARLI, ministre du Trésor,

SON ALTESSE ROYALE LE GRAND-DUC DE LUXEMBOURG:

Jacques F. POOS, vice-Premier ministre, ministre des Affaires étrangères,

Jean-Claude JUNCKER, ministre des Finances,

SA MAJESTÉ LA REINE DES PAYS-BAS:

Hans VAN DEN BROEK, ministre des Affaires étrangères,

Willem KOK, ministre des Finances,

LE PRÉSIDENT DE LA RÉPUBLIQUE PORTUGAISE:

João de Deus PINHEIRO, ministre des Affaires étrangères,

Jorge BRAGA DE MACEDO, ministre des Finances,

SA MAJESTÉ LA REINE DU ROYAUME-UNI DE GRANDE-BRETAGNE ET D'IRLANDE DU NORD:

The Rt. Hon. Douglas HURD, ministre des Affaires étrangères et du Commonwealth,

The Hon. Francis MAUDE, Financial Secretary au Trésor,

LESQUELS, après avoir échangé leurs pleins pouvoirs reconnus en bonne et due forme, sont convenus des dispositions qui suivent.

TITRE I

Dispositions communes

Article A

Par le présent traité, les HAUTES PARTIES CONTRACTANTES instituent entre Elles une UNION EUROPÉENNE, ci-après dénommée «Union».

Le présent traité marque une nouvelle étape dans le processus créant une union sans cesse plus étroite entre les peuples de l'Europe, dans laquelle les décisions sont prises le plus près possible des citoyens.

L'Union est fondée sur les Communautés européennes complétées par les politiques et formes de coopération instaurées par le présent traité. Elle a pour mission d'organiser de façon cohérente et solidaire les relations entre les États membres et entre leurs peuples.

Article B

L'Union se donne pour objectifs:

— de promouvoir un progrès économique et social équilibré et durable, notamment par la création d'un espace sans frontières intérieures, par le renforcement de la cohésion économique et sociale et par l'établissement d'une Union économique et monétaire comportant, à terme, une monnaie unique, conformément aux dispositions du présent traité;

— d'affirmer son identité sur la scène internationale, notamment par la mise en œuvre d'une politique étrangère et de sécurité commune, y compris la définition à terme d'une politique de défense commune, qui pourrait conduire, le moment venu, à une défense commune;

— de renforcer la protection des droits et des intérêts des ressortissants de ses États membres par l'instauration d'une citoyenneté de l'Union;

— de développer une coopération étroite dans le domaine de la justice et des affaires intérieures;

— de maintenir intégralement l'acquis communautaire et de le développer afin d'examiner, conformément à la procédure visée à l'article N, paragraphe 2, dans quelle mesure les politiques et formes de coopération instaurées par le présent traité devraient être révisées en vue d'assurer l'efficacité des mécanismes et institutions communautaires.

Les objectifs de l'Union sont atteints conformément aux dispositions du présent traité, dans les conditions et selon les rythmes qui y sont prévus, dans le respect du principe de subsidiarité tel qu'il est défini à l'article 3 B du traité instituant la Communauté européenne.

Article C

L'Union dispose d'un cadre institutionnel unique qui assure la cohérence et la continuité des actions menées en vue d'atteindre ses objectifs, tout en respectant et en développant l'acquis communautaire.

L'Union veille, en particulier, à la cohérence de l'ensemble de son action extérieure dans le cadre de ses politiques en matière de relations extérieures, de sécurité, d'économie et de développement. Le Conseil et la Commission ont la responsabilité d'assurer cette cohérence. Ils assurent, chacun selon ses compétences, la mise en œuvre de ces politiques.

Article D

Le Conseil européen donne à l'Union les impulsions nécessaires à son développement et en définit les orientations politiques générales.

Le Conseil européen réunit les chefs d'État ou de gouvernement des États membres ainsi que le président de la Commission. Ceux-ci sont assistés par les ministres chargés des affaires étrangères des États membres et par un membre de la Commission. Le Conseil européen se réunit au moins deux fois par an, sous la présidence du chef d'État ou de gouvernement de l'État membre qui exerce la présidence du Conseil.

Le Conseil européen présente au Parlement européen un rapport à la suite de chacune de ses réunions, ainsi qu'un rapport écrit annuel concernant les progrès réalisés par l'Union.

Article E

Le Parlement européen, le Conseil, la Commission et la Cour de justice exercent leurs attributions dans les conditions et aux fins prévues, d'une part, par les dispositions des traités instituant les Communautés européennes et des traités et actes subséquents qui les ont modifiés ou complétés et, d'autre part, par les autres dispositions du présent traité.

Article F

1. L'Union respecte l'identité nationale de ses États membres, dont les systèmes de gouvernement sont fondés sur les principes démocratiques.

2. L'Union respecte les droits fondamentaux, tels qu'ils sont garantis par la Convention européenne de sauvegarde des droits de

l'homme et des libertés fondamentales, signée à Rome le 4 novembre 1950, et tels qu'ils résultent des traditions constitutionnelles communes aux États membres, en tant que principes généraux du droit communautaire.

3. L'Union se dote des moyens nécessaires pour atteindre ses objectifs et pour mener à bien ses politiques.

TITRE II

Dispositions portant modification du traité instituant la Communauté économique européenne en vue d'établir la Communauté européenne

(Voir version amendée du traité CE, point 2 I, p. 101)

TITRE III

Dispositions modifiant le traité instituant la Communauté européenne du charbon et de l'acier

(Voir version amendée du traité CECA, volume II)

TITRE IV

Dispositions modifiant le traité instituant la Communauté européenne de l'énergie atomique

(Voir version amendée du traité CEEA, volume II)

TITRE V

Dispositions concernant une politique étrangère et de sécurité commune

Article J

Il est institué une politique étrangère et de sécurité commune, régie par les dispositions suivantes.

Article J.1

1. L'Union et ses États membres définissent et mettent en œuvre une politique étrangère et de sécurité commune, régie par les dispositions du présent titre et couvrant tous les domaines de la politique étrangère et de sécurité.

2. Les objectifs de la politique étrangère et de sécurité commune sont:

— la sauvegarde des valeurs communes, des intérêts fondamentaux et de l'indépendance de l'Union;

— le renforcement de la sécurité de l'Union et de ses États membres sous toutes ses formes;

— le maintien de la paix et le renforcement de la sécurité internationale, conformément aux principes de la Charte des Nations unies, ainsi qu'aux principes de l'Acte final de Helsinki et aux objectifs de la Charte de Paris;

— la promotion de la coopération internationale;

— le développement et le renforcement de la démocratie et de l'État de droit, ainsi que le respect des droits de l'homme et des libertés fondamentales.

3. L'Union poursuit ces objectifs:

— en instaurant une coopération systématique entre les États membres pour la conduite de leur politique, conformément à l'article J.2;

— en mettant graduellement en œuvre, conformément à l'article J.3, des actions communes dans les domaines où les États membres ont des intérêts importants en commun.

4. Les États membres appuient activement et sans réserve la politique extérieure et de sécurité de l'Union dans un esprit de loyauté et de solidarité mutuelle. Ils s'abstiennent de toute action contraire aux intérêts de l'Union ou susceptible de nuire à son efficacité en tant que force cohérente dans les relations internationales. Le Conseil veille au respect de ces principes.

Article J.2

1. Les États membres s'informent mutuellement et se concertent au sein du Conseil sur toute question de politique étrangère et de sécurité présentant un intérêt général, en vue d'assurer que leur influence combinée s'exerce de la manière la plus efficace par la convergence de leurs actions.

2. Chaque fois qu'il l'estime nécessaire, le Conseil définit une position commune.

Les États membres veillent à la conformité de leurs politiques nationales avec les positions communes.

3. Les États membres coordonnent leur action au sein des organisations internationales et lors des conférences internationales. Ils défendent dans ces enceintes les positions communes.

Au sein des organisations internationales et lors des conférences internationales auxquelles tous les États membres ne participent pas, ceux qui y participent défendent les positions communes.

Article J.3

La procédure pour adopter une action commune dans les domaines relevant de la politique étrangère et de sécurité est la suivante:

1) le Conseil décide, sur la base d'orientations générales du Conseil européen, qu'une question fera l'objet d'une action commune.

   Lorsque le Conseil arrête le principe d'une action commune, il en fixe la portée précise, les objectifs généraux et particuliers que s'assigne l'Union dans la poursuite de cette action, ainsi que les moyens, procédures, conditions et, si nécessaire, la durée applicables à sa mise en œuvre;

2) lors de l'adoption de l'action commune et à tout stade de son déroulement, le Conseil définit les questions au sujet desquelles des décisions doivent être prises à la majorité qualifiée.

   Pour les délibérations du Conseil qui requièrent la majorité qualifiée conformément au premier alinéa, les voix des membres sont affectées de la pondération visée à l'article 148, paragraphe 2, du traité instituant la Communauté européenne et les délibérations sont acquises si elles ont recueilli au moins cinquante-quatre voix exprimant le vote favorable d'au moins huit membres;

3) s'il se produit un changement de circonstances ayant une nette incidence sur une question faisant l'objet d'une action commune, le Conseil révise les principes et les objectifs de cette action et adopte les décisions nécessaires. Aussi longtemps que le Conseil n'a pas statué, l'action commune est maintenue;

4) les actions communes engagent les États membres dans leurs prises de position et dans la conduite de leur action;

5) toute prise de position ou toute action nationale envisagée en application d'une action commune fait l'objet d'une information dans des délais permettant, si nécessaire, une concertation préalable au sein du Conseil. L'obligation d'information préalable ne s'applique pas aux mesures qui constituent une simple transposition sur le plan national des décisions du Conseil;

6) en cas de nécessité impérieuse liée à l'évolution de la situation et à défaut d'une décision du Conseil, les États membres peuvent prendre d'urgence les mesures qui s'imposent, en tenant compte des objectifs généraux de l'action commune. L'État membre qui prend de telles mesures en informe immédiatement le Conseil;

7) en cas de difficultés majeures pour appliquer une action commune, un État membre saisit le Conseil, qui en délibère et recherche les solutions appropriées. Celles-ci ne peuvent aller à l'encontre des objectifs de l'action ni nuire à son efficacité.

Article J.4

1. La politique étrangère et de sécurité commune inclut l'ensemble des questions relatives à la sécurité de l'Union européenne, y compris la définition à terme d'une politique de défense commune, qui pourrait conduire, le moment venu, à une défense commune.

2. L'Union demande à l'Union de l'Europe occidentale (UEO), qui fait partie intégrante du développement de l'Union européenne, d'élaborer et de mettre en œuvre les décisions et les actions de l'Union qui ont des implications dans le domaine de la défense. Le Conseil, en accord avec les institutions de l'UEO, adopte les modalités pratiques nécessaires.

3. Les questions qui ont des implications dans le domaine de la défense et qui sont régies par le présent article ne sont pas soumises aux procédures définies à l'article J.3.

4. La politique de l'Union au sens du présent article n'affecte pas le caractère spécifique de la politique de sécurité et de défense de certains États membres, elle respecte les obligations découlant pour certains États membres du traité de l'Atlantique Nord et elle est compatible avec la politique commune de sécurité et de défense arrêtée dans ce cadre.

5. Le présent article ne fait pas obstacle au développement d'une coopération plus étroite entre deux ou plusieurs États membres au niveau bilatéral, dans le cadre de l'UEO et de l'Alliance atlantique, dans la mesure où cette coopération ne contrevient pas à celle qui est prévue au présent titre ni ne l'entrave.

6. En vue de promouvoir l'objectif du présent traité et compte tenu de l'échéance de 1998 dans le cadre de l'article XII du traité de Bruxelles, le présent article peut être révisé, comme prévu à l'article N, paragraphe 2, sur la base d'un rapport que le Conseil soumettra en 1996 au Conseil européen et qui comprend une évaluation des progrès réalisés et de l'expérience acquise jusque-là.

Article J.5

1. La présidence représente l'Union pour les matières relevant de la politique étrangère et de sécurité commune.

2. La présidence a la responsabilité de la mise en œuvre des actions communes; à ce titre, elle exprime en principe la position de l'Union dans les organisations internationales et au sein des conférences internationales.

3. Dans les tâches visées aux paragraphes 1 et 2, la présidence est assistée, le cas échéant, par l'État membre ayant exercé la prési-

dence précédente et par celui qui exercera la présidence suivante. La Commission est pleinement associée à ces tâches.

4. Sans préjudice des dispositions de l'article J.2, paragraphe 3, et de l'article J.3, point 4), les États membres représentés dans des organisations internationales ou des conférences internationales dans lesquelles tous les États membres ne le sont pas tiennent ces derniers informés sur toute question présentant un intérêt commun.

Les États membres qui sont aussi membres du Conseil de sécurité des Nations unies se concerteront et tiendront les autres États membres pleinement informés. Les États membres qui sont membres permanents du Conseil de sécurité veilleront, dans l'exercice de leurs fonctions, à défendre les positions et l'intérêt de l'Union, sans préjudice des responsabilités qui leur incombent en vertu des dispositions de la Charte des Nations unies.

Article J.6

Les missions diplomatiques et consulaires des États membres et les délégations de la Commission dans les pays tiers et les conférences internationales, ainsi que leurs représentations auprès des organisations internationales, se concertent pour assurer le respect et la mise en œuvre des positions communes et des actions communes arrêtées par le Conseil.

Elles intensifient leur coopération en échangeant des informations, en procédant à des évaluations communes et en contribuant à la mise en œuvre des dispositions visées à l'article 8 C du traité instituant la Communauté européenne.

Article J.7

La présidence consulte le Parlement européen sur les principaux aspects et les choix fondamentaux de la politique étrangère et de sécurité commune et veille à ce que les vues du Parlement européen soient dûment prises en considération. Le Parlement européen est tenu régulièrement informé par la présidence et la Commission de l'évolution de la politique étrangère et de sécurité de l'Union.

Le Parlement européen peut adresser des questions ou formuler des recommandations à l'intention du Conseil. Il procède chaque année à un débat sur les progrès réalisés dans la mise en œuvre de la politique étrangère et de sécurité commune.

Article J.8

1. Le Conseil européen définit les principes et les orientations générales de la politique étrangère et de sécurité commune.

2. Le Conseil prend les décisions nécessaires à la définition et à la mise en œuvre de la politique étrangère et de sécurité commune, sur la base des orientations générales arrêtées par le Conseil européen. Il veille à l'unité, à la cohérence et à l'efficacité de l'action de l'Union.

Le Conseil statue à l'unanimité, sauf pour les questions de procédure et dans le cas visé à l'article J.3, point 2).

3. Chaque État membre ou la Commission peut saisir le Conseil de toute question relevant de la politique étrangère et de sécurité commune et soumettre des propositions au Conseil.

4. Dans les cas exigeant une décision rapide, la présidence convoque, soit d'office, soit à la demande de la Commission ou d'un État membre, dans un délai de quarante-huit heures ou, en cas de nécessité absolue, dans un délai plus bref, une réunion extraordinaire du Conseil.

5. Sans préjudice de l'article 151 du traité instituant la Communauté européenne, un comité politique composé des directeurs politiques suit la situation internationale dans les domaines relevant de la politique étrangère et de sécurité commune et contribue à la définition des politiques en émettant des avis à l'intention du Conseil, à la demande de celui-ci ou de sa propre initiative. Il surveille également la mise en œuvre des politiques convenues, sans préjudice des compétences de la présidence et de la Commission.

Article J.9

La Commission est pleinement associée aux travaux dans le domaine de la politique étrangère et de sécurité commune.

Article J.10

Lors d'une révision éventuelle des dispositions relatives à la sécurité conformément à l'article J.4, la conférence qui est convoquée à cet effet examine également si d'autres amendements doivent être apportés aux dispositions relatives à la politique étrangère et de sécurité commune.

Article J.11

1. Les dispositions visées aux articles 137, 138, 139 à 142, 146, 147, 150 à 153, 157 à 163 et 217 du traité instituant la Communauté européenne sont applicables aux dispositions relatives aux domaines visés au présent titre.

2. Les dépenses administratives entraînées pour les institutions par les dispositions relatives à la politique étrangère et de sécurité commune sont à la charge du budget des Communautés européennes.

Le Conseil peut également:

- soit décider à l'unanimité que les dépenses opérationnelles entraînées par la mise en œuvre desdites dispositions sont mises à la charge du budget des Communautés européennes; dans ce cas, la procédure budgétaire prévue au traité instituant la Communauté européenne s'applique;

- soit constater que de telles dépenses sont à la charge des États membres, éventuellement selon une clef de répartition à déterminer.

TITRE VI

Dispositions sur la coopération dans les domaines de la justice et des affaires intérieures

Article K

La coopération dans les domaines de la justice et des affaires intérieures est régie par les dispositions suivantes.

Article K.1

Aux fins de la réalisation des objectifs de l'Union, notamment de la libre circulation des personnes, et sans préjudice des compétences de la Communauté européenne, les États membres considèrent les domaines suivants comme des questions d'intérêt commun:

1) la politique d'asile;

2) les règles régissant le franchissement des frontières extérieures des États membres par des personnes et l'exercice du contrôle de ce franchissement;

3) la politique d'immigration et la politique à l'égard des ressortissants des pays tiers:

   a) les conditions d'entrée et circulation des ressortissants des pays tiers sur le territoire des États membres;

   b) les conditions de séjour des ressortissants des pays tiers sur le territoire des États membres, y compris le regroupement familial et l'accès à l'emploi;

   c) la lutte contre l'immigration, le séjour et le travail irréguliers de ressortissants des pays tiers sur le territoire des États membres;

4) la lutte contre la toxicomanie dans la mesure où ce domaine n'est pas couvert par les points 7), 8) et 9);

5) la lutte contre la fraude de dimension internationale dans la mesure où ce domaine n'est pas couvert par les points 7), 8) et 9);

6) la coopération judiciaire en matière civile;

7) la coopération judiciaire en matière pénale;

8) la coopération douanière;

9) la coopération policière en vue de la prévention et de la lutte contre le terrorisme, le trafic illicite de drogue et d'autres formes graves de criminalité internationale, y compris, si nécessaire, certains aspects de coopération douanière, en liaison avec l'organisation à l'échelle de l'Union d'un système d'échanges d'informations au sein d'un Office européen de police (Europol).

Article K.2

1. Les questions visées à l'article K.1 sont traitées dans le respect de la Convention européenne de sauvegarde des droits de l'homme et des libertés fondamentales, du 4 novembre 1950, et de la Convention relative au statut des réfugiés, du 28 juillet 1951, et en tenant compte de la protection accordée par les États membres aux personnes persécutées pour des motifs politiques.

2. Le présent titre ne porte pas atteinte à l'exercice des responsabilités qui incombent aux États membres pour le maintien de l'ordre public et la sauvegarde de la sécurité intérieure.

Article K.3

1. Dans les domaines visés à l'article K.1, les États membres s'informent et se consultent mutuellement au sein du Conseil, en vue de coordonner leur action. Ils instituent à cet effet une collaboration entre les services compétents de leurs administrations.

2. Le Conseil peut:

— à l'initiative de tout État membre ou de la Commission dans les domaines visés aux points 1) à 6) de l'article K.1,

— à l'initiative de tout État membre dans les domaines visés aux points 7), 8) et 9) de l'article K.1:

a) arrêter des positions communes et promouvoir, sous la forme et selon les procédures appropriées, toute coopération utile à la poursuite des objectifs de l'Union;

b) adopter des actions communes, dans la mesure où les objectifs de l'Union peuvent être mieux réalisés par une action commune que par les États membres agissant isolément, en raison des dimensions ou des effets de l'action envisagée; il peut décider que les mesures d'application d'une action commune seront adoptées à la majorité qualifiée;

c) sans préjudice de l'article 220 du traité instituant la Communauté européenne, établir des conventions dont il recommandera l'adoption par les États membres selon leurs règles constitutionnelles respectives.

Sauf dispositions contraires prévues par ces conventions, les éventuelles mesures d'application de celles-ci sont adoptées au sein du Conseil, à la majorité des deux tiers des Hautes Parties Contractantes.

Ces conventions peuvent prévoir que la Cour de justice est compétente pour interpréter leurs dispositions et pour statuer sur tout différend concernant leur application, selon les modalités qu'elles peuvent préciser.

Article K.4

1. Il est institué un comité de coordination composé de hauts fonctionnaires. En plus de son rôle de coordination, ce comité a pour mission:

— de formuler des avis à l'intention du Conseil, soit à la requête de celui-ci, soit de sa propre initiative;

— de contribuer, sans préjudice de l'article 151 du traité instituant la Communauté européenne, à la préparation des travaux du Conseil dans les domaines visés à l'article K.1, ainsi que, selon les conditions prévues à l'article 100 D du traité instituant la Communauté européenne, dans les domaines visés à l'article 100 C dudit traité.

2. La Commission est pleinement associée aux travaux dans les domaines visés au présent titre.

3. Le Conseil statue à l'unanimité, sauf sur les questions de procédure et dans les cas où l'article K.3 prévoit expressément une autre règle de vote.

Dans le cas où les délibérations du Conseil requièrent la majorité qualifiée, les voix des membres sont affectées de la pondération visée à l'article 148, paragraphe 2, du traité instituant la Communauté européenne et les délibérations sont acquises si elles ont recueilli au moins cinquante-quatre voix exprimant le vote favorable d'au moins huit membres.

Article K.5

Les États membres expriment les positions communes arrêtées conformément au présent titre dans les organisations internationales et lors des conférences internationales auxquelles ils participent.

Article K.6

La présidence et la Commission informent régulièrement le Parlement européen des travaux menés dans les domaines relevant du présent titre.

La présidence consulte le Parlement européen sur les principaux aspects de l'activité dans les domaines visés au présent titre et veille à ce que les vues du Parlement européen soient dûment prises en considération.

Le Parlement européen peut adresser des questions ou formuler des recommandations à l'intention du Conseil. Il procède chaque année à un débat sur les progrès réalisés dans la mise en œuvre des domaines visés au présent titre.

Article K.7

Les dispositions du présent titre ne font pas obstacle à l'institution ou au développement d'une coopération plus étroite entre deux ou plusieurs États membres, dans la mesure où cette coopération ne contrevient ni n'entrave celle qui est prévue au présent titre.

Article K.8

1. Les dispositions visées aux articles 137, 138, 139 à 142, 146, 147, 150 à 153, 157 à 163 et 217 du traité instituant la Commu-

nauté européenne sont applicables aux dispositions relatives aux domaines visés au présent titre.

2. Les dépenses administratives entraînées pour les institutions par les dispositions relatives aux domaines visés au présent titre sont à la charge du budget des Communautés européennes.

Le Conseil peut également:

— soit décider à l'unanimité que les dépenses opérationnelles entraînées par la mise en œuvre desdites dispositions sont à la charge du budget des Communautés européennes; dans ce cas, la procédure budgétaire prévue au traité instituant la Communauté européenne s'applique;

— soit constater que de telles dépenses sont à la charge des États membres, éventuellement selon une clef de répartition à déterminer.

Article K.9

Le Conseil, statuant à l'unanimité à l'initiative de la Commission ou d'un État membre, peut décider de rendre applicable l'article 100 C du traité instituant la Communauté européenne à des actions relevant de domaines visés à l'article K.1, points 1) à 6), en déterminant les conditions de vote qui s'y rattachent. Il recommande l'adoption de cette décision par les États membres conformément à leurs règles constitutionnelles respectives.

TITRE VII

Dispositions finales

Article L

Les dispositions du traité instituant la Communauté européenne, du traité instituant la Communauté européenne du charbon et de l'acier, du traité instituant la Communauté européenne de l'énergie atomique qui sont relatives à la compétence de la Cour de justice des Communautés européennes et à l'exercice de cette compétence ne sont applicables qu'aux dispositions suivantes du présent traité:

a) les dispositions portant modification du traité instituant la Communauté économique européenne en vue d'établir la Communauté européenne, du traité instituant la Communauté européenne du charbon et de l'acier et du traité instituant la Communauté européenne de l'énergie atomique;

b) le troisième alinéa de l'article K.3, paragraphe 2, point c);

c) les articles L à S.

Article M

Sous réserve des dispositions portant modification du traité instituant la Communauté économique européenne en vue d'établir la Communauté européenne, du traité instituant la Communauté européenne du charbon et de l'acier et du traité instituant la Communauté européenne de l'énergie atomique et des présentes dispositions finales, aucune disposition du présent traité n'affecte les traités instituant les Communautés européennes ni les traités et actes subséquents qui les ont modifiés ou complétés.

Article N

1. Le gouvernement de tout État membre, ou la Commission, peut soumettre au Conseil des projets tendant à la révision des traités sur lesquels est fondée l'Union.

Si le Conseil, après avoir consulté le Parlement européen et, le cas échéant, la Commission, émet un avis favorable à la réunion d'une conférence des représentants des gouvernements des États membres, celle-ci est convoquée par le président du Conseil en vue d'arrêter d'un commun accord les modifications à apporter auxdits traités. Dans le cas de modifications institutionnelles dans le domaine monétaire, le conseil de la Banque centrale européenne est également consulté.

Les amendements entreront en vigueur après avoir été ratifiés par tous les États membres conformément à leurs règles constitutionnelles respectives.

2. Une conférence des représentants des gouvernements des États membres sera convoquée en 1996 pour examiner, conformément aux objectifs énoncés aux articles A et B des dispositions communes, les dispositions du présent traité pour lesquelles une révision est prévue.

Article O

Tout État européen peut demander à devenir membre de l'Union. Il adresse sa demande au Conseil, lequel se prononce à l'unanimité après avoir consulté la Commission et après avis conforme du Parlement européen, qui se prononce à la majorité absolue des membres qui le composent.

Les conditions de l'admission et les adaptations que cette admission entraîne en ce qui concerne les traités sur lesquels est fondée l'Union font l'objet d'un accord entre les États membres et l'État demandeur. Ledit accord est soumis à la ratification par tous les États contractants, conformément à leurs règles constitutionnelles respectives.

Article P

1. Sont abrogés les articles 2 à 7 et 10 à 19 du traité instituant un Conseil unique et une Commission unique des Communautés européennes, signé à Bruxelles le 8 avril 1965.

2. Sont abrogés l'article 2, l'article 3, paragraphe 2, et le titre III de l'Acte unique européen, signé à Luxembourg le 17 février 1986 et à La Haye le 28 février 1986.

Article Q

Le présent traité est conclu pour une durée illimitée.

Article R

1. Le présent traité sera ratifié par les Hautes Parties Contractantes, conformément à leurs règles constitutionnelles respectives. Les instruments de ratification seront déposés auprès du gouvernement de la République italienne.

2. Le présent traité entrera en vigueur le 1er janvier 1993, à condition que tous les instruments de ratification aient été déposés, ou, à défaut, le premier jour du mois suivant le dépôt de l'instrument de ratification de l'État signataire qui procédera le dernier à cette formalité.

Article S

Le présent traité rédigé en un exemplaire unique, en langues allemande, anglaise, danoise, espagnole, française, grecque, irlandaise, italienne, néerlandaise et portugaise, les textes établis dans chacune de ces langues faisant également foi, sera déposé dans les archives du gouvernement de la République italienne, qui remettra une copie certifiée conforme à chacun des gouvernements des autres États signataires.

EN FOI DE QUOI, les plénipotentiaires soussignés ont apposé leurs signatures au bas du présent traité.

Fait à Maastricht, le sept février mil neuf cent quatre-vingt-douze.

Mark EYSKENS
Uffe ELLEMANN-JENSEN
Hans-Dietrich GENSCHER
Antonios SAMARAS
Francisco FERNÁNDEZ ORDÓÑEZ
Roland DUMAS
Gerard COLLINS
Gianni DE MICHELIS
Jacques F. POOS
Hans VAN DEN BROEK
João de Deus PINHEIRO
Douglas HURD

Philippe MAYSTADT
Anders FOGH RASMUSSEN
Theodor WAIGEL
Efthymios CHRISTODOULOU
Carlos SOLCHAGA CATALÁN
Pierre BÉRÉGOVOY
Bertie AHERN
Guido CARLI
Jean-Claude JUNCKER
Willem KOK
Jorge BRAGA DE MACEDO
Francis MAUDE

II – Protocoles (*)

(*) NOTE DES ÉDITEURS

Les seize autres protocoles signés avec le texte du traité sur l'Union européenne et qui se réfèrent au traité instituant la Communauté européenne figurent au point 2 II du présent volume, p. 465.

Protocole (nº 17)

annexé au traité sur l'Union européenne et aux traités instituant les Communautés européennes

LES HAUTES PARTIES CONTRACTANTES

SONT CONVENUES des dispositions suivantes, qui sont annexées au traité sur l'Union européenne et aux traités instituant les Communautés européennes:

Aucune disposition du traité sur l'Union européenne, des traités instituant les Communautés européennes ni des traités et actes modifiant ou complétant lesdits traités n'affecte l'application en Irlande de l'article 40.3.3 de la Constitution de l'Irlande.

Déclaration du 1er mai 1992

Les Hautes Parties Contractantes au traité sur l'Union européenne ont adopté, le 1er mai 1992 à Guimarães (Portugal), la déclaration suivante.

DÉCLARATION DES HAUTES PARTIES CONTRACTANTES AU TRAITÉ SUR L'UNION EUROPÉENNE

Les Hautes Parties Contractantes au traité sur l'Union européenne, signé à Maastricht le 7 février 1992,

ayant examiné les termes du protocole n° 17 dudit traité sur l'Union européenne, annexé à ce traité et aux traités instituant les Communautés européennes,

donnent l'interprétation juridique suivante:

Leur intention était et demeure que le protocole ne limite pas la liberté de se déplacer entre États membres ou, conformément aux conditions qui peuvent être arrêtées en conformité avec le droit communautaire par la législation irlandaise, d'obtenir ou de fournir en Irlande des informations concernant des services que la loi autorise dans les États membres.

*

En même temps, les Hautes Parties Contractantes déclarent solennellement que, dans l'hypothèse d'une future révision de la Constitution de l'Irlande qui porte sur l'objet de l'article 40.3.3 de ladite Constitution et qui ne soit pas contraire à l'intention des Hautes Parties Contractantes exprimée ci-dessus, elles seront favorables, à la suite de l'entrée en vigueur du traité sur l'Union européenne, à une modification dudit protocole visant à en étendre l'application à la disposition de la Constitution ainsi révisée si l'Irlande le demande.

III — Acte final

1. Les conférences des représentants des gouvernements des États membres convoquées à Rome le 15 décembre 1990 pour arrêter d'un commun accord les modifications à apporter au traité instituant la Communauté économique européenne en vue de la réalisation de l'Union politique et en vue des étapes finales de l'Union économique et monétaire, ainsi que celles convoquées à Bruxelles le 3 février 1992 en vue d'apporter aux traités instituant respectivement la Communauté européenne du charbon et de l'acier et la Communauté européenne de l'énergie atomique les modifications par voie de conséquence aux modifications envisagées au traité instituant la Communauté économique européenne, ont arrêté les textes suivants.

I — Traité sur l'Union européenne

II — Protocoles (*)

1. Protocole sur l'acquisition de biens immobiliers au Danemark

2. Protocole sur l'article 119 du traité instituant la Communauté européenne

3. Protocole sur les statuts du Système européen de banques centrales et de la Banque centrale européenne

(*) NOTE DES ÉDITEURS

Le texte des protocoles figure au point 2 II, p. 465, sauf pour ce qui est du protocole nº 17, dont le texte figure ci-dessus, p. 61.

4. Protocole sur les statuts de l'Institut monétaire européen

5. Protocole sur la procédure concernant les déficits excessifs

6. Protocole sur les critères de convergence visés à l'article 109 J du traité instituant la Communauté européenne

7. Protocole modifiant le protocole sur les privilèges et immunités des Communautés européennes

8. Protocole sur le Danemark

9. Protocole sur le Portugal

10. Protocole sur le passage à la troisième phase de l'Union économique et monétaire

11. Protocole sur certaines dispositions relatives au Royaume-Uni de Grande-Bretagne et d'Irlande du Nord

12. Protocole sur certaines dispositions relatives au Danemark

13. Protocole sur la France

14. Protocole sur la politique sociale, auquel est annexé un accord conclu entre les États membres de la Communauté européenne à l'exception du Royaume-Uni de Grande-Bretagne et d'Irlande du Nord, auquel sont jointes deux déclarations

15. Protocole sur la cohésion économique et sociale

16. Protocole sur le Comité économique et social et sur le Comité des régions

17. Protocole annexé au traité sur l'Union européenne et aux traités instituant les Communautés européennes

Les conférences sont convenues que les protocoles mentionnés aux points 1 à 16 ci-dessus seront annexés au traité instituant la Communauté européenne et que le protocole mentionné au point 17 ci-dessus sera annexé au traité sur l'Union européenne et aux traités instituant les Communautés européennes.

2. Au moment de signer ces textes, les conférences ont adopté les déclarations énumérées ci-après et annexées au présent acte final.

III — Déclarations (*)

1. Déclaration relative à la protection civile, à l'énergie et au tourisme

2. Déclaration relative à la nationalité d'un État membre

3. Déclaration relative à la troisième partie, titres III et VI, du traité instituant la Communauté européenne

4. Déclaration relative à la troisième partie, titre VI, du traité instituant la Communauté européenne

5. Déclaration relative à la coopération monétaire avec les pays tiers

6. Déclaration relative aux relations monétaires avec la république de Saint-Marin, la Cité du Vatican et la principauté de Monaco

---

(*) NOTE DES ÉDITEURS

Le texte des déclarations n°s 27 à 32 figure ci-après. Pour le texte des autres déclarations, voir ci-après, point 2 III, p. 641.

7. Déclaration relative à l'article 73 D du traité instituant la Communauté européenne

8. Déclaration relative à l'article 109 du traité instituant la Communauté européenne

9. Déclaration relative à la troisième partie, titre XVI, du traité instituant la Communauté européenne

10. Déclaration relative aux articles 109, 130 R et 130 Y du traité instituant la Communauté européenne

11. Déclaration relative à la directive du 24 novembre 1988 («émissions»)

12. Déclaration relative au Fonds européen de développement

13. Déclaration relative au rôle des parlements nationaux dans l'Union européenne

14. Déclaration relative à la Conférence des parlements

15. Déclaration relative au nombre des membres de la Commission et du Parlement européen

16. Déclaration relative à la hiérarchie des actes communautaires

17. Déclaration relative au droit d'accès à l'information

18. Déclaration relative aux coûts estimés résultant des propositions de la Commission

19. Déclaration relative à l'application du droit communautaire

20. Déclaration relative à l'évaluation de l'impact environnemental des mesures communautaires

21. Déclaration relative à la Cour des comptes

22. Déclaration relative au Comité économique et social

23. Déclaration relative à la coopération avec les associations de solidarité

24. Déclaration relative à la protection des animaux

25. Déclaration relative à la représentation des intérêts des pays et territoires d'outre-mer visés à l'article 227, paragraphes 3 et 5, points a) et b), du traité instituant la Communauté européenne

26. Déclaration relative aux régions ultrapériphériques de la Communauté

27. Déclaration relative aux votes dans le domaine de la politique étrangère et de sécurité commune

28. Déclaration relative aux modalités pratiques dans le domaine de la politique étrangère et de sécurité commune

29. Déclaration relative au régime linguistique dans le domaine de la politique étrangère et de sécurité commune

30. Déclaration relative à l'Union de l'Europe occidentale

31. Déclaration relative à l'asile

32. Déclaration relative à la coopération policière

33. Déclaration relative aux litiges entre la BCE et l'IME, d'une part, et leurs agents, de l'autre

Fait à Maastricht, le sept février mil neuf cent quatre-vingt-douze.

DÉCLARATION (nº 27)

relative aux votes dans le domaine de la politique étrangère et de sécurité commune

La conférence convient que, pour les décisions qui requièrent l'unanimité, les États membres éviteront, autant que possible, d'empêcher qu'il y ait unanimité lorsqu'une majorité qualifiée est favorable à la décision.

DÉCLARATION (n° 28)

relative aux modalités pratiques dans le domaine de la politique étrangère et de sécurité commune

La conférence convient que l'articulation des travaux entre le comité politique et le comité des représentants permanents sera examinée ultérieurement, de même que les modalités pratiques de la fusion du secrétariat de la Coopération politique avec le secrétariat général du Conseil et de la collaboration entre ce dernier et la Commission.

DÉCLARATION (nº 29)

relative au régime linguistique dans le domaine de la politique étrangère et de sécurité commune

La conférence convient que le régime linguistique applicable est celui des Communautés européennes.

Pour les communications COREU, la pratique actuelle de la Coopération politique européenne servira de modèle pour le moment.

Tous les textes relatifs à la politique étrangère et de sécurité commune qui sont présentés ou adoptés lors des sessions du Conseil européen ou du Conseil ainsi que tous les textes à publier sont traduits immédiatement et simultanément dans toutes les langues officielles de la Communauté.

DÉCLARATION (n° 30)

relative à l'Union de l'Europe occidentale

La conférence prend acte des déclarations suivantes.

I – DÉCLARATION

de la Belgique, de l'Allemagne, de l'Espagne, de la France, de l'Italie, du Luxembourg, des Pays-Bas, du Portugal et du Royaume-Uni, qui sont membres de l'Union de l'Europe occidentale ainsi que membres de l'Union européenne, sur le rôle de l'Union de l'Europe occidentale et sur ses relations avec l'Union européenne et avec l'Alliance atlantique

Introduction

1. Les États membres de l'Union de l'Europe occidentale (UEO) conviennent de la nécessité de former une véritable identité européenne de sécurité et de défense et d'assumer des responsabilités européennes accrues en matière de défense. Cette identité sera élaborée progressivement selon un processus comportant des étapes successives. L'UEO fera partie intégrante du développement de l'Union européenne et renforcera sa contribution à la solidarité au sein de l'Alliance atlantique. Les États membres de l'UEO conviennent de renforcer le rôle de l'UEO dans la perspective à terme d'une politique de défense commune au sein de l'Union européenne, qui pourrait conduire à terme à une défense commune compatible avec celle de l'Alliance atlantique.

2. L'UEO sera développée en tant que composante de défense de l'Union européenne et comme moyen de renforcer le pilier européen de l'Alliance atlantique. À cette fin, elle formulera une politique de défense européenne commune et veillera à sa mise en œuvre concrète en développant plus avant son propre rôle opérationnel.

Les États membres de l'UEO prennent note de l'article J.4 relatif à la politique étrangère et de sécurité commune du traité sur l'Union européenne, qui se lit comme suit:

«1. La politique étrangère et de sécurité commune inclut l'ensemble des questions relatives à la sécurité de l'Union européenne, y compris la définition à terme d'une politique de défense commune, qui pourrait conduire, le moment venu, à une défense commune.

2. L'Union demande à l'Union de l'Europe occidentale (UEO), qui fait partie intégrante du développement de l'Union européenne, d'élaborer et de mettre en œuvre les décisions et les actions de l'Union qui ont des implications dans le domaine de la défense. Le Conseil, en accord avec les institutions de l'UEO, adopte les modalités pratiques nécessaires.

3. Les questions qui ont des implications dans le domaine de la défense et qui sont régies par le présent article ne sont pas soumises aux procédures définies à l'article J.3.

4. La politique de l'Union au sens du présent article n'affecte pas le caractère spécifique de la politique de sécurité et de défense de certains États membres, elle respecte les obligations découlant pour certains États membres du traité de l'Atlantique Nord et elle est compatible avec la politique commune de sécurité et de défense arrêtée dans ce cadre.

5. Les dispositions du présent article ne font pas obstacle au développement d'une coopération plus étroite entre deux ou plusieurs États membres au niveau bilatéral, dans le cadre de l'UEO et de l'Alliance atlantique, dans la mesure où cette coopération ne contrevient pas à celle qui est prévue dans le présent titre ni ne l'entrave.

6. En vue de promouvoir l'objectif du présent traité et compte tenu de l'échéance de 1998 dans le contexte de l'article XII du traité de Bruxelles modifié, les dispositions du présent article pourront être révisées, comme prévu à l'article N, paragraphe 2, sur la base d'un rapport que le Conseil soumettra en 1996 au Conseil européen et qui comprend une évaluation des progrès réalisés et de l'expérience acquise jusque-là.»

A — *Les relations de l'UEO avec l'Union européenne*

3. L'objectif est d'édifier par étapes l'UEO en tant que composante de défense de l'Union européenne. À cette fin, l'UEO est prête à élaborer et à mettre en œuvre, sur demande de l'Union européenne, les décisions et les actions de l'Union qui ont des implications en matière de défense.

À cette fin, l'UEO instaurera d'étroites relations de travail avec l'Union européenne en prenant les mesures suivantes:

- de manière appropriée, synchronisation des dates et lieux de réunion ainsi qu'harmonisation des méthodes de travail;
- établissement d'une étroite coopération entre le Conseil et le secrétariat général de l'UEO, d'une part, et le Conseil de l'Union et le secrétariat général du Conseil, d'autre part;
- examen de l'harmonisation de la succession et de la durée des présidences respectives;
- mise au point de modalités appropriées afin de garantir que la Commission des Communautés européennes soit régulièrement informée et, le cas échéant, consultée sur les activités de l'UEO,

conformément au rôle de la Commission dans la politique étrangère et de sécurité commune, telle que définie dans le traité sur l'Union européenne;

— encouragement d'une coopération plus étroite entre l'Assemblée parlementaire de l'UEO et le Parlement européen.

Le Conseil de l'UEO prendra les dispositions pratiques nécessaires en accord avec les institutions compétentes de l'Union européenne.

B — *Les relations de l'UEO avec l'Alliance atlantique*

4. L'objectif est de développer l'UEO en tant que moyen de renforcer le pilier européen de l'Alliance atlantique. À cette fin, l'UEO est prête à développer les étroites relations de travail entre l'UEO et l'Alliance, et à renforcer le rôle, les responsabilités et les contributions des États membres de l'UEO au sein de l'Alliance. Cela s'effectuera sur la base de la transparence et de la complémentarité nécessaires entre l'identité européenne de sécurité et de défense, telle qu'elle se dégage, et l'Alliance. L'UEO agira en conformité avec les positions adoptées dans l'Alliance atlantique:

— les États membres de l'UEO intensifieront leur coordination sur les questions au sein de l'Alliance qui représentent un important intérêt commun, afin d'introduire des positions conjointes concertées au sein de l'UEO dans le processus de consultation de l'Alliance, qui restera le forum essentiel de consultation entre les alliés et l'enceinte où ceux-ci s'accordent sur des politiques touchant à leurs engagements de sécurité et de défense au titre du traité de l'Atlantique Nord;

— lorsqu'il y a lieu, les dates et lieux de réunion seront synchronisés et les méthodes de travail seront harmonisées;

— une étroite coopération sera établie entre les secrétariats généraux de l'UEO et de l'OTAN.

C — *Le rôle opérationnel de l'UEO*

5. Le rôle opérationnel de l'UEO sera renforcé en examinant et en déterminant les missions, structures et moyens appropriés, couvrant en particulier:

— une cellule de planification de l'UEO;

— une coopération militaire plus étroite en complément de l'Alliance, notamment dans le domaine de la logistique, du transport, de la formation et de la surveillance stratégique;

— des rencontres des chefs d'état-major de l'UEO;

— des unités militaires relevant de l'UEO.

D'autres propositions seront étudiées plus avant, notamment:

— une coopération renforcée en matière d'armement, en vue de créer une Agence européenne des armements;

— la transformation de l'Institut de l'UEO en Académie européenne de sécurité et de défense.

Les mesures visant à renforcer le rôle opérationnel de l'UEO seront pleinement compatibles avec les dispositions militaires nécessaires pour assurer la défense collective de tous les alliés.

D — *Mesures diverses*

6. En conséquence des mesures ci-dessus et afin de faciliter le renforcement du rôle de l'UEO, le siège du Conseil et du secrétariat général de l'UEO sera transféré à Bruxelles.

7. La représentation au Conseil de l'UEO doit être telle qu'il puisse exercer ses fonctions en permanence, conformément à l'article VIII du traité de Bruxelles modifié. Les États membres pourront faire appel à une formule dite de «double chapeau», à mettre au point, constituée de leurs représentants auprès de l'Alliance et auprès de l'Union européenne.

8. L'UEO note que, conformément aux dispositions de l'article J.4, paragraphe 6, relatif à la politique étrangère et de sécurité commune du traité sur l'Union européenne, l'Union décidera de revoir les dispositions de cet article afin de promouvoir l'objectif qu'il fixe selon la procédure définie. L'UEO procédera en 1996 à un réexamen des présentes dispositions. Ce réexamen tiendra compte des progrès et expériences acquises, et s'étendra aux relations entre l'UEO et l'Alliance atlantique.

II – DÉCLARATION

de la Belgique, de l'Allemagne, de l'Espagne, de la France, de l'Italie, du Luxembourg, des Pays-Bas, du Portugal et du Royaume-Uni, qui sont membres de l'Union de l'Europe occidentale

Les États membres de l'UEO se félicitent du développement de l'identité européenne en matière de sécurité et de défense. Ils sont déterminés, compte tenu du rôle de l'UEO comme élément de défense de l'Union européenne et comme moyen de renforcer le pilier européen de l'Alliance atlantique, à placer les relations entre l'UEO et les autres pays européens sur de nouvelles bases en vue de la stabilité et de la sécurité en Europe. Dans cet esprit, ils proposent ce qui suit:

«Les États qui sont membres de l'Union européenne sont invités à adhérer à l'UEO dans les conditions à convenir conformément à l'article XI du traité de Bruxelles modifié, ou à devenir observateurs s'ils le souhaitent. Dans le même temps, les autres États européens membres de l'OTAN sont invités à devenir membres associés de l'UEO d'une manière qui leur donne la possibilité de participer pleinement aux activités de l'UEO.»

Les États membres de l'UEO partent de l'hypothèse que les traités et accords correspondant aux propositions ci-dessus seront conclus avant le 31 décembre 1992.

DÉCLARATION (nº 31)

relative à l'asile

1. La conférence convient que, dans le cadre des travaux prévus aux articles K.1 et K.3 des dispositions sur la coopération dans les domaines de la justice et des affaires intérieures, le Conseil examinera en priorité les questions concernant la politique d'asile des États membres, avec pour objectif d'adopter, pour le début de 1993, une action commune visant à en harmoniser des aspects, à la lumière du programme de travail et de l'échéancier contenus dans le rapport sur l'asile établi à la demande du Conseil européen de Luxembourg des 28 et 29 juin 1991.

2. Dans ce contexte, le Conseil, avant la fin de 1993, sur la base d'un rapport, examinera également la question d'une éventuelle application de l'article K.9 à ces matières.

DÉCLARATION (nº 32)

relative à la coopération policière

La conférence confirme l'accord des États membres sur les objectifs des propositions faites par la délégation allemande lors de la réunion du Conseil européen de Luxembourg des 28 et 29 juin 1991.

Dans l'immédiat, les États membres conviennent d'examiner, en priorité, les projets qui leur seraient soumis, sur la base du programme de travail et de l'échéancier convenus dans le rapport établi à la demande du Conseil européen de Luxembourg, et sont prêts à envisager l'adoption de mesures concrètes dans des domaines tels que ceux suggérés par cette délégation en ce qui concerne les tâches d'échange d'informations et d'expériences suivantes:

- assistance aux autorités nationales chargées des poursuites pénales et de la sécurité, notamment en matière de coordination des enquêtes et des recherches;

- constitution de banques de données;

- évaluation et exploitation centralisées des informations en vue de faire un bilan de la situation et de déterminer les différentes approches en matière d'enquête;

- collecte et exploitation d'informations concernant les approches nationales en matière de prévention en vue de les transmettre aux États membres et de définir des stratégies préventives à l'échelle européenne;

— mesures concernant la formation complémentaire, la recherche, la criminalistique et l'anthropométrie judiciaire.

Les États membres conviennent d'examiner sur la base d'un rapport au plus tard au cours de l'année 1994 s'il y a lieu d'étendre la portée de cette coopération.

2. TRAITÉ INSTITUANT LA COMMUNAUTÉ EUROPÉENNE (*)

(*) NOTE DES ÉDITEURS
Intitulé tel que modifié par l'article G, point 1), du TUE.

Sommaire

I — Texte du traité (*)

(*) NOTE DES ÉDITEURS

Le lecteur trouvera ci-après une version amendée complète du traité instituant la Communauté européenne, telle qu'elle résulte du titre II du TUE «Dispositions portant modification du traité instituant la Communauté économique européenne en vue d'établir la Communauté européenne» [article G, points 1) à 86)].

Sa Majesté le roi des Belges, le président de la République fédérale d'Allemagne, le président de la République française, le président de la République italienne, Son Altesse Royale la grande-duchesse de Luxembourg, Sa Majesté la reine des Pays-Bas,

Déterminés à établir les fondements d'une union sans cesse plus étroite entre les peuples européens,

Décidés à assurer par une action commune le progrès économique et social de leurs pays en éliminant les barrières qui divisent l'Europe,

Assignant pour but essentiel à leurs efforts l'amélioration constante des conditions de vie et d'emploi de leurs peuples,

Reconnaissant que l'élimination des obstacles existants appelle une action concertée en vue de garantir la stabilité dans l'expansion, l'équilibre dans les échanges et la loyauté dans la concurrence,

Soucieux de renforcer l'unité de leurs économies et d'en assurer le développement harmonieux en réduisant l'écart entre les différentes régions et le retard des moins favorisées,

Désireux de contribuer, grâce à une politique commerciale commune, à la suppression progressive des restrictions aux échanges internationaux,

Entendant confirmer la solidarité qui lie l'Europe et les pays d'outre-mer, et désirant assurer le développement de leur prospérité, conformément aux principes de la charte des Nations unies,

RÉSOLUS à affermir, par la constitution de cet ensemble de ressources, les sauvegardes de la paix et de la liberté, et appelant les autres peuples de l'Europe qui partagent leur idéal à s'associer à leur effort,

ONT DÉCIDÉ de créer une COMMUNAUTÉ EUROPÉENNE et ont désigné à cet effet comme plénipotentiaires:

SA MAJESTÉ LE ROI DES BELGES:

M. Paul Henri SPAAK, ministre des Affaires étrangères,

Baron J. Ch. SNOY ET D'OPPUERS, secrétaire général du ministère des Affaires économiques, président de la délégation belge auprès de la conférence intergouvernementale,

LE PRÉSIDENT DE LA RÉPUBLIQUE FÉDÉRALE D'ALLEMAGNE:

M. le docteur Konrad ADENAUER, chancelier fédéral,

M. le professeur docteur Walter HALLSTEIN, secrétaire d'État aux Affaires étrangères,

LE PRÉSIDENT DE LA RÉPUBLIQUE FRANÇAISE:

M. Christian PINEAU, ministre des Affaires étrangères,

M. Maurice FAURE, secrétaire d'État aux Affaires étrangères,

LE PRÉSIDENT DE LA RÉPUBLIQUE ITALIENNE:

M. Antonio SEGNI, président du Conseil des ministres,

M. le professeur Gaetano MARTINO, ministre des Affaires étrangères,

SON ALTESSE ROYALE LA GRANDE-DUCHESSE DE LUXEMBOURG:

M. Joseph BECH, président du gouvernement, ministre des Affaires étrangères,

M. Lambert SCHAUS, ambassadeur, président de la délégation luxembourgeoise auprès de la conférence intergouvernementale,

SA MAJESTÉ LA REINE DES PAYS-BAS:

M. Joseph LUNS, ministre des Affaires étrangères,

M. J. LINTHORST HOMAN, président de la délégation néerlandaise auprès de la conférence intergouvernementale,

LESQUELS, après avoir échangé leurs pleins pouvoirs, reconnus en bonne et due forme, sont convenus des dispositions qui suivent.

PREMIÈRE PARTIE

LES PRINCIPES

Article premier

Par le présent traité, les HAUTES PARTIES CONTRACTANTES instituent entre Elles une COMMUNAUTÉ EUROPÉENNE.

Article 2 (*)

La Communauté a pour mission, par l'établissement d'un marché commun, d'une Union économique et monétaire et par la mise en œuvre des politiques ou des actions communes visées aux articles 3 et 3 A, de promouvoir un développement harmonieux et équilibré des activités économiques dans l'ensemble de la Communauté, une croissance durable et non inflationniste respectant l'environnement, un haut degré de convergence des performances économiques, un niveau d'emploi et de protection sociale élevé, le relèvement du niveau et de la qualité de vie, la cohésion économique et sociale et la solidarité entre les États membres.

Article 3 (**)

Aux fins énoncées à l'article 2, l'action de la Communauté comporte, dans les conditions et selon les rythmes prévus par le présent traité:

a) l'élimination, entre les États membres, des droits de douane et des restrictions quantitatives à l'entrée et à la sortie des marchandises, ainsi que de toutes autres mesures d'effet équivalent,

---

(*) Tel que modifié par l'article G, point 2), du TUE.

(**) Tel que modifié par l'article G, point 3), du TUE.

b) une politique commerciale commune,

c) un marché intérieur caractérisé par l'abolition, entre les États membres, des obstacles à la libre circulation des marchandises, des personnes, des services et des capitaux,

d) des mesures relatives à l'entrée et à la circulation des personnes dans le marché intérieur conformément à l'article 100 C,

e) une politique commune dans les domaines de l'agriculture et de la pêche,

f) une politique commune dans le domaine des transports,

g) un régime assurant que la concurrence n'est pas faussée dans le marché intérieur,

h) le rapprochement des législations nationales dans la mesure nécessaire au fonctionnement du marché commun,

i) une politique dans le domaine social comprenant un Fonds social européen,

j) le renforcement de la cohésion économique et sociale,

k) une politique dans le domaine de l'environnement,

l) le renforcement de la compétitivité de l'industrie de la Communauté,

m) la promotion de la recherche et du développement technologique,

n) l'encouragement à l'établissement et au développement de réseaux transeuropéens,

o) une contribution à la réalisation d'un niveau élevé de protection de la santé,

p) une contribution à une éducation et à une formation de qualité ainsi qu'à l'épanouissement des cultures des États membres,

q) une politique dans le domaine de la coopération au développement,

r) l'association des pays et territoires d'outre-mer, en vue d'accroître les échanges et de poursuivre en commun l'effort de développement économique et social,

s) une contribution au renforcement de la protection des consommateurs,

t) des mesures dans les domaines de l'énergie, de la protection civile et du tourisme.

Article 3 A (*)

1. Aux fins énoncées à l'article 2, l'action des États membres et de la Communauté comporte, dans les conditions et selon les rythmes prévus par le présent traité, l'instauration d'une politique économique fondée sur l'étroite coordination des politiques économiques des États membres, sur le marché intérieur et sur la définition d'objectifs communs, et conduite conformément au respect du principe d'une économie de marché ouverte où la concurrence est libre.

(*) Tel qu'inséré par l'article G, point 4), du TUE.

2. Parallèlement, dans les conditions et selon les rythmes et les procédures prévus par le présent traité, cette action comporte la fixation irrévocable des taux de change conduisant à l'instauration d'une monnaie unique, l'Écu, ainsi que la définition et la conduite d'une politique monétaire et d'une politique de change uniques dont l'objectif principal est de maintenir la stabilité des prix et, sans préjudice de cet objectif, de soutenir les politiques économiques générales dans la Communauté, conformément au principe d'une économie de marché ouverte où la concurrence est libre.

3. Cette action des États membres et de la Communauté implique le respect des principes directeurs suivants: prix stables, finances publiques et conditions monétaires saines et balance des paiements stable.

Article 3 B (*)

La Communauté agit dans les limites des compétences qui lui sont conférées et des objectifs qui lui sont assignés par le présent traité.

Dans les domaines qui ne relèvent pas de sa compétence exclusive, la Communauté n'intervient, conformément au principe de subsidiarité, que si et dans la mesure où les objectifs de l'action envisagée ne peuvent pas être réalisés de manière suffisante par les États membres et peuvent donc, en raison des dimensions ou des effets de l'action envisagée, être mieux réalisés au niveau communautaire.

L'action de la Communauté n'excède pas ce qui est nécessaire pour atteindre les objectifs du présent traité.

(*) Tel qu'inséré par l'article G, point 5), du TUE.

Article 4 (*)

1. La réalisation des tâches confiées à la Communauté est assurée par:

— un PARLEMENT EUROPÉEN,

— un CONSEIL,

— une COMMISSION,

— une COUR DE JUSTICE,

— une COUR DES COMPTES.

Chaque institution agit dans les limites des attributions qui lui sont conférées par le présent traité.

2. Le Conseil et la Commission sont assistés d'un Comité économique et social et d'un Comité des régions exerçant des fonctions consultatives.

Article 4 A (**)

Il est institué, selon les procédures prévues par le présent traité, un Système européen de banques centrales, ci-après dénommé «SEBC», et une Banque centrale européenne, ci-après dénommée «BCE»; ils agissent dans les limites des pouvoirs qui leur sont conférés par le présent traité et les statuts du SEBC et de la BCE, ci-après dénommés «statuts du SEBC», qui lui sont annexés.

(*) Tel que modifié par l'article G, point 6), du TUE.

(**) Tel qu'inséré par l'article G, point 7), du TUE.

Article 4 B (*)

Il est institué une Banque européenne d'investissement qui agit dans les limites des attributions qui lui sont conférées par le présent traité et les statuts qui lui sont annexés.

Article 5

Les États membres prennent toutes mesures générales ou particulières propres à assurer l'exécution des obligations découlant du présent traité ou résultant des actes des institutions de la Communauté. Ils facilitent à celle-ci l'accomplissement de sa mission.

Ils s'abstiennent de toutes mesures susceptibles de mettre en péril la réalisation des buts du présent traité.

Article 6 (**)

Dans le domaine d'application du présent traité, et sans préjudice des dispositions particulières qu'il prévoit, est interdite toute discrimination exercée en raison de la nationalité.

Le Conseil, statuant conformément à la procédure visée à l'article 189 C, peut prendre toute réglementation en vue de l'interdiction de ces discriminations.

(*) Tel qu'inséré par l'article G, point 7), du TUE.

(**) Tel que modifié par l'article G, point 8), du TUE.

Article 7(*)

1. Le marché commun est progressivement établi au cours d'une période de transition de douze années.

La période de transition est divisée en trois étapes, de quatre années chacune, dont la durée peut être modifiée dans les conditions prévues ci-dessous.

2. À chaque étape est assigné un ensemble d'actions qui doivent être engagées et poursuivies concurremment.

3. Le passage de la première à la deuxième étape est conditionné par la constatation que l'essentiel des objectifs spécifiquement fixés par le présent traité pour la première étape a été effectivement atteint et que, sous réserve des exceptions et procédures prévues à ce traité, les engagements ont été tenus.

Cette constatation est effectuée au terme de la quatrième année par le Conseil, statuant à l'unanimité sur le rapport de la Commission. Toutefois, un État membre ne peut faire obstacle à l'unanimité en se prévalant du non-accomplissement de ses propres obligations. À défaut d'unanimité, la première étape est automatiquement prolongée d'un an.

Au terme de la cinquième année, la constatation est effectuée par le Conseil, dans les mêmes conditions. À défaut d'unanimité, la première étape est automatiquement prolongée d'une année supplémentaire.

(*) Articles 7, 7 A, 7 B et 7 C: anciens articles 8, 8 A, 8 B et 8 C [article G, point 9), du TUE].

Au terme de la sixième année, la constatation est effectuée par le Conseil, statuant à la majorité qualifiée sur le rapport de la Commission.

4. Dans un délai d'un mois à compter de ce dernier vote, chaque État membre resté en minorité ou, si la majorité requise n'est pas atteinte, tout État membre a le droit de demander au Conseil la désignation d'une instance d'arbitrage dont la décision lie tous les États membres et les institutions de la Communauté. Cette instance d'arbitrage se compose de trois membres désignés par le Conseil, statuant à l'unanimité sur proposition de la Commission.

À défaut de désignation par le Conseil dans un délai d'un mois à compter de la requête, les membres de l'instance d'arbitrage sont désignés par la Cour de justice dans un nouveau délai d'un mois.

L'instance d'arbitrage désigne elle-même son président.

Elle rend sa sentence dans un délai de six mois à compter de la date du vote du Conseil visé au dernier alinéa du paragraphe 3.

5. Les deuxième et troisième étapes ne peuvent être prolongées ou abrégées qu'en vertu d'une décision adoptée par le Conseil, statuant à l'unanimité sur proposition de la Commission.

6. Les dispositions des paragraphes précédents ne peuvent avoir pour effet de prolonger la période de transition au-delà d'une durée totale de quinze années à partir de l'entrée en vigueur du présent traité.

7. Sous réserve des exceptions ou dérogations prévues par le présent traité, l'expiration de la période de transition constitue le terme extrême pour l'entrée en vigueur de l'ensemble des règles prévues et pour la mise en place de l'ensemble des réalisations que comporte l'établissement du marché commun.

Article 7 A

La Communauté arrête les mesures destinées à établir progressivement le marché intérieur au cours d'une période expirant le 31 décembre 1992, conformément aux dispositions du présent article, des articles 7 B, 7 C et 28, de l'article 57, paragraphe 2, de l'article 59, de l'article 70, paragraphe 1, et des articles 84, 99, 100 A et 100 B et sans préjudice des autres dispositions du présent traité.

Le marché intérieur comporte un espace sans frontières intérieures dans lequel la libre circulation des marchandises, des personnes, des services et des capitaux est assurée selon les dispositions du présent traité.

Article 7 B

La Commission fait rapport au Conseil avant le 31 décembre 1988 et avant le 31 décembre 1990 sur l'état d'avancement des travaux en vue de la réalisation du marché intérieur dans le délai prévu à l'article 7 A.

Le Conseil, statuant à la majorité qualifiée sur proposition de la Commission, définit les orientations et conditions nécessaires pour assurer un progrès équilibré dans l'ensemble des secteurs concernés.

Article 7 C

Lors de la formulation de ses propositions en vue de la réalisation des objectifs énoncés à l'article 7 A, la Commission tient compte de l'ampleur de l'effort que certaines économies présentant des différences de développement devront supporter au cours de la période d'établissement du marché intérieur et elle peut proposer les dispositions appropriées.

Si ces dispositions prennent la forme de dérogations, elles doivent avoir un caractère temporaire et apporter le moins de perturbations possible au fonctionnement du marché commun.

DEUXIÈME PARTIE (*)

LA CITOYENNETÉ DE L'UNION

(*) Deuxième partie telle qu'insérée par l'article G, point C, du TUE.

Article 8

1. Il est institué une citoyenneté de l'Union.

Est citoyen de l'Union toute personne ayant la nationalité d'un État membre.

2. Les citoyens de l'Union jouissent des droits et sont soumis aux devoirs prévus par le présent traité.

Article 8 A

1. Tout citoyen de l'Union a le droit de circuler et de séjourner librement sur le territoire des États membres, sous réserve des limitations et conditions prévues par le présent traité et par les dispositions prises pour son application.

2. Le Conseil peut arrêter des dispositions visant à faciliter l'exercice des droits visés au paragraphe 1; sauf si le présent traité en dispose autrement, il statue à l'unanimité sur proposition de la Commission et après avis conforme du Parlement européen.

Article 8 B

1. Tout citoyen de l'Union résidant dans un État membre dont il n'est pas ressortissant a le droit de vote et d'éligibilité aux élections municipales dans l'État membre où il réside, dans les mêmes conditions que les ressortissants de cet État. Ce droit sera exercé sous réserve des modalités à arrêter avant le 31 décembre 1994 par

le Conseil, statuant à l'unanimité sur proposition de la Commission et après consultation du Parlement européen; ces modalités peuvent prévoir des dispositions dérogatoires lorsque des problèmes spécifiques à un État membre le justifient.

2. Sans préjudice des dispositions de l'article 138, paragraphe 3, et des dispositions prises pour son application, tout citoyen de l'Union résidant dans un État membre dont il n'est pas ressortissant a le droit de vote et d'éligibilité aux élections au Parlement européen dans l'État membre où il réside, dans les mêmes conditions que les ressortissants de cet État. Ce droit sera exercé sous réserve des modalités à arrêter, avant le 31 décembre 1993, par le Conseil, statuant à l'unanimité sur proposition de la Commission et après consultation du Parlement européen; ces modalités peuvent prévoir des dispositions dérogatoires lorsque des problèmes spécifiques à un État membre le justifient.

Article 8 C

Tout citoyen de l'Union bénéficie, sur le territoire d'un pays tiers où l'État membre dont il est ressortissant n'est pas représenté, de la protection de la part des autorités diplomatiques et consulaires de tout État membre, dans les mêmes conditions que les nationaux de cet État. Avant le 31 décembre 1993, les États membres établiront entre eux les règles nécessaires et engageront les négociations internationales requises en vue d'assurer cette protection.

Article 8 D

Tout citoyen de l'Union a le droit de pétition devant le Parlement européen conformément aux dispositions de l'article 138 D.

Tout citoyen de l'Union peut s'adresser au médiateur institué conformément aux dispositions de l'article 138 E.

Article 8 E

La Commission fait rapport au Parlement européen, au Conseil et au Comité économique et social avant le 31 décembre 1993, puis tous les trois ans, sur l'application des dispositions de la présente partie. Ce rapport tient compte du développement de l'Union.

Sur cette base, et sans préjudice des autres dispositions du présent traité, le Conseil, statuant à l'unanimité sur proposition de la Commission et après consultation du Parlement européen, peut arrêter des dispositions tendant à compléter les droits prévus à la présente partie, dispositions dont il recommandera l'adoption par les États membres conformément à leurs règles constitutionnelles respectives.

TROISIÈME PARTIE (*)

LES POLITIQUES DE LA COMMUNAUTÉ

(*) Troisième partie, regroupant les anciennes deuxième et troisième parties (article G, point D, du TUE).

TITRE I

La libre circulation des marchandises

Article 9

1. La Communauté est fondée sur une union douanière qui s'étend à l'ensemble des échanges de marchandises et qui comporte l'interdiction, entre les États membres, des droits de douane à l'importation et à l'exportation et de toutes taxes d'effet équivalent, ainsi que l'adoption d'un tarif douanier commun dans leurs relations avec les pays tiers.

2. Les dispositions du chapitre 1, section 1, et du chapitre 2 du présent titre s'appliquent aux produits qui sont originaires des États membres, ainsi qu'aux produits en provenance de pays tiers qui se trouvent en libre pratique dans les États membres.

Article 10

1. Sont considérés comme étant en libre pratique dans un État membre les produits en provenance de pays tiers pour lesquels les formalités d'importation ont été accomplies et les droits de douane et taxes d'effet équivalent exigibles ont été perçus dans cet État membre, et qui n'ont pas bénéficié d'une ristourne totale ou partielle de ces droits et taxes.

2. La Commission, avant la fin de la première année à compter de l'entrée en vigueur du présent traité, détermine les méthodes de coopération administrative pour l'application de l'article 9, paragraphe 2, en tenant compte de la nécessité d'alléger, dans toute la mesure du possible, les formalités imposées au commerce.

Avant la fin de la première année à compter de l'entrée en vigueur du présent traité, la Commission détermine les dispositions applicables, dans le trafic entre les États membres, aux marchandises originaires d'un autre État membre, dans la fabrication desquelles sont entrés des produits qui n'ont pas été soumis aux droits de douane et taxes d'effet équivalent qui leur étaient applicables dans l'État membre exportateur, ou qui ont bénéficié d'une ristourne totale ou partielle de ces droits ou taxes.

En arrêtant ces dispositions, la Commission tient compte des règles prévues pour l'élimination des droits de douane à l'intérieur de la Communauté et pour l'application progressive du tarif douanier commun.

Article 11

Les États membres prennent toutes dispositions appropriées pour permettre aux gouvernements l'exécution, dans les délais fixés, des obligations qui leur incombent en matière de droits de douane en vertu du présent traité.

CHAPITRE 1

L'UNION DOUANIÈRE

Section 1

L'élimination des droits de douane entre les États membres

Article 12

Les États membres s'abstiennent d'introduire entre eux de nouveaux droits de douane à l'importation et à l'exportation ou taxes d'effet équivalent, et d'augmenter ceux qu'ils appliquent dans leurs relations commerciales mutuelles.

Article 13

1. Les droits de douane à l'importation, en vigueur entre les États membres, sont progressivement supprimés par eux, au cours de la période de transition, dans les conditions prévues aux articles 14 et 15.

2. Les taxes d'effet équivalant à des droits de douane à l'importation, en vigueur entre les États membres, sont progressivement supprimées par eux au cours de la période de transition. La Commission fixe, par voie de directives, le rythme de cette suppression. Elle s'inspire des règles prévues à l'article 14, paragraphes 2 et 3, ainsi que des directives arrêtées par le Conseil en application de ce paragraphe 2.

Article 14

1. Pour chaque produit, le droit de base sur lequel les réductions successives doivent être opérées est constitué par le droit appliqué au 1er janvier 1957.

2. Le rythme des réductions est déterminé comme suit:

a) au cours de la première étape, la première réduction est effectuée un an après l'entrée en vigueur du présent traité; la deuxième, dix-huit mois plus tard; la troisième, à la fin de la quatrième année à compter de l'entrée en vigueur de ce traité;

b) au cours de la deuxième étape, une réduction est opérée dix-huit mois après le début de cette étape; une deuxième réduction, dix-huit mois après la précédente; une troisième réduction est opérée un an plus tard;

c) les réductions restant à réaliser sont appliquées au cours de la troisième étape; le Conseil, statuant à la majorité qualifiée sur proposition de la Commission, en fixe le rythme par voie de directives.

3. Lors de la première réduction, les États membres mettent en vigueur entre eux, sur chaque produit, un droit égal au droit de base diminué de 10 %.

Lors de chaque réduction ultérieure, chaque État membre doit abaisser l'ensemble de ses droits, de sorte que la perception douanière totale, telle qu'elle est définie au paragraphe 4, soit diminuée de 10 %, étant entendu que la réduction sur chaque produit doit être au moins égale à 5 % du droit de base.

Toutefois, pour les produits sur lesquels subsiste un droit qui serait encore supérieur à 30 %, chaque réduction doit être au moins égale à 10 % du droit de base.

4. Pour chaque État membre, la perception douanière totale visée au paragraphe 3 se calcule en multipliant par les droits de base la valeur des importations effectuées en provenance des autres États membres au cours de l'année 1956.

5. Les problèmes particuliers que soulève l'application des paragraphes précédents sont réglés par directives du Conseil, statuant à la majorité qualifiée sur proposition de la Commission.

6. Les États membres rendent compte à la Commission de la manière selon laquelle les règles ci-dessus pour la réduction des droits sont appliquées. Ils s'efforcent d'aboutir à ce que la réduction appliquée aux droits sur chaque produit atteigne:

— à la fin de la première étape, au moins 25 % du droit de base;

— à la fin de la deuxième étape, au moins 50 % du droit de base.

La Commission leur fait toutes recommandations utiles si elle constate qu'il existe un danger que les objectifs définis à l'article 13 et les pourcentages fixés au présent paragraphe ne puissent être atteints.

7. Les dispositions du présent article peuvent être modifiées par le Conseil, statuant à l'unanimité sur proposition de la Commission et après consultation du Parlement européen.

Article 15

1. Indépendamment des dispositions de l'article 14, tout État membre peut, au cours de la période de transition, suspendre totalement ou partiellement la perception des droits appliqués aux produits importés des autres États membres. Il en informe les autres États membres et la Commission.

2. Les États membres se déclarent disposés à réduire leurs droits de douane à l'égard des autres États membres selon un rythme plus rapide que celui prévu à l'article 14, si leur situation économique générale et la situation du secteur intéressé le leur permettent.

La Commission adresse aux États membres intéressés des recommandations à cette fin.

Article 16

Les États membres suppriment entre eux, au plus tard à la fin de la première étape, les droits de douane à l'exportation et les taxes d'effet équivalent.

Article 17

1. Les dispositions des articles 9 à 15, paragraphe 1, sont applicables aux droits de douane à caractère fiscal. Toutefois, ces droits ne sont pas pris en considération pour le calcul de la perception douanière totale ni pour celui de l'abaissement de l'ensemble des droits visés à l'article 14, paragraphes 3 et 4.

Ces droits sont abaissés d'au moins 10 % du droit de base à chaque palier de réduction. Les États membres peuvent les réduire selon un rythme plus rapide que celui prévu à l'article 14.

2. Les États membres font connaître à la Commission, avant la fin de la première année à compter de l'entrée en vigueur du présent traité, leurs droits de douane à caractère fiscal.

3. Les États membres conservent la faculté de remplacer ces droits par une taxe intérieure conforme aux dispositions de l'article 95.

4. Lorsque la Commission constate que le remplacement d'un droit de douane à caractère fiscal se heurte dans un État membre à des difficultés sérieuses, elle autorise cet État à maintenir ce droit, à la condition qu'il le supprime au plus tard six ans après l'entrée en vigueur du présent traité. L'autorisation doit être demandée avant la fin de la première année à compter de l'entrée en vigueur de ce traité.

Section 2

L'établissement du tarif douanier commun

Article 18

Les États membres se déclarent disposés à contribuer au développement du commerce international et à la réduction des entraves aux échanges, en concluant des accords visant, sur une base de réciprocité et d'avantages mutuels, à la réduction des droits de douane au-dessous du niveau général dont ils pourraient se prévaloir du fait de l'établissement d'une union douanière entre eux.

Article 19

1. Dans les conditions et limites prévues ci-après, les droits du tarif douanier commun s'établissent au niveau de la moyenne arithmétique des droits appliqués dans les quatre territoires douaniers que comprend la Communauté.

2. Les droits retenus pour le calcul de cette moyenne sont ceux appliqués par les États membres au 1er janvier 1957.

Toutefois, en ce qui concerne le tarif italien, le droit appliqué s'entend compte non tenu de la réduction temporaire de 10 %. En outre, sur les postes où ce tarif comporte un droit conventionnel, celui-ci est substitué au droit appliqué ainsi défini, à condition de ne pas lui être supérieur de plus de 10 %. Lorsque le droit conventionnel dépasse le droit appliqué ainsi défini de plus de 10 %, ce droit appliqué majoré de 10 % est retenu pour le calcul de la moyenne arithmétique.

En ce qui concerne les positions énumérées à la liste A, les droits figurant sur cette liste sont substitués aux droits appliqués pour le calcul de la moyenne arithmétique.

3. Les droits du tarif douanier commun ne peuvent dépasser:

a) 3 % pour les produits relevant des positions tarifaires énumérées à la liste B,

b) 10 % pour les produits relevant des positions tarifaires énumérées à la liste C,

c) 15 % pour les produits relevant des positions tarifaires énumérées à la liste D,

d) 25 % pour les produits relevant des positions tarifaires énumérées à la liste E; lorsque, pour ces produits, le tarif des pays du Benelux comporte un droit n'excédant pas 3 %, ce droit est porté à 12 % pour le calcul de la moyenne arithmétique.

4. La liste F fixe les droits applicables aux produits qui y sont énumérés.

5. Les listes de positions tarifaires visées au présent article et à l'article 20 font l'objet de l'annexe I du présent traité.

Article 20

Les droits applicables aux produits de la liste G sont fixés par voie de négociations entre les États membres. Chaque État membre peut ajouter d'autres produits à cette liste dans la limite dc 2 % de la valeur totale de ses importations en provenance de pays tiers au cours de l'année 1956.

La Commission prend toutes initiatives utiles pour que ces négociations soient engagées avant la fin de la deuxième année à compter de l'entrée en vigueur du présent traité et terminées avant la fin de la première étape.

Dans le cas où, pour certains produits, un accord n'aurait pu intervenir dans ces délais, le Conseil, statuant sur proposition de la Commission, à l'unanimité jusqu'à la fin de la deuxième étape et à la majorité qualifiée par la suite, fixe les droits du tarif douanier commun.

Article 21

1. Les difficultés techniques qui pourraient se présenter dans l'application des articles 19 et 20 sont réglées, dans les deux ans suivant l'entrée en vigueur du présent traité, par directives du Conseil, statuant à la majorité qualifiée sur proposition de la Commission.

2. Avant la fin de la première étape, ou au plus tard lors de la fixation des droits, le Conseil, statuant à la majorité qualifiée sur proposition de la Commission, décide des ajustements que requiert l'harmonie interne du tarif douanier commun à la suite de l'application des règles prévues aux articles 19 et 20, compte tenu notamment du degré d'ouvraison des différentes marchandises auxquelles il s'applique.

Article 22

La Commission détermine, dans les deux ans suivant l'entrée en vigueur du présent traité, la mesure dans laquelle les droits de douane à caractère fiscal visés à l'article 17, paragraphe 2, doivent être retenus pour le calcul de la moyenne arithmétique prévue à l'article 19, paragraphe 1. Elle tient compte de l'aspect protecteur qu'ils peuvent comporter.

Au plus tard six mois après cette détermination, tout État membre peut demander l'application au produit en cause de la procédure visée à l'article 20, sans que la limite prévue à cet article lui soit opposable.

Article 23

1. Aux fins de la mise en place progressive du tarif douanier commun, les États membres modifient leurs tarifs applicables aux pays tiers selon les modalités qui suivent:

a) pour les positions tarifaires où les droits effectivement appliqués au 1er janvier 1957 ne s'écartent pas de plus de 15 % en plus ou en moins des droits du tarif douanier commun, ces derniers droits sont appliqués à la fin de la quatrième année à compter de l'entrée en vigueur du présent traité;

b) dans les autres cas, chaque État membre applique, à la même date, un droit réduisant de 30 % l'écart entre le taux effectivement appliqué au 1er janvier 1957 et celui du tarif douanier commun;

c) cet écart est réduit de nouveau de 30 % à la fin de la deuxième étape;

d) en ce qui concerne les positions tarifaires pour lesquelles les droits du tarif douanier commun ne seraient pas connus à la fin de la première étape, chaque État membre applique, dans les six mois après que le Conseil a statué conformément à l'article 20, les droits qui résulteraient de l'application des règles du présent paragraphe.

2. L'État membre qui a obtenu l'autorisation prévue à l'article 17, paragraphe 4, est dispensé d'appliquer les dispositions qui précèdent, pendant la durée de validité de cette autorisation, en ce qui concerne les positions tarifaires qui en font l'objet. À l'expiration de l'autorisation, il applique le droit qui serait résulté de l'application des règles du paragraphe précédent.

3. Le tarif douanier commun est appliqué intégralement au plus tard à l'expiration de la période de transition.

Article 24

Pour s'aligner sur le tarif douanier commun, les États membres restent libres de modifier leurs droits de douane selon un rythme plus rapide que celui prévu à l'article 23.

Article 25

1. Si la Commission constate que la production dans les États membres de certains produits des listes B, C et D ne suffit pas pour l'approvisionnement d'un État membre, et que cet approvisionnement dépend traditionnellement, pour une part considérable, d'importations en provenance de pays tiers, le Conseil, statuant à la majorité qualifiée sur proposition de la Commission, octroie des contingents tarifaires à droit réduit ou nul à l'État membre intéressé.

Ces contingents ne peuvent excéder les limites au-delà desquelles des transferts d'activités au détriment d'autres États membres seraient à craindre.

2. En ce qui concerne les produits de la liste E, ainsi que ceux de la liste G dont les taux auront été fixés selon la procédure prévue à l'article 20, troisième alinéa, la Commission octroie à tout État membre intéressé, sur sa demande, des contingents tarifaires à droit réduit ou nul, si un changement dans les sources d'approvisionnement ou si un approvisionnement insuffisant dans la Communauté est de nature à entraîner des conséquences dommageables pour les industries transformatrices de l'État membre intéressé.

Ces contingents ne peuvent excéder les limites au-delà desquelles des transferts d'activités au détriment d'autres États membres seraient à craindre.

3. En ce qui concerne les produits énumérés à l'annexe II du présent traité, la Commission peut autoriser tout État membre à

suspendre en tout ou en partie la perception des droits applicables, ou lui octroyer des contingents tarifaires à droit réduit ou nul, à condition qu'il ne puisse en résulter des perturbations sérieuses sur le marché des produits en cause.

4. La Commission procède périodiquement à l'examen des contingents tarifaires octroyés en application du présent article.

Article 26

La Commission peut autoriser un État membre, qui doit faire face à des difficultés particulières, à différer l'abaissement ou le relèvement, à effectuer en vertu de l'article 23, des droits de certaines positions de son tarif.

L'autorisation ne pourra être donnée que pour une durée limitée, et seulement pour un ensemble de positions tarifaires ne représentant pas pour l'État en cause plus de 5 % de la valeur de ses importations effectuées en provenance de pays tiers au cours de la dernière année pour laquelle les données statistiques sont disponibles.

Article 27

Avant la fin de la première étape, les États membres procèdent, dans la mesure nécessaire, au rapprochement de leurs dispositions, législatives, réglementaires et administratives, en matière douanière. La Commission adresse aux États membres toutes recommandations à cette fin.

Article 28

Toutes modifications ou suspensions autonomes des droits du tarif douanier commun sont décidées par le Conseil, statuant à la majorité qualifiée sur proposition de la Commission.

Article 29

Dans l'exercice des missions qui lui sont confiées au titre de la présente section, la Commission s'inspire:

a) de la nécessité de promouvoir les échanges commerciaux entre les États membres et les pays tiers,

b) de l'évolution des conditions de concurrence à l'intérieur de la Communauté, dans la mesure où cette évolution aura pour effet d'accroître la force compétitive des entreprises,

c) des nécessités d'approvisionnement de la Communauté en matières premières et demi-produits, tout en veillant à ne pas fausser entre les États membres les conditions de concurrence sur les produits finis,

d) de la nécessité d'éviter des troubles sérieux dans la vie économique des États membres et d'assurer un développement rationnel de la production et une expansion de la consommation dans la Communauté.

CHAPITRE 2

L'ÉLIMINATION DES RESTRICTIONS QUANTITATIVES ENTRE LES ÉTATS MEMBRES

Article 30

Les restrictions quantitatives à l'importation, ainsi que toutes mesures d'effet équivalent, sont interdites entre les États membres, sans préjudice des dispositions ci-après.

Article 31

Les États membres s'abstiennent d'introduire entre eux de nouvelles restrictions quantitatives et mesures d'effet équivalent.

Toutefois, cette obligation ne s'applique qu'au niveau de libération réalisé en application des décisions du Conseil de l'Organisation européenne de coopération économique en date du 14 janvier 1955. Les États membres notifient à la Commission, au plus tard six mois après l'entrée en vigueur du présent traité, leurs listes des produits libérés en application de ces décisions. Les listes ainsi notifiées sont consolidées entre les États membres.

Article 32

Les États membres s'abstiennent, dans leurs échanges mutuels, de rendre plus restrictifs les contingents et les mesures d'effet équivalent existant à la date d'entrée en vigueur du présent traité.

Ces contingents doivent être supprimés au plus tard à l'expiration de la période de transition. Ils sont progressivement éliminés au cours de cette période dans les conditions déterminées ci-après.

Article 33

1. Un an après l'entrée en vigueur du présent traité, chacun des États membres transforme les contingents bilatéraux ouverts aux autres États membres en contingents globaux accessibles sans discrimination à tous les autres États membres.

À la même date, les États membres augmentent l'ensemble des contingents globaux ainsi établis de manière à réaliser, par rapport à l'année précédente, un accroissement d'au moins 20 % de leur valeur totale. Toutefois, chacun des contingents globaux par produit est augmenté d'au moins 10 %.

Chaque année, les contingents sont élargis, suivant les mêmes règles et dans les mêmes proportions, par rapport à l'année qui précède.

Le quatrième élargissement a lieu à la fin de la quatrième année à compter de l'entrée en vigueur du présent traité et le cinquième, un an après le début de la deuxième étape.

2. Lorsque, pour un produit non libéré, le contingent global n'atteint pas 3 % de la production nationale de l'État en cause, un contingent égal à 3 % au moins de cette production est établi au plus tard un an après l'entrée en vigueur du présent traité. Ce contingent est porté à 4 % après la deuxième année, à 5 % après la troisième année. Ensuite, l'État membre intéressé augmente annuellement le contingent d'au moins 15 %.

Au cas où il n'existe aucune production nationale, la Commission détermine par voie de décision un contingent approprié.

3. À la fin de la dixième année, tout contingent doit être au moins égal à 20 % de la production nationale.

4. Lorsque la Commission constate par une décision que les importations d'un produit, au cours de deux années consécutives, ont été inférieures au contingent ouvert, ce contingent global ne peut être pris en considération dans le calcul de la valeur totale des contingents globaux. Dans ce cas, l'État membre supprime le contingentement de ce produit.

5. Pour les contingents qui représentent plus de 20 % de la production nationale du produit en cause, le Conseil, statuant à la majorité qualifiée sur proposition de la Commission, peut abaisser

le pourcentage minimum de 10 % prescrit au paragraphe 1. Cette modification ne peut toutefois porter atteinte à l'obligation d'accroissement annuel de 20 % de la valeur totale des contingents globaux.

6. Les États membres ayant dépassé leurs obligations en ce qui concerne le niveau de libération réalisé en application des décisions du Conseil de l'Organisation européenne de coopération économique en date du 14 janvier 1955 sont habilités à tenir compte du montant des importations libérées par voie autonome, dans le calcul de l'augmentation totale annuelle de 20 % prévue au paragraphe 1. Ce calcul est soumis à l'approbation préalable de la Commission.

7. Des directives de la Commission déterminent la procédure et le rythme de suppression entre les États membres des mesures d'effet équivalant à des contingents, existant à la date de l'entrée en vigueur du présent traité.

8. Si la Commission constate que l'application des dispositions du présent article, et en particulier de celles concernant les pourcentages, ne permet pas d'assurer le caractère progressif de l'élimination prévue à l'article 32, deuxième alinéa, le Conseil, statuant sur proposition de la Commission, à l'unanimité au cours de la première étape et à la majorité qualifiée par la suite, peut modifier la procédure visée dans le présent article et procéder en particulier au relèvement des pourcentages fixés.

Article 34

1. Les restrictions quantitatives à l'exportation, ainsi que toutes mesures d'effet équivalent, sont interdites entre les États membres.

2. Les États membres suppriment, au plus tard à la fin de la première étape, les restrictions quantitatives à l'exportation et toutes mesures d'effet équivalent existant à l'entrée en vigueur du présent traité.

Article 35

Les États membres se déclarent disposés à éliminer, à l'égard des autres États membres, leurs restrictions quantitatives à l'importation et à l'exportation selon un rythme plus rapide que celui prévu aux articles précédents, si leur situation économique générale et la situation du secteur intéressé le leur permettent.

La Commission adresse aux États membres intéressés des recommandations à cet effet.

Article 36

Les dispositions des articles 30 à 34 inclus ne font pas obstacle aux interdictions ou restrictions d'importation, d'exportation ou de transit, justifiées par des raisons de moralité publique, d'ordre public, de sécurité publique, de protection de la santé et de la vie des personnes et des animaux ou de préservation des végétaux, de protection des trésors nationaux ayant une valeur artistique, historique ou archéologique ou de protection de la propriété industrielle et commerciale. Toutefois, ces interdictions ou restrictions ne doivent constituer ni un moyen de discrimination arbitraire ni une restriction déguisée dans le commerce entre les États membres.

Article 37

1. Les États membres aménagent progressivement les monopoles nationaux présentant un caractère commercial, de telle façon qu'à l'expiration de la période de transition soit assurée, dans les condi-

tions d'approvisionnement et de débouchés, l'exclusion de toute discrimination entre les ressortissants des États membres.

Les dispositions du présent article s'appliquent à tout organisme par lequel un État membre, de jure ou de facto, contrôle, dirige ou influence sensiblement, directement ou indirectement, les importations ou les exportations entre les États membres. Ces dispositions s'appliquent également aux monopoles d'État délégués.

2. Les États membres s'abstiennent de toute mesure nouvelle contraire aux principes énoncés au paragraphe 1 ou qui restreint la portée des articles relatifs à l'élimination des droits de douane et des restrictions quantitatives entre les États membres.

3. Le rythme des mesures envisagées au paragraphe 1 doit être adapté à l'élimination, prévue aux articles 30 à 34 inclus, des restrictions quantitatives pour les mêmes produits.

Au cas où un produit n'est assujetti que dans un seul ou dans plusieurs États membres à un monopole national présentant un caractère commercial, la Commission peut autoriser les autres États membres à appliquer des mesures de sauvegarde dont elle détermine les conditions et modalités, aussi longtemps que l'adaptation prévue au paragraphe 1 n'a pas été réalisée.

4. Dans le cas d'un monopole à caractère commercial comportant une réglementation destinée à faciliter l'écoulement ou la valorisation de produits agricoles, il convient d'assurer, dans l'application des règles du présent article, des garanties équivalentes pour l'emploi et le niveau de vie des producteurs intéressés, compte tenu du rythme des adaptations possibles et des spécialisations nécessaires.

5. D'autre part, les obligations des États membres ne valent que pour autant qu'elles sont compatibles avec les accords internationaux existants.

6. La Commission fait, dès la première étape, des recommandations au sujet des modalités et du rythme selon lesquels l'adaptation prévue au présent article doit être réalisée.

TITRE II

L'agriculture

Article 38

1. Le marché commun s'étend à l'agriculture et au commerce des produits agricoles. Par produits agricoles, on entend les produits du sol, de l'élevage et de la pêcherie, ainsi que les produits de première transformation qui sont en rapport direct avec ces produits.

2. Sauf dispositions contraires des articles 39 à 46 inclus, les règles prévues pour l'établissement du marché commun sont applicables aux produits agricoles.

3. Les produits qui sont soumis aux dispositions des articles 39 à 46 inclus sont énumérés à la liste qui fait l'objet de l'annexe II du présent traité. Toutefois, dans un délai de deux ans à compter de l'entrée en vigueur de ce traité, le Conseil, sur proposition de la Commission, décide à la majorité qualifiée des produits qui doivent être ajoutés à cette liste.

4. Le fonctionnement et le développement du marché commun pour les produits agricoles doivent s'accompagner de l'établissement d'une politique agricole commune des États membres.

Article 39

1. La politique agricole commune a pour but:

a) d'accroître la productivité de l'agriculture en développant le progrès technique, en assurant le développement rationnel de la production agricole ainsi qu'un emploi optimum des facteurs de production, notamment de la main-d'œuvre,

b) d'assurer ainsi un niveau de vie équitable à la population agricole, notamment par le relèvement du revenu individuel de ceux qui travaillent dans l'agriculture,

c) de stabiliser les marchés,

d) de garantir la sécurité des approvisionnements,

e) d'assurer des prix raisonnables dans les livraisons aux consommateurs.

2. Dans l'élaboration de la politique agricole commune et des méthodes spéciales qu'elle peut impliquer, il sera tenu compte:

a) du caractère particulier de l'activité agricole, découlant de la structure sociale de l'agriculture et des disparités structurelles et naturelles entre les diverses régions agricoles,

b) de la nécessité d'opérer graduellement les ajustements opportuns,

c) du fait que, dans les États membres, l'agriculture constitue un secteur intimement lié à l'ensemble de l'économie.

Article 40

1. Les États membres développent graduellement pendant la période de transition, et établissent au plus tard à la fin de cette période, la politique commune.

2. En vue d'atteindre les objectifs prévus à l'article 39, il sera établi une organisation commune des marchés agricoles.

Suivant les produits, cette organisation prend l'une des formes ci-après:

a) des règles communes en matière de concurrence,

b) une coordination obligatoire des diverses organisations nationales de marché,

c) une organisation européenne du marché.

3. L'organisation commune sous une des formes prévues au paragraphe 2 peut comporter toutes les mesures nécessaires pour atteindre les objectifs définis à l'article 39, notamment des réglementations des prix, des subventions tant à la production qu'à la commercialisation des différents produits, des systèmes de stockage et de report, des mécanismes communs de stabilisation à l'importation ou à l'exportation.

Elle doit se limiter à poursuivre les objectifs énoncés à l'article 39 et doit exclure toute discrimination entre producteurs ou consommateurs de la Communauté.

Une politique commune éventuelle des prix doit être fondée sur des critères communs et sur des méthodes de calcul uniformes.

4. Afin de permettre à l'organisation commune visée au paragraphe 2 d'atteindre ses objectifs, il peut être créé un ou plusieurs fonds d'orientation et de garantie agricole.

Article 41

Pour permettre d'atteindre les objectifs définis à l'article 39, il peut notamment être prévu dans le cadre de la politique agricole commune:

a) une coordination efficace des efforts entrepris dans les domaines de la formation professionnelle, de la recherche et de la vulgarisation agronomique, pouvant comporter des projets ou institutions financés en commun,

b) des actions communes pour le développement de la consommation de certains produits.

Article 42

Les dispositions du chapitre relatif aux règles de concurrence ne sont applicables à la production et au commerce des produits agricoles que dans la mesure déterminée par le Conseil dans le cadre des dispositions et conformément à la procédure prévues à l'article 43, paragraphes 2 et 3, compte tenu des objectifs énoncés à l'article 39.

Le Conseil peut notamment autoriser l'octroi d'aides:

a) pour la protection des exploitations défavorisées par des conditions structurelles ou naturelles,

b) dans le cadre de programmes de développement économique.

Article 43

1. Afin de dégager les lignes directrices d'une politique agricole commune, la Commission convoque, dès l'entrée en vigueur du

traité, une conférence des États membres pour procéder à la confrontation de leurs politiques agricoles, en établissant notamment le bilan de leurs ressources et de leurs besoins.

2. La Commission, en tenant compte des travaux de la conférence prévue au paragraphe 1, présente, après consultation du Comité économique et social et dans un délai de deux ans à compter de l'entrée en vigueur du présent traité, des propositions en ce qui concerne l'élaboration et la mise en œuvre de la politique agricole commune, y compris la substitution aux organisations nationales de l'une des formes d'organisation commune prévues à l'article 40, paragraphe 2, ainsi que la mise en œuvre des mesures spécialement mentionnées au présent titre.

Ces propositions doivent tenir compte de l'interdépendance des questions agricoles évoquées au présent titre.

Sur proposition de la Commission et après consultation du Parlement européen, le Conseil, statuant à l'unanimité au cours des deux premières étapes et à la majorité qualifiée par la suite, arrête des règlements ou des directives, ou prend des décisions, sans préjudice des recommandations qu'il pourrait formuler.

3. L'organisation commune prévue à l'article 40, paragraphe 2, peut être substituée aux organisations nationales du marché, dans les conditions prévues au paragraphe précédent, par le Conseil, statuant à la majorité qualifiée:

a) si l'organisation commune offre aux États membres opposés à cette mesure et disposant eux-mêmes d'une organisation nationale pour la production en cause des garanties équivalentes pour l'emploi et le niveau de vie des producteurs intéressés, compte tenu du rythme des adaptations possibles et des spécialisations nécessaires, et

b) si cette organisation assure aux échanges à l'intérieur de la Communauté des conditions analogues à celles qui existent dans un marché national.

4. S'il est créé une organisation commune pour certaines matières premières, sans qu'il existe encore une organisation commune pour les produits de transformation correspondants, les matières premières en cause utilisées pour les produits de transformation destinés à l'exportation vers les pays tiers peuvent être importées de l'extérieur de la Communauté.

Article 44

1. Au cours de la période de transition, pour autant que la suppression progressive des droits de douane et des restrictions quantitatives entre les États membres est susceptible de conduire à des prix de nature à mettre en péril les objectifs fixés à l'article 39, il est permis à chaque État membre d'appliquer pour certains produits, d'une façon non discriminatoire et en remplacement des contingents, dans une mesure qui n'entrave pas l'expansion du volume des échanges prévu à l'article 45, paragraphe 2, un système de prix minima au-dessous desquels les importations peuvent être:

— soit temporairement suspendues ou réduites,

— soit soumises à la condition qu'elles se fassent à un prix supérieur au prix minimum fixé pour le produit en cause.

Dans le deuxième cas, les prix minima sont fixés droits de douane non compris.

2. Les prix minima ne doivent pas avoir pour effet une réduction des échanges existant entre les États membres à l'entrée en vigueur du présent traité ni faire obstacle à une extension progressive de

ces échanges. Les prix minima ne doivent pas être appliqués de manière à faire obstacle au développement d'une préférence naturelle entre les États membres.

3. Dès l'entrée en vigueur du présent traité, le Conseil, sur proposition de la Commission, détermine des critères objectifs pour l'établissement de systèmes de prix minima et pour la fixation de ces prix.

Ces critères tiennent compte notamment des prix de revient nationaux moyens dans l'État membre qui applique le prix minimum, de la situation des diverses entreprises à l'égard de ces prix de revient moyens, ainsi que de la nécessité de promouvoir l'amélioration progressive de l'exploitation agricole et les adaptations et spécialisations nécessaires à l'intérieur du marché commun.

La Commission propose également une procédure de révision de ces critères, pour tenir compte du progrès technique et pour l'accélérer, ainsi que pour rapprocher progressivement les prix à l'intérieur du marché commun.

Ces critères, ainsi que la procédure de révision, doivent être déterminés à l'unanimité par le Conseil au cours des trois premières années suivant l'entrée en vigueur du présent traité.

4. Jusqu'au moment où prend effet la décision du Conseil, les États membres peuvent fixer les prix minima à condition d'en informer préalablement la Commission et les autres États membres, afin de leur permettre de présenter leurs observations.

Dès que la décision du Conseil est prise, les prix minima sont fixés par les États membres sur la base des critères établis dans les conditions ci-dessus.

Le Conseil, statuant à la majorité qualifiée sur proposition de la Commission, peut rectifier les décisions prises si elles ne sont pas conformes aux critères ainsi définis.

5. À partir du début de la troisième étape et dans le cas où pour certains produits il n'aurait pas encore été possible d'établir les critères objectifs précités, le Conseil, statuant à la majorité qualifiée sur proposition de la Commission, peut modifier les prix minima appliqués à ces produits.

6. À l'expiration de la période de transition, il est procédé au relevé des prix minima existant encore. Le Conseil, statuant sur proposition de la Commission à la majorité de 9 voix suivant la pondération prévue à l'article 148, paragraphe 2, premier alinéa, fixe le régime à appliquer dans le cadre de la politique agricole commune.

Article 45

1. Jusqu'à la substitution aux organisations nationales de l'une des formes d'organisation commune prévues à l'article 40, paragraphe 2, et pour les produits sur lesquels il existe dans certains États membres:

— des dispositions tendant à assurer aux producteurs nationaux l'écoulement de leur production, et

— des besoins d'importation,

le développement des échanges est poursuivi par la conclusion d'accords ou de contrats à long terme entre États membres exportateurs et importateurs.

Ces accords ou contrats doivent tendre progressivement à éliminer toute discrimination dans l'application de ces dispositions aux différents producteurs de la Communauté.

La conclusion de ces accords ou contrats intervient au cours de la première étape; il est tenu compte du principe de réciprocité.

2. En ce qui concerne les quantités, ces accords ou contrats prennent pour base le volume moyen des échanges entre les États membres pour les produits en cause pendant les trois années précédant l'entrée en vigueur du présent traité et prévoient un accroissement de ce volume dans la limite des besoins existants en tenant compte des courants commerciaux traditionnels.

En ce qui concerne les prix, ces accords ou contrats permettent aux producteurs d'écouler les quantités convenues à des prix se rapprochant progressivement des prix payés aux producteurs nationaux sur le marché intérieur du pays acheteur.

Ce rapprochement doit être aussi régulier que possible et complètement réalisé au plus tard à la fin de la période de transition.

Les prix sont négociés entre les parties intéressées, dans le cadre des directives établies par la Commission pour l'application des deux alinéas précédents.

En cas de prolongation de la première étape, l'exécution des accords ou contrats se poursuit dans les conditions applicables à la fin de la quatrième année à compter de l'entrée en vigueur du présent traité, les obligations d'accroissement des quantités et de rapprochement des prix étant suspendues jusqu'au passage à la deuxième étape.

Les États membres font appel à toutes les possibilités qui leur sont offertes en vertu de leurs dispositions législatives, notamment en matière de politique d'importation, en vue d'assurer la conclusion et l'exécution de ces accords ou contrats.

3. Dans la mesure où les États membres ont besoin de matières premières pour la fabrication de produits destinés à être exportés

en dehors de la Communauté en concurrence avec les produits de pays tiers, ces accords ou contrats ne peuvent faire obstacle aux importations de matières premières effectuées à cette fin en provenance de pays tiers. Toutefois, cette disposition n'est pas applicable si le Conseil décide à l'unanimité d'octroyer les versements nécessaires pour compenser l'excès du prix payé pour des importations effectuées à cette fin sur la base de ces accords ou contrats, par rapport au prix rendu des mêmes fournitures acquises sur le marché mondial.

Article 46

Lorsque dans un État membre un produit fait l'objet d'une organisation nationale du marché ou de toute réglementation interne d'effet équivalent affectant dans la concurrence une production similaire dans un autre État membre, une taxe compensatoire à l'entrée est appliquée par les États membres à ce produit en provenance de l'État membre où l'organisation ou la réglementation existe, à moins que cet État n'applique une taxe compensatoire à la sortie.

La Commission fixe le montant de ces taxes dans la mesure nécessaire pour rétablir l'équilibre; elle peut également autoriser le recours à d'autres mesures dont elle définit les conditions et modalités.

Article 47

En ce qui concerne les fonctions à accomplir par le Comité économique et social en application du présent titre, la section de l'agriculture a pour mission de se tenir à la disposition de la Commission en vue de préparer les délibérations du Comité, conformément aux dispositions des articles 197 et 198.

TITRE III

La libre circulation des personnes, des services et des capitaux

CHAPITRE 1

LES TRAVAILLEURS

Article 48

1. La libre circulation des travailleurs est assurée à l'intérieur de la Communauté au plus tard à l'expiration de la période de transition.

2. Elle implique l'abolition de toute discrimination, fondée sur la nationalité, entre les travailleurs des États membres, en ce qui concerne l'emploi, la rémunération et les autres conditions de travail.

3. Elle comporte le droit, sous réserve des limitations justifiées par des raisons d'ordre public, de sécurité publique et de santé publique:

a) de répondre à des emplois effectivement offerts,

b) de se déplacer à cet effet librement sur le territoire des États membres,

c) de séjourner dans un des États membres afin d'y exercer un emploi conformément aux dispositions législatives, réglementaires et administratives régissant l'emploi des travailleurs nationaux,

d) de demeurer, dans des conditions qui feront l'objet de règlements d'application établis par la Commission, sur le territoire d'un État membre, après y avoir occupé un emploi.

4. Les dispositions du présent article ne sont pas applicables aux emplois dans l'administration publique.

Article 49

Dès l'entrée en vigueur du présent traité, le Conseil, statuant conformément à la procédure visée à l'article 189 B et après consultation du Comité économique et social, arrête, par voie de directives ou de règlements, les mesures nécessaires en vue de réaliser progressivement la libre circulation des travailleurs, telle qu'elle est définie à l'article 48, notamment (*):

a) en assurant une collaboration étroite entre les administrations nationales du travail,

b) en éliminant, selon un plan progressif, celles des procédures et pratiques administratives, ainsi que les délais d'accès aux emplois disponibles découlant soit de la législation interne, soit d'accords antérieurement conclus entre les États membres, dont le maintien ferait obstacle à la libération des mouvements des travailleurs,

c) en éliminant, selon un plan progressif, tous les délais et autres restrictions, prévus soit par les législations internes, soit par des accords antérieurement conclus entre les États membres, qui imposent aux travailleurs des autres États membres d'autres conditions qu'aux travailleurs nationaux pour le libre choix d'un emploi,

---

(*) Première phrase telle que modifiée par l'article G, point 10), du TUE.

d) en établissant des mécanismes propres à mettre en contact les offres et les demandes d'emploi et à en faciliter l'équilibre dans des conditions qui écartent des risques graves pour le niveau de vie et d'emploi dans les diverses régions et industries.

Article 50

Les États membres favorisent, dans le cadre d'un programme commun, l'échange de jeunes travailleurs.

Article 51

Le Conseil, statuant à l'unanimité sur proposition de la Commission, adopte dans le domaine de la sécurité sociale les mesures nécessaires pour l'établissement de la libre circulation des travailleurs, en instituant notamment un système permettant d'assurer aux travailleurs migrants et à leurs ayants droit:

a) la totalisation, pour l'ouverture et le maintien du droit aux prestations, ainsi que pour le calcul de celles-ci, de toutes périodes prises en considération par les différentes législations nationales,

b) le paiement des prestations aux personnes résidant sur les territoires des États membres.

CHAPITRE 2

LE DROIT D'ÉTABLISSEMENT

Article 52

Dans le cadre des dispositions ci-après, les restrictions à la liberté d'établissement des ressortissants d'un État membre dans le territoire d'un autre État membre sont progressivement supprimées au cours de la période de transition. Cette suppression progressive s'étend également aux restrictions à la création d'agences, de succursales ou de filiales, par les ressortissants d'un État membre établis sur le territoire d'un État membre.

La liberté d'établissement comporte l'accès aux activités non salariées et leur exercice, ainsi que la constitution et la gestion d'entreprises, et notamment de sociétés au sens de l'article 58, deuxième alinéa, dans les conditions définies par la législation du pays d'établissement pour ses propres ressortissants, sous réserve des dispositions du chapitre relatif aux capitaux.

Article 53

Les États membres n'introduisent pas de nouvelles restrictions à l'établissement sur leur territoire des ressortissants des autres États membres, sous réserve des dispositions prévues au présent traité.

Article 54

1. Avant la fin de la première étape, le Conseil arrête à l'unanimité, sur proposition de la Commission et après consultation du Comité économique et social et du Parlement européen, un programme général pour la suppression des restrictions à la liberté d'établissement qui existent à l'intérieur de la Communauté. La Commission soumet cette proposition au Conseil au cours des deux premières années de la première étape.

Le programme fixe, pour chaque catégorie d'activités, les conditions générales de la réalisation de la liberté d'établissement et notamment les étapes de celle-ci.

2. Pour mettre en œuvre le programme général ou, en l'absence de ce programme, pour accomplir une étape de la réalisation de la liberté d'établissement dans une activité déterminée, le Conseil,

agissant conformément à la procédure visée à l'article 189 B et après consultation du Comité économique et social, statue par voie de directives (*).

3. Le Conseil et la Commission exercent les fonctions qui leur sont dévolues par les dispositions ci-dessus, notamment:

a) en traitant, en général, par priorité des activités où la liberté d'établissement constitue une contribution particulièrement utile au développement de la production et des échanges,

b) en assurant une collaboration étroite entre les administrations nationales compétentes en vue de connaître les situations particulières à l'intérieur de la Communauté des diverses activités intéressées,

c) en éliminant celles des procédures et pratiques administratives découlant soit de la législation interne, soit d'accords antérieurement conclus entre les États membres, dont le maintien ferait obstacle à la liberté d'établissement,

d) en veillant à ce que les travailleurs salariés d'un des États membres, employés sur le territoire d'un autre État membre, puissent demeurer sur ce territoire pour y entreprendre une activité non salariée lorsqu'ils satisfont aux conditions auxquelles ils devraient satisfaire s'ils venaient dans cet État au moment où ils veulent accéder à cette activité,

e) en rendant possibles l'acquisition et l'exploitation de propriétés foncières situées sur le territoire d'un État membre par un ressortissant d'un autre État membre, dans la mesure où il n'est pas porté atteinte aux principes établis à l'article 39, paragraphe 2,

---

(*) Paragraphe 2 tel que modifié par l'article G, point 11), du TUE.

f) en appliquant la suppression progressive des restrictions à la liberté d'établissement, dans chaque branche d'activité considérée, d'une part, aux conditions de création, sur le territoire d'un État membre, d'agences, de succursales ou de filiales et, d'autre part, aux conditions d'entrée du personnel du principal établissement dans les organes de gestion ou de surveillance de celles-ci,

g) en coordonnant, dans la mesure nécessaire et en vue de les rendre équivalentes, les garanties qui sont exigées, dans les États membres, des sociétés au sens de l'article 58, deuxième alinéa, pour protéger les intérêts tant des associés que des tiers,

h) en s'assurant que les conditions d'établissement ne sont pas faussées par des aides accordées par les États membres.

Article 55

Sont exceptées de l'application des dispositions du présent chapitre, en ce qui concerne l'État membre intéressé, les activités participant dans cet État, même à titre occasionnel, à l'exercice de l'autorité publique.

Le Conseil, statuant à la majorité qualifiée sur proposition de la Commission, peut excepter certaines activités de l'application des dispositions du présent chapitre.

Article 56

1. Les prescriptions du présent chapitre et les mesures prises en vertu de celles-ci ne préjugent pas l'applicabilité des dispositions législatives, réglementaires et administratives prévoyant un régime spécial pour les ressortissants étrangers, et justifiées par des raisons d'ordre public, de sécurité publique et de santé publique.

2. Avant l'expiration de la période de transition, le Conseil, statuant à l'unanimité sur proposition de la Commission et après consultation du Parlement européen, arrête les directives pour la coordination des dispositions législatives, réglementaires et administratives précitées. Toutefois, après la fin de la deuxième étape, le Conseil, statuant conformément à la procédure visée à l'article 189 B, arrête les directives pour la coordination des dispositions qui, dans chaque État membre, relèvent du domaine réglementaire ou administratif (*).

Article 57 (**)

1. Afin de faciliter l'accès aux activités non salariées et leur exercice, le Conseil, statuant conformément à la procédure visée à l'article 189 B, arrête des directives visant à la reconnaissance mutuelle des diplômes, certificats et autres titres.

2. Aux mêmes fins, le Conseil arrête, avant l'expiration de la période de transition, les directives visant à la coordination des dispositions législatives, réglementaires et administratives des États membres concernant l'accès aux activités non salariées et l'exercice de celles-ci. Le Conseil statue à l'unanimité, sur proposition de la Commission et après consultation du Parlement européen, sur les directives dont l'exécution dans un État membre au moins comporte une modification des principes législatifs existants du régime des professions en ce qui concerne la formation et les conditions d'accès de personnes physiques. Dans les autres cas, le Conseil statue conformément à la procédure visée à l'article 189 B.

3. En ce qui concerne les professions médicales, paramédicales et pharmaceutiques, la libération progressive des restrictions sera subordonnée à la coordination de leurs conditions d'exercice dans les différents États membres.

(*) Paragraphe 2 tel que modifié par l'article G, point 12), du TUE.

(**) Tel que modifié par l'article G, point 13), du TUE.

Article 58

Les sociétés constituées en conformité de la législation d'un État membre et ayant leur siège statutaire, leur administration centrale ou leur principal établissement à l'intérieur de la Communauté sont assimilées, pour l'application des dispositions du présent chapitre, aux personnes physiques ressortissantes des États membres.

Par sociétés, on entend les sociétés de droit civil ou commercial, y compris les sociétés coopératives, et les autres personnes morales relevant du droit public ou privé, à l'exception des sociétés qui ne poursuivent pas de but lucratif.

CHAPITRE 3

LES SERVICES

Article 59

Dans le cadre des dispositions ci-après, les restrictions à la libre prestation des services à l'intérieur de la Communauté sont progressivement supprimées au cours de la période de transition à l'égard des ressortissants des États membres établis dans un pays de la Communauté autre que celui du destinataire de la prestation.

Le Conseil, statuant à la majorité qualifiée sur proposition de la Commission, peut étendre le bénéfice des dispositions du présent chapitre aux prestataires de services ressortissants d'un État tiers et établis à l'intérieur de la Communauté.

Article 60

Au sens du présent traité, sont considérées comme services les prestations fournies normalement contre rémunération, dans la mesure où elles ne sont pas régies par les dispositions relatives à la libre circulation des marchandises, des capitaux et des personnes.

Les services comprennent notamment:

a) des activités de caractère industriel,

b) des activités de caractère commercial,

c) des activités artisanales,

d) les activités des professions libérales.

Sans préjudice des dispositions du chapitre relatif au droit d'établissement, le prestataire peut, pour l'exécution de sa prestation, exercer, à titre temporaire, son activité dans le pays où la prestation est fournie, dans les mêmes conditions que celles que ce pays impose à ses propres ressortissants.

Article 61

1. La libre circulation des services, en matière de transports, est régie par les dispositions du titre relatif aux transports.

2. La libération des services des banques et des assurances qui sont liées à des mouvements de capitaux doit être réalisée en harmonie avec la libération progressive de la circulation des capitaux.

Article 62

Les États membres n'introduisent pas de nouvelles restrictions à la liberté effectivement atteinte, en ce qui concerne la prestation des services, à l'entrée en vigueur du présent traité, sous réserve des dispositions de celui-ci.

Article 63

1. Avant la fin de la première étape, le Conseil arrête à l'unanimité, sur proposition de la Commission et après consultation du Comité économique et social et du Parlement européen, un programme général pour la suppression des restrictions à la libre prestation des services, qui existent à l'intérieur de la Communauté. La Commission soumet cette proposition au Conseil au cours des deux premières années de la première étape.

Le programme fixe, pour chaque catégorie de services, les conditions générales et les étapes de leur libération.

2. Pour mettre en œuvre le programme général ou, en l'absence de ce programme, pour réaliser une étape de la libération d'un service déterminé, le Conseil, sur proposition de la Commission et après consultation du Comité économique et social et du Parlement européen, statue par voie de directives, à l'unanimité avant la fin de la première étape et à la majorité qualifiée par la suite.

3. Les propositions et décisions visées aux paragraphes 1 et 2 portent, en général, par priorité sur les services qui interviennent d'une façon directe dans les coûts de production ou dont la libération contribue à faciliter les échanges des marchandises.

Article 64

Les États membres se déclarent disposés à procéder à la libération des services au-delà de la mesure qui est obligatoire en vertu des directives arrêtées en application de l'article 63, paragraphe 2, si leur situation économique générale et la situation du secteur intéressé le leur permettent.

La Commission adresse aux États membres intéressés des recommandations à cet effet.

Article 65

Aussi longtemps que les restrictions à la libre prestation des services ne sont pas supprimées, chacun des États membres les applique sans distinction de nationalité ou de résidence à tous les prestataires de services visés à l'article 59, premier alinéa.

Article 66

Les dispositions des articles 55 à 58 inclus sont applicables à la matière régie par le présent chapitre.

CHAPITRE 4

LES CAPITAUX ET LES PAIEMENTS (*)

Article 67

1. Les États membres suppriment progressivement entre eux, pendant la période de transition et dans la mesure nécessaire au bon fonctionnement du marché commun, les restrictions aux mouvements des capitaux appartenant à des personnes résidant

(*) Titre modifié par l'article G, point 14), du TUE.

dans les États membres, ainsi que les discriminations de traitement fondées sur la nationalité ou la résidence des parties, ou sur la localisation du placement.

2. Les paiements courants afférents aux mouvements de capitaux entre les États membres sont libérés de toutes restrictions au plus tard à la fin de la première étape.

Article 68

1. Les États membres accordent le plus libéralement possible, dans les matières visées au présent chapitre, les autorisations de change, dans la mesure où celles-ci sont encore nécessaires après l'entrée en vigueur du présent traité.

2. Lorsqu'un État membre applique aux mouvements des capitaux libérés conformément aux dispositions du présent chapitre sa réglementation intérieure relative au marché des capitaux et au crédit, il le fait de manière non discriminatoire.

3. Les emprunts destinés à financer directement ou indirectement un État membre ou ses collectivités publiques territoriales ne peuvent être émis ou placés dans les autres États membres que lorsque les États intéressés se sont mis d'accord à ce sujet. Cette disposition ne fait pas obstacle à l'application de l'article 22 du protocole sur les statuts de la Banque européenne d'investissement.

Article 69

Le Conseil, statuant sur proposition de la Commission, qui consulte à cette fin le comité monétaire prévu à l'article 109 C, arrête, à l'unanimité au cours des deux premières étapes et à la majorité qualifiée par la suite, les directives nécessaires à la mise en œuvre progressive des dispositions de l'article 67.

Article 70

1. La Commission propose au Conseil les mesures tendant à la coordination progressive des politiques des États membres en matière de change, en ce qui concerne les mouvements de capitaux entre ces États et les pays tiers. À cet égard, le Conseil arrête à la majorité qualifiée des directives. Il s'efforce d'atteindre le plus haut degré de libération possible. L'unanimité est nécessaire pour les mesures constituant un recul en matière de libération des mouvements de capitaux.

2. Au cas où l'action entreprise en application du paragraphe précédent ne permettrait pas l'élimination des divergences entre les réglementations de change des États membres et où ces divergences inciteraient les personnes résidant dans l'un des États membres à utiliser les facilités de transfert à l'intérieur de la Communauté, telles qu'elles sont prévues par l'article 67, en vue de tourner la réglementation de l'un des États membres à l'égard des pays tiers, cet État peut, après consultation des autres États membres et de la Commission, prendre les mesures appropriées en vue d'éliminer ces difficultés.

Si le Conseil constate que ces mesures restreignent la liberté des mouvements de capitaux à l'intérieur de la Communauté au-delà de ce qui est nécessaire aux fins de l'alinéa précédent, il peut décider, à la majorité qualifiée sur proposition de la Commission, que l'État intéressé doit modifier ou supprimer ces mesures.

Article 71

Les États membres s'efforcent de n'introduire aucune nouvelle restriction de change à l'intérieur de la Communauté affectant les mouvements de capitaux et les paiements courants afférents à ces mouvements, et de ne pas rendre plus restrictives les réglementations existantes.

Ils se déclarent disposés à dépasser le niveau de libération des capitaux prévu aux articles précédents, dans la mesure où leur situation économique, notamment l'état de leur balance des paiements, le leur permet.

La Commission, après consultation du comité monétaire, peut adresser aux États membres des recommandations à ce sujet.

Article 72

Les États membres tiennent la Commission informée des mouvements de capitaux, à destination et en provenance des pays tiers, dont ils ont connaissance. La Commission peut adresser aux États membres les avis qu'elle juge utiles à ce sujet.

Article 73

1. Au cas où des mouvements de capitaux entraînent des perturbations dans le fonctionnement du marché des capitaux d'un État membre, la Commission, après consultation du comité monétaire, autorise cet État à prendre, dans le domaine des mouvements de capitaux, les mesures de protection dont elle définit les conditions et les modalités.

Cette autorisation peut être révoquée et ces conditions et modalités modifiées par le Conseil statuant à la majorité qualifiée.

2. Toutefois, l'État membre en difficulté peut prendre lui-même les mesures mentionnées ci-dessus, en raison de leur caractère secret ou urgent, au cas où elles seraient nécessaires. La Commission et les États membres doivent être informés de ces mesures au plus tard au moment où elles entrent en vigueur. Dans ce cas, la Commission, après consultation du comité monétaire, peut décider que l'État intéressé doit modifier ou supprimer ces mesures.

Article 73 A (*)

À partir du 1er janvier 1994, les articles 67 à 73 sont remplacés par les articles 73 B à 73 G.

Article 73 B (*)

1. Dans le cadre des dispositions du présent chapitre, toutes les restrictions aux mouvements de capitaux entre les États membres et entre les États membres et les pays tiers sont interdites.

2. Dans le cadre des dispositions du présent chapitre, toutes les restrictions aux paiements entre les États membres et entre les États membres et les pays tiers sont interdites.

Article 73 C (*)

1. L'article 73 B ne porte pas atteinte à l'application, aux pays tiers, des restrictions existant le 31 décembre 1993 en vertu du droit national ou du droit communautaire en ce qui concerne les mouvements de capitaux à destination ou en provenance de pays tiers lorsqu'ils impliquent des investissements directs, y compris les investissements immobiliers, l'établissement, la prestation de services financiers ou l'admission de titres sur les marchés des capitaux.

2. Tout en s'efforçant de réaliser l'objectif de libre circulation des capitaux entre États membres et pays tiers, dans la plus large mesure possible et sans préjudice des autres chapitres du présent traité, le Conseil, statuant à la majorité qualifiée sur proposition de la Commission, peut adopter des mesures relatives aux mouve-

(*) Articles 73 A à 73 H tels qu'insérés par l'article G, point 15), du TUE.

ments de capitaux à destination ou en provenance de pays tiers, lorsqu'ils impliquent des investissements directs, y compris les investissements immobiliers, l'établissement, la prestation de services financiers ou l'admission de titres sur les marchés des capitaux. L'unanimité est requise pour l'adoption de mesures en vertu du présent paragraphe qui constituent un pas en arrière dans le droit communautaire en ce qui concerne la libéralisation des mouvements de capitaux à destination ou en provenance de pays tiers.

Article 73 D (*)

1. L'article 73 B ne porte pas atteinte au droit qu'ont les États membres:

a) d'appliquer les dispositions pertinentes de leur législation fiscale qui établissent une distinction entre les contribuables qui ne se trouvent pas dans la même situation en ce qui concerne leur résidence ou le lieu où leurs capitaux sont investis;

b) de prendre toutes les mesures indispensables pour faire échec aux infractions à leurs lois et règlements, notamment en matière fiscale ou en matière de contrôle prudentiel des établissements financiers, de prévoir des procédures de déclaration des mouvements de capitaux à des fins d'information administrative ou statistique ou de prendre des mesures justifiées par des motifs liés à l'ordre public ou à la sécurité publique.

2. Le présent chapitre ne préjuge pas la possibilité d'appliquer des restrictions en matière de droit d'établissement qui sont compatibles avec le présent traité.

(*) Articles 73 A à 73 H tels qu'insérés par l'article G, point 15), du TUE.

3. Les mesures et procédures visées aux paragraphes 1 et 2 ne doivent constituer ni un moyen de discrimination arbitraire ni une restriction déguisée à la libre circulation des capitaux et des paiements telle que définie à l'article 73 B.

Article 73 E(*)

Par dérogation à l'article 73 B, les États membres qui bénéficient, le 31 décembre 1993, d'une dérogation en vertu du droit communautaire en vigueur sont autorisés à maintenir, au plus tard jusqu'au 31 décembre 1995, les restrictions aux mouvements de capitaux autorisées par les dérogations existant à cette date.

Article 73 F(*)

Lorsque, dans des circonstances exceptionnelles, les mouvements de capitaux en provenance ou à destination de pays tiers causent ou menacent de causer des difficultés graves pour le fonctionnement de l'Union économique et monétaire, le Conseil, statuant à la majorité qualifiée sur proposition de la Commission et après consultation de la BCE, peut prendre, à l'égard de pays tiers, des mesures de sauvegarde pour une période ne dépassant pas six mois pour autant que ces mesures soient strictement nécessaires.

Article 73 G(*)

1. Si, dans les cas envisagés à l'article 228 A, une action de la Communauté est jugée nécessaire, le Conseil, conformément à la procédure prévue à l'article 228 A, peut prendre, à l'égard des pays tiers concernés, les mesures urgentes nécessaires en ce qui concerne les mouvements de capitaux et les paiements.

(*) Articles 73 A à 73 H tels qu'insérés par l'article G, point 15), du TUE.

2. Sans préjudice de l'article 224 et aussi longtemps que le Conseil n'a pas pris de mesures conformément au paragraphe 1, un État membre peut, pour des raisons politiques graves et pour des motifs d'urgence, prendre des mesures unilatérales contre un pays tiers concernant les mouvements de capitaux et les paiements. La Commission et les autres États membres sont informés de ces mesures au plus tard le jour de leur entrée en vigueur.

Le Conseil, statuant à la majorité qualifiée sur proposition de la Commission, peut décider que l'État membre concerné doit modifier ou abolir les mesures en question. Le président du Conseil informe le Parlement européen des décisions prises par le Conseil.

Article 73 H (*)

Jusqu'au 1er janvier 1994, les dispositions suivantes sont applicables:

1) chaque État membre s'engage à autoriser, dans la monnaie de l'État membre dans lequel réside le créancier ou le bénéficiaire, les paiements afférents aux échanges de marchandises, de services et de capitaux, ainsi que les transferts de capitaux et de salaires, dans la mesure où la circulation des marchandises, des services, des capitaux et des personnes est libérée entre les États membres en application du présent traité.

   Les États membres se déclarent disposés à procéder à la libération de leurs paiements au-delà de ce qui est prévu à l'alinéa précédent pour autant que leur situation économique en général et l'état de leur balance des paiements en particulier le leur permettent;

2) dans la mesure où les échanges de marchandises et de services et les mouvements de capitaux ne sont limités que par des

(*) Articles 73 A à 73 H tels qu'insérés par l'article G, point 15), du TUE.

restrictions aux paiements y afférents sont appliquées par analogie, aux fins de la suppression progressive de ces restrictions, les dispositions du présent chapitre et des chapitres relatifs à l'élimination des restrictions quantitatives et à la libération des services;

3) les États membres s'engagent à ne pas introduire entre eux de nouvelles restrictions aux transferts afférents aux transactions invisibles énumérées à la liste qui fait l'objet de l'annexe III du présent traité.

   La suppression progressive des restrictions existantes est effectuée conformément aux dispositions des articles 63 à 65 inclus, dans la mesure où elle n'est pas régie par les dispositions des points 1) et 2) ou par d'autres dispositions du présent chapitre;

4) en cas de besoin, les États membres se concertent sur les mesures à prendre pour permettre la réalisation des paiements et transferts visés au présent article; ces mesures ne peuvent porter atteinte aux objectifs énoncés dans le présent traité.

TITRE IV

Les transports

Article 74

Les objectifs du traité sont poursuivis par les États membres, en ce qui concerne la matière régie par le présent titre, dans le cadre d'une politique commune des transports.

Article 75 (*)

1. En vue de réaliser la mise en œuvre de l'article 74 et compte tenu des aspects spéciaux des transports, le Conseil, statuant conformément à la procédure visée à l'article 189 C et après consultation du Comité économique et social, établit:

a) des règles communes applicables aux transports internationaux exécutés au départ ou à destination du territoire d'un État membre, ou traversant le territoire d'un ou de plusieurs États membres;

b) les conditions d'admission de transporteurs non résidents aux transports nationaux dans un État membre;

c) les mesures permettant d'améliorer la sécurité des transports;

d) toutes autres dispositions utiles.

2. Les dispositions visées aux points a) et b) du paragraphe 1 sont arrêtées au cours de la période de transition.

(*) Tel que modifié par l'article G, point 16), du TUE.

3. Par dérogation à la procédure prévue au paragraphe 1, les dispositions portant sur les principes du régime des transports et dont l'application serait susceptible d'affecter gravement le niveau de vie et l'emploi dans certaines régions, ainsi que l'exploitation des équipements de transport, compte tenu de la nécessité d'une adaptation au développement économique résultant de l'établissement du marché commun, sont arrêtées par le Conseil, statuant à l'unanimité sur proposition de la Commission et après consultation du Parlement européen et du Comité économique et social.

Article 76

Jusqu'à l'établissement des dispositions visées à l'article 75, paragraphe 1, et sauf accord unanime du Conseil, aucun des États membres ne peut rendre moins favorables, dans leur effet direct ou indirect à l'égard des transporteurs des autres États membres par rapport aux transporteurs nationaux, les dispositions diverses régissant la matière à l'entrée en vigueur du présent traité.

Article 77

Sont compatibles avec le présent traité les aides qui répondent aux besoins de la coordination des transports ou qui correspondent au remboursement de certaines servitudes inhérentes à la notion de service public.

Article 78

Toute mesure dans le domaine des prix et conditions de transport, prise dans le cadre du présent traité, doit tenir compte de la situation économique des transporteurs.

Article 79

1. Doivent être supprimées, au plus tard avant la fin de la deuxième étape, dans le trafic à l'intérieur de la Communauté, les discriminations qui consistent en l'application par un transporteur, pour les mêmes marchandises sur les mêmes relations de trafic, de prix et conditions de transport différents en raison du pays d'origine ou de destination des produits transportés.

2. Le paragraphe 1 n'exclut pas que d'autres mesures puissent être adoptées par le Conseil en application de l'article 75, paragraphe 1.

3. Le Conseil, statuant à la majorité qualifiée, établit, dans un délai de deux ans à compter de l'entrée en vigueur du présent traité, sur proposition de la Commission et après consultation du Comité économique et social, une réglementation assurant la mise en œuvre des dispositions du paragraphe 1.

Il peut notamment prendre les dispositions nécessaires pour permettre aux institutions de la Communauté de veiller au respect de la règle énoncée au paragraphe 1 et pour en assurer l'entier bénéfice aux usagers.

4. La Commission, de sa propre initiative ou à la demande d'un État membre, examine les cas de discrimination visés au paragraphe 1 et, après consultation de tout État membre intéressé, prend, dans le cadre de la réglementation arrêtée conformément aux dispositions du paragraphe 3, les décisions nécessaires.

Article 80

1. L'application imposée par un État membre, aux transports exécutés à l'intérieur de la Communauté, de prix et conditions

comportant tout élément de soutien ou de protection dans l'intérêt d'une ou de plusieurs entreprises ou industries particulières est interdite à partir du début de la deuxième étape, sauf si elle est autorisée par la Commission.

2. La Commission, de sa propre initiative ou à la demande d'un État membre, examine les prix et conditions visés au paragraphe 1 en tenant compte, notamment, d'une part, des exigences d'une politique économique régionale appropriée, des besoins des régions sous-développées, ainsi que des problèmes des régions gravement affectées par les circonstances politiques, et, d'autre part, des effets de ces prix et conditions sur la concurrence entre les modes de transport.

Après consultation de tout État membre intéressé, elle prend les décisions nécessaires.

3. L'interdiction visée au paragraphe 1 ne frappe pas les tarifs de concurrence.

Article 81

Les taxes ou redevances qui, indépendamment des prix de transport, sont perçues par un transporteur au passage des frontières ne doivent pas dépasser un niveau raisonnable, compte tenu des frais réels effectivement entraînés par ce passage.

Les États membres s'efforcent de réduire progressivement ces frais.

La Commission peut adresser aux États membres des recommandations en vue de l'application du présent article.

Article 82

Les dispositions du présent titre ne font pas obstacle aux mesures prises dans la république fédérale d'Allemagne, pour autant qu'elles soient nécessaires pour compenser les désavantages économiques causés, par la division de l'Allemagne, à l'économie de certaines régions de la République fédérale affectées par cette division.

Article 83

Un comité de caractère consultatif, composé d'experts désignés par les gouvernements des États membres, est institué auprès de la Commission. Celle-ci le consulte chaque fois qu'elle le juge utile en matière de transports, sans préjudice des attributions de la section des transports du Comité économique et social.

Article 84

1. Les dispositions du présent titre s'appliquent aux transports par chemin de fer, par route et par voie navigable.

2. Le Conseil, statuant à la majorité qualifiée, pourra décider si, dans quelle mesure et par quelle procédure des dispositions appropriées pourront être prises pour la navigation maritime et aérienne.

Les dispositions de procédure de l'article 75, paragraphes 1 et 3, s'appliquent.

TITRE V

Les règles communes sur la concurrence, la fiscalité et le rapprochement des législations (*)

(*) Intitulé introduit par l'article G, point 17), du TUE.

CHAPITRE 1

LES RÈGLES DE CONCURRENCE

Section 1

Les règles applicables aux entreprises

Article 85

1. Sont incompatibles avec le marché commun et interdits tous accords entre entreprises, toutes décisions d'associations d'entreprises et toutes pratiques concertées, qui sont susceptibles d'affecter le commerce entre États membres et qui ont pour objet ou pour effet d'empêcher, de restreindre ou de fausser le jeu de la concurrence à l'intérieur du marché commun, et notamment ceux qui consistent à:

a) fixer de façon directe ou indirecte les prix d'achat ou de vente ou d'autres conditions de transaction,

b) limiter ou contrôler la production, les débouchés, le développement technique ou les investissements,

c) répartir les marchés ou les sources d'approvisionnement,

d) appliquer, à l'égard de partenaires commerciaux, des conditions inégales à des prestations équivalentes en leur infligeant de ce fait un désavantage dans la concurrence,

e) subordonner la conclusion de contrats à l'acceptation, par les partenaires, de prestations supplémentaires qui, par leur nature ou selon les usages commerciaux, n'ont pas de lien avec l'objet de ces contrats.

2. Les accords ou décisions interdits en vertu du présent article sont nuls de plein droit.

3. Toutefois, les dispositions du paragraphe 1 peuvent être déclarées inapplicables:

— à tout accord ou catégorie d'accords entre entreprises,

— à toute décision ou catégorie de décisions d'associations d'entreprises et

— à toute pratique concertée ou catégorie de pratiques concertées

qui contribuent à améliorer la production ou la distribution des produits ou à promouvoir le progrès technique ou économique, tout en réservant aux utilisateurs une partie équitable du profit qui en résulte, et sans:

a) imposer aux entreprises intéressées des restrictions qui ne sont pas indispensables pour atteindre ces objectifs,

b) donner à des entreprises la possibilité, pour une partie substantielle des produits en cause, d'éliminer la concurrence.

Article 86

Est incompatible avec le marché commun et interdit, dans la mesure où le commerce entre États membres est susceptible d'en être affecté, le fait pour une ou plusieurs entreprises d'exploiter de façon abusive une position dominante sur le marché commun ou dans une partie substantielle de celui-ci.

Ces pratiques abusives peuvent notamment consister à:

a) imposer de façon directe ou indirecte des prix d'achat ou de vente ou d'autres conditions de transaction non équitables;

b) limiter la production, les débouchés ou le développement technique au préjudice des consommateurs,

c) appliquer à l'égard de partenaires commerciaux des conditions inégales à des prestations équivalentes, en leur infligeant de ce fait un désavantage dans la concurrence,

d) subordonner la conclusion de contrats à l'acceptation, par les partenaires, de prestations supplémentaires qui, par leur nature ou selon les usages commerciaux, n'ont pas de lien avec l'objet de ces contrats.

Article 87

1. Dans un délai de trois ans à compter de l'entrée en vigueur du présent traité, le Conseil, statuant à l'unanimité sur proposition de la Commission et après consultation du Parlement européen, arrête tous règlements ou directives utiles en vue de l'application des principes figurant aux articles 85 et 86.

Si de telles dispositions n'ont pas été adoptées dans le délai précité, elles sont établies par le Conseil, statuant à la majorité qualifiée sur proposition de la Commission et après consultation du Parlement européen.

2. Les dispositions visées au paragraphe 1 ont pour but notamment:

a) d'assurer le respect des interdictions visées à l'article 85, paragraphe 1, et à l'article 86, par l'institution d'amendes et d'astreintes,

b) de déterminer les modalités d'application de l'article 85, paragraphe 3, en tenant compte de la nécessité, d'une part, d'assurer une surveillance efficace et, d'autre part, de simplifier dans toute la mesure du possible le contrôle administratif,

c) de préciser, le cas échéant, dans les diverses branches économiques, le champ d'application des dispositions des articles 85 et 86,

d) de définir le rôle respectif de la Commission et de la Cour de justice dans l'application des dispositions visées dans le présent paragraphe,

e) de définir les rapports entre les législations nationales, d'une part, et, d'autre part, les dispositions de la présente section ainsi que celles adoptées en application du présent article.

Article 88

Jusqu'au moment de l'entrée en vigueur des dispositions prises en application de l'article 87, les autorités des États membres statuent sur l'admissibilité d'ententes et sur l'exploitation abusive d'une position dominante sur le marché commun, en conformité du droit de leur pays et des dispositions des articles 85, notamment paragraphe 3, et 86.

Article 89

1. Sans préjudice de l'article 88, la Commission veille, dès son entrée en fonctions, à l'application des principes fixés par les articles 85 et 86. Elle instruit, sur demande d'un État membre ou d'office, et en liaison avec les autorités compétentes des États membres qui lui prêtent leur assistance, les cas d'infraction présumée aux principes précités. Si elle constate qu'il y a eu infraction, elle propose les moyens propres à y mettre fin.

2. S'il n'est pas mis fin aux infractions, la Commission constate l'infraction aux principes par une décision motivée. Elle peut publier sa décision et autoriser les États membres à prendre les mesures nécessaires, dont elle définit les conditions et les modalités pour remédier à la situation.

Article 90

1. Les États membres, en ce qui concerne les entreprises publiques et les entreprises auxquelles ils accordent des droits spéciaux ou exclusifs, n'édictent ni ne maintiennent aucune mesure contraire aux règles du présent traité, notamment à celles prévues aux articles 6 et 85 à 94 inclus.

2. Les entreprises chargées de la gestion de services d'intérêt économique général ou présentant le caractère d'un monopole fiscal sont soumises aux règles du présent traité, notamment aux règles de concurrence, dans les limites où l'application de ces règles ne fait pas échec à l'accomplissement en droit ou en fait de la mission particulière qui leur a été impartie. Le développement des échanges ne doit pas être affecté dans une mesure contraire à l'intérêt de la Communauté.

3. La Commission veille à l'application des dispositions du présent article et adresse, en tant que de besoin, les directives ou décisions appropriées aux États membres.

Section 2

Les pratiques de dumping

Article 91

1. Si, au cours de la période de transition, la Commission, sur demande d'un État membre ou de tout autre intéressé, constate des pratiques de dumping exercées à l'intérieur du marché commun, elle adresse des recommandations à l'auteur ou aux auteurs de ces pratiques en vue d'y mettre fin.

Au cas où les pratiques de dumping continuent, la Commission autorise l'État membre lésé à prendre les mesures de protection dont elle définit les conditions et modalités.

2. Dès l'entrée en vigueur du présent traité, les produits originaires d'un État membre ou qui s'y trouvent en libre pratique et qui ont été exportés dans un autre État membre sont admis à la réimportation sur le territoire de ce premier État sans qu'ils puissent être assujettis à aucun droit de douane, restriction quantitative ou mesures d'effet équivalent. La Commission établit les réglementations appropriées pour l'application du présent paragraphe.

Section 3

Les aides accordées par les États

Article 92

1. Sauf dérogations prévues par le présent traité, sont incompatibles avec le marché commun, dans la mesure où elles affectent les échanges entre États membres, les aides accordées par les États ou

au moyen de ressources d'État sous quelque forme que ce soit qui faussent ou qui menacent de fausser la concurrence en favorisant certaines entreprises ou certaines productions.

2. Sont compatibles avec le marché commun:

a) les aides à caractère social octroyées aux consommateurs individuels, à condition qu'elles soient accordées sans discrimination liée à l'origine des produits,

b) les aides destinées à remédier aux dommages causés par les calamités naturelles ou par d'autres événements extraordinaires,

c) les aides octroyées à l'économie de certaines régions de la république fédérale d'Allemagne affectées par la division de l'Allemagne, dans la mesure où elles sont nécessaires pour compenser les désavantages économiques causés par cette division.

3. Peuvent être considérées comme compatibles avec le marché commun:

a) les aides destinées à favoriser le développement économique de régions dans lesquelles le niveau de vie est anormalement bas ou dans lesquelles sévit un grave sous-emploi,

b) les aides destinées à promouvoir la réalisation d'un projet important d'intérêt européen commun ou à remédier à une perturbation grave de l'économie d'un État membre,

c) les aides destinées à faciliter le développement de certaines activités ou de certaines régions économiques, quand elles n'altèrent pas les conditions des échanges dans une mesure contraire à l'intérêt commun. Toutefois, les aides à la construction navale existant à la date du 1er janvier 1957, pour autant qu'elles ne correspondent qu'à l'absence d'une protection douanière, sont progressivement réduites dans les mêmes conditions que celles applicables à l'élimination des droits de douane, sous réserve des dispositions du présent traité visant la politique commerciale commune vis-à-vis des pays tiers,

d) les aides destinées à promouvoir la culture et la conservation du patrimoine, quand elles n'altèrent pas les conditions des échanges et de la concurrence dans la Communauté dans une mesure contraire à l'intérêt commun (*),

e) les autres catégories d'aides déterminées par décision du Conseil statuant à la majorité qualifiée sur proposition de la Commission.

Article 93

1. La Commission procède avec les États membres à l'examen permanent des régimes d'aides existant dans ces États. Elle propose à ceux-ci les mesures utiles exigées par le développement progressif ou le fonctionnement du marché commun.

2. Si, après avoir mis les intéressés en demeure de présenter leurs observations, la Commission constate qu'une aide accordée par un État ou au moyen de ressources d'État n'est pas compatible avec le marché commun aux termes de l'article 92, ou que cette aide est appliquée de façon abusive, elle décide que l'État intéressé doit la supprimer ou la modifier dans le délai qu'elle détermine.

Si l'État en cause ne se conforme pas à cette décision dans le délai imparti, la Commission ou tout autre État intéressé peut saisir directement la Cour de justice, par dérogation aux articles 169 et 170.

(*) Point d) tel qu'inséré par l'article G, point 18), du TUE.

Sur demande d'un État membre, le Conseil, statuant à l'unanimité, peut décider qu'une aide, instituée ou à instituer par cet État, doit être considérée comme compatible avec le marché commun, en dérogation des dispositions de l'article 92 ou des règlements prévus à l'article 94, si des circonstances exceptionnelles justifient une telle décision. Si, à l'égard de cette aide, la Commission a ouvert la procédure prévue au présent paragraphe, premier alinéa, la demande de l'État intéressé adressée au Conseil aura pour effet de suspendre ladite procédure jusqu'à la prise de position du Conseil.

Toutefois, si le Conseil n'a pas pris position dans un délai de trois mois à compter de la demande, la Commission statue.

3. La Commission est informée, en temps utile pour présenter ses observations, des projets tendant à instituer ou à modifier des aides. Si elle estime qu'un projet n'est pas compatible avec le marché commun, aux termes de l'article 92, elle ouvre sans délai la procédure prévue au paragraphe précédent. L'État membre intéressé ne peut mettre à exécution les mesures projetées, avant que cette procédure ait abouti à une décision finale.

Article 94 (*)

Le Conseil, statuant à la majorité qualifiée sur proposition de la Commission et après consultation du Parlement européen, peut prendre tous règlements utiles en vue de l'application des articles 92 et 93 et fixer notamment les conditions d'application de l'article 93, paragraphe 3, et les catégories d'aides qui sont dispensées de cette procédure.

(*) Tel que modifié par l'article G, point 19), du TUE.

CHAPITRE 2

DISPOSITIONS FISCALES

Article 95

Aucun État membre ne frappe directement ou indirectement les produits des autres États membres d'impositions intérieures, de quelque nature qu'elles soient, supérieures à celles qui frappent directement ou indirectement les produits nationaux similaires.

En outre, aucun État membre ne frappe les produits des autres États membres d'impositions intérieures de nature à protéger indirectement d'autres productions.

Les États membres éliminent ou corrigent, au plus tard au début de la deuxième étape, les dispositions existant à l'entrée en vigueur du présent traité qui sont contraires aux règles ci-dessus.

Article 96

Les produits exportés vers le territoire d'un des États membres ne peuvent bénéficier d'aucune ristourne d'impositions intérieures supérieure aux impositions dont ils ont été frappés directement ou indirectement.

Article 97

Les États membres qui perçoivent la taxe sur le chiffre d'affaires d'après le système de la taxe cumulative à cascade peuvent, pour les impositions intérieures dont ils frappent les produits importés ou pour les ristournes qu'ils accordent aux produits exportés, procéder à la fixation de taux moyens par produit ou groupe de produits, sans toutefois porter atteinte aux principes qui sont énoncés aux articles 95 et 96.

Au cas où les taux moyens fixés par un État membre ne sont pas conformes aux principes précités, la Commission adresse à cet État les directives ou décisions appropriées.

Article 98

En ce qui concerne les impositions autres que les taxes sur le chiffre d'affaires, les droits d'accises et les autres impôts indirects, des exonérations et des remboursements à l'exportation vers les autres États membres ne peuvent être opérés, et des taxes de compensation à l'importation en provenance des États membres ne peuvent être établies, que pour autant que les mesures envisagées ont été préalablement approuvées pour une période limitée par le Conseil, statuant à la majorité qualifiée sur proposition de la Commission.

Article 99 (*)

Le Conseil, statuant à l'unanimité sur proposition de la Commission et après consultation du Parlement européen et du Comité économique et social, arrête les dispositions touchant à l'harmonisation des législations relatives aux taxes sur le chiffre d'affaires, aux droits d'accises et autres impôts indirects dans la mesure où cette harmonisation est nécessaire pour assurer l'établissement et le fonctionnement du marché intérieur dans le délai prévu à l'article 7 A.

(*) Tel que modifié par l'article G, point 20), du TUE.

CHAPITRE 3

LE RAPPROCHEMENT DES LÉGISLATIONS

Article 100 (*)

Le Conseil, statuant à l'unanimité sur proposition de la Commission et après consultation du Parlement européen et du Comité économique et social, arrête des directives pour le rapprochement des dispositions législatives, réglementaires et administratives des États membres qui ont une incidence directe sur l'établissement ou le fonctionnement du marché commun.

Article 100 A

1. Par dérogation à l'article 100 et sauf si le présent traité en dispose autrement, les dispositions suivantes s'appliquent pour la réalisation des objectifs énoncés à l'article 7 A. Le Conseil, statuant conformément à la procédure visée à l'article 189 B et après consultation du Comité économique et social, arrête les mesures relatives au rapprochement des dispositions législatives, réglementaires et administratives des États membres qui ont pour objet l'établissement et le fonctionnement du marché intérieur (**).

2. Le paragraphe 1 ne s'applique pas aux dispositions fiscales, aux dispositions relatives à la libre circulation des personnes et à celles relatives aux droits et intérêts des travailleurs salariés.

(*) Tel que modifié par l'article G, point 21), du TUE.

(**) Paragraphe 1 tel que modifié par l'article G, point 22), du TUE.

3. La Commission, dans ses propositions prévues au paragraphe 1 en matière de santé, de sécurité, de protection de l'environnement et de protection des consommateurs, prend pour base un niveau de protection élevé.

4. Lorsque, après l'adoption d'une mesure d'harmonisation par le Conseil, statuant à la majorité qualifiée, un État membre estime nécessaire d'appliquer des dispositions nationales justifiées par des exigences importantes visées à l'article 36 ou relatives à la protection du milieu de travail ou de l'environnement, il les notifie à la Commission.

La Commission confirme les dispositions en cause après avoir vérifié qu'elles ne sont pas un moyen de discrimination arbitraire ou une restriction déguisée dans le commerce entre États membres.

Par dérogation à la procédure prévue aux articles 169 et 170, la Commission ou tout État membre peut saisir directement la Cour de justice s'il estime qu'un autre État membre fait un usage abusif des pouvoirs prévus au présent article.

5. Les mesures d'harmonisation mentionnées ci-dessus comportent, dans les cas appropriés, une clause de sauvegarde autorisant les États membres à prendre, pour une ou plusieurs des raisons non économiques mentionnées à l'article 36, des mesures provisoires soumises à une procédure communautaire de contrôle.

Article 100 B

1. Au cours de l'année 1992, la Commission procède avec chaque État membre à un recensement des dispositions législatives, réglementaires et administratives qui relèvent de l'article 100 A et qui n'ont pas fait l'objet d'une harmonisation au titre de ce dernier article.

Le Conseil, statuant selon les dispositions de l'article 100 A, peut décider que des dispositions en vigueur dans un État membre doivent être reconnues comme équivalentes à celles appliquées par un autre État membre.

2. Les dispositions de l'article 100 A, paragraphe 4, sont applicables par analogie.

3. La Commission procède au recensement mentionné au paragraphe 1, premier alinéa, et présente les propositions appropriées, en temps utile pour permettre au Conseil de statuer avant la fin 1992.

Article 100 C (*)

1. Le Conseil, statuant à l'unanimité sur proposition de la Commission et après consultation du Parlement européen, détermine les pays tiers dont les ressortissants doivent être munis d'un visa lors du franchissement des frontières extérieures des États membres.

2. Toutefois, dans le cas où survient dans un pays tiers une situation d'urgence confrontant la Communauté à la menace d'un afflux soudain de ressortissants de ce pays, le Conseil peut, statuant à la majorité qualifiée sur recommandation de la Commission, rendre obligatoire, pour une période ne pouvant excéder six mois, l'obtention d'un visa par les ressortissants du pays en question. L'obligation de visa instaurée par le présent paragraphe peut être prorogée selon la procédure visée au paragraphe 1.

3. À compter du 1er janvier 1996, le Conseil adoptera à la majorité qualifiée les décisions visées au paragraphe 1. Avant cette date, le Conseil, statuant à la majorité qualifiée sur proposition de la

(*) Tel qu'inséré par l'article G, point 23), du TUE.

Commission et après consultation du Parlement européen, arrête les mesures relatives à l'instauration d'un modèle type de visa.

4. Dans les domaines visés au présent article, la Commission est tenue d'instruire toute demande formulée par un État membre et tendant à ce qu'elle fasse une proposition au Conseil.

5. Le présent article ne porte pas atteinte à l'exercice des responsabilités qui incombent aux États membres pour le maintien de l'ordre public et la sauvegarde de la sécurité intérieure.

6. Le présent article est applicable à d'autres sujets s'il en est ainsi décidé en vertu de l'article K.9 des dispositions du traité sur l'Union européenne relatives à la coopération dans les domaines de la justice et des affaires intérieures, sous réserve des conditions de vote déterminées en même temps.

7. Les dispositions des conventions en vigueur entre les États membres régissant des matières couvertes par le présent article restent en vigueur tant que leur contenu n'aura pas été remplacé par des directives ou par des mesures prises en vertu du présent article.

Article 100 D (*)

Le comité de coordination composé de hauts fonctionnaires, institué par l'article K.4 du traité sur l'Union européenne, contribue, sans préjudice des dispositions de l'article 151, à la préparation des travaux du Conseil dans les domaines visés à l'article 100 C.

(*) Tel qu'inséré par l'article G, point 24), du TUE.

Article 101

Au cas où la Commission constate qu'une disparité existant entre les dispositions législatives, réglementaires ou administratives des États membres fausse les conditions de concurrence sur le marché commun et provoque, de ce fait, une distorsion qui doit être éliminée, elle entre en consultation avec les États membres intéressés.

Si cette consultation n'aboutit pas à un accord éliminant la distorsion en cause, le Conseil arrête, sur proposition de la Commission, les directives nécessaires à cette fin, en statuant à l'unanimité pendant la première étape et à la majorité qualifiée par la suite. La Commission et le Conseil peuvent prendre toutes autres mesures utiles prévues par le présent traité.

Article 102

1. Lorsqu'il y a lieu de craindre que l'établissement ou la modification d'une disposition législative, réglementaire ou administrative ne provoque une distorsion au sens de l'article précédent, l'État membre qui veut y procéder consulte la Commission. Après avoir consulté les États membres, la Commission recommande aux États intéressés les mesures appropriées pour éviter la distorsion en cause.

2. Si l'État qui veut établir ou modifier des dispositions nationales ne se conforme pas à la recommandation que la Commission lui a adressée, il ne pourra être demandé aux autres États membres, dans l'application de l'article 101, de modifier leurs dispositions nationales en vue d'éliminer cette distorsion. Si l'État membre qui a passé outre à la recommandation de la Commission provoque une distorsion à son seul détriment, les dispositions de l'article 101 ne sont pas applicables.

TITRE VI (*)

La politique économique et monétaire

(*) Nouveau titre tel qu'inséré par l'article G, point 25), du TUE, en remplacement du titre II, articles 102 A à 109.

CHAPITRE 1

LA POLITIQUE ÉCONOMIQUE

Article 102 A

Les États membres conduisent leurs politiques économiques en vue de contribuer à la réalisation des objectifs de la Communauté, tels que définis à l'article 2, et dans le contexte des grandes orientations visées à l'article 103, paragraphe 2. Les États membres et la Communauté agissent dans le respect du principe d'une économie de marché ouverte où la concurrence est libre, favorisant une allocation efficace des ressources, conformément aux principes fixés à l'article 3 A.

Article 103

1. Les États membres considèrent leurs politiques économiques comme une question d'intérêt commun et les coordonnent au sein du Conseil, conformément à l'article 102 A.

2. Le Conseil, statuant à la majorité qualifiée sur recommandation de la Commission, élabore un projet pour les grandes orientations des politiques économiques des États membres et de la Communauté et en fait rapport au Conseil européen.

Le Conseil européen, sur la base du rapport du Conseil, débat d'une conclusion sur les grandes orientations des politiques économiques des États membres et de la Communauté.

Sur la base de cette conclusion, le Conseil, statuant à la majorité qualifiée, adopte une recommandation fixant ces grandes orientations. Le Conseil informe le Parlement de sa recommandation.

3. Afin d'assurer une coordination plus étroite des politiques économiques et une convergence soutenue des performances économiques des États membres, le Conseil, sur la base de rapports présentés par la Commission, surveille l'évolution économique dans chacun des États membres et dans la Communauté, ainsi que la conformité des politiques économiques avec les grandes orientations visées au paragraphe 2, et procède régulièrement à une évaluation d'ensemble.

Pour les besoins de cette surveillance multilatérale, les États membres transmettent à la Commission des informations sur les mesures importantes qu'ils ont prises dans le domaine de leur politique économique et toute autre information qu'ils jugent nécessaire.

4. Lorsqu'il est constaté, dans le cadre de la procédure visée au paragraphe 3, que les politiques économiques d'un État membre ne sont pas conformes aux grandes orientations visées au paragraphe 2 ou qu'elles risquent de compromettre le bon fonctionnement de l'Union économique et monétaire, le Conseil, statuant à la majorité qualifiée sur recommandation de la Commission, peut adresser les recommandations nécessaires à l'État membre concerné. Le Conseil, statuant à la majorité qualifiée sur proposition de la Commission, peut décider de rendre publiques ses recommandations.

Le président du Conseil et la Commission font rapport au Parlement européen sur les résultats de la surveillance multilatérale. Le président du Conseil peut être invité à se présenter devant la commission compétente du Parlement européen si le Conseil a rendu publiques ses recommandations.

5. Le Conseil, statuant conformément à la procédure visée à l'article 189 C, peut arrêter les modalités de la procédure de surveillance multilatérale visée aux paragraphes 3 et 4 du présent article.

Article 103 A

1. Sans préjudice des autres procédures prévues par le présent traité, le Conseil, statuant à l'unanimité sur proposition de la Commission, peut décider des mesures appropriées à la situation économique, notamment si de graves difficultés surviennent dans l'approvisionnement en certains produits.

2. Lorsqu'un État membre connaît des difficultés ou une menace sérieuse de graves difficultés, en raison d'événements exceptionnels échappant à son contrôle, le Conseil, statuant à l'unanimité sur proposition de la Commission, peut accorder, sous certaines conditions, une assistance financière communautaire à l'État membre concerné. Lorsque les graves difficultés sont causées par des catastrophes naturelles, le Conseil statue à la majorité qualifiée. Le président du Conseil informe le Parlement européen de la décision prise.

Article 104

1. Il est interdit à la BCE et aux banques centrales des États membres, ci-après dénommées «banques centrales nationales», d'accorder des découverts ou tout autre type de crédit aux institutions ou organes de la Communauté, aux administrations centrales, aux autorités régionales ou locales, aux autres autorités publiques, aux autres organismes ou entreprises publics des États membres; l'acquisition directe, auprès d'eux, par la BCE ou les banques centrales nationales, des instruments de leur dette est également interdite.

2. Le paragraphe 1 ne s'applique pas aux établissements publics de crédit qui, dans le cadre de la mise à disposition de liquidités par les banques centrales, bénéficient, de la part des banques centrales nationales et de la BCE, du même traitement que les établissements privés de crédit.

Article 104 A

1. Est interdite toute mesure, ne reposant pas sur des considérations d'ordre prudentiel, qui établit un accès privilégié des institutions ou organes communautaires, des administrations centrales, des autorités régionales ou locales, des autres autorités publiques ou d'autres organismes ou entreprises publics des États membres aux institutions financières.

2. Avant le 1er janvier 1994, le Conseil, statuant conformément à la procédure visée à l'article 189 C, précise les définitions en vue de l'application de l'interdiction visée au paragraphe 1.

Article 104 B

1. La Communauté ne répond pas des engagements des administrations centrales, des autorités régionales ou locales, des autres autorités publiques ou d'autres organismes ou entreprises publics d'un État membre, ni ne les prend à sa charge, sans préjudice des garanties financières mutuelles pour la réalisation en commun d'un projet spécifique. Un État membre ne répond pas des engagements des administrations centrales, des autorités régionales ou locales, des autres autorités publiques ou d'autres organismes ou entreprises publics d'un autre État membre, ni ne les prend à sa charge, sans préjudice des garanties financières mutuelles pour la réalisation en commun d'un projet spécifique.

2. Le Conseil, statuant conformément à la procédure visée à l'article 189 C, peut, au besoin, préciser les définitions pour l'application des interdictions visées à l'article 104 et au présent article.

Article 104 C

1. Les États membres évitent les déficits publics excessifs.

2. La Commission surveille l'évolution de la situation budgétaire et du montant de la dette publique dans les États membres en vue de déceler les erreurs manifestes. Elle examine notamment si la discipline budgétaire a été respectée, et ce sur la base des deux critères ci-après:

a) si le rapport entre le déficit public prévu ou effectif et le produit intérieur brut dépasse une valeur de référence, à moins:

— que le rapport n'ait diminué de manière substantielle et constante et atteint un niveau proche de la valeur de référence,

— ou que le dépassement de la valeur de référence ne soit qu'exceptionnel et temporaire et que ledit rapport ne reste proche de la valeur de référence;

b) si le rapport entre la dette publique et le produit intérieur brut dépasse une valeur de référence, à moins que ce rapport ne diminue suffisamment et ne s'approche de la valeur de référence à un rythme satisfaisant.

Les valeurs de référence sont précisées dans le protocole sur la procédure concernant les déficits excessifs, qui est annexé au présent traité.

3. Si un État membre ne satisfait pas aux exigences de ces critères ou de l'un d'eux, la Commission élabore un rapport. Le rapport de la Commission examine également si le déficit public excède les dépenses publiques d'investissement et tient compte de tous les autres facteurs pertinents, y compris la position économique et budgétaire à moyen terme de l'État membre.

La Commission peut également élaborer un rapport si, en dépit du respect des exigences découlant des critères, elle estime qu'il y a un risque de déficit excessif dans un État membre.

4. Le comité prévu à l'article 109 C rend un avis sur le rapport de la Commission.

5. Si la Commission estime qu'il y a un déficit excessif dans un État membre ou qu'un tel déficit risque de se produire, elle adresse un avis au Conseil.

6. Le Conseil, statuant à la majorité qualifiée sur recommandation de la Commission, et compte tenu des observations éventuelles de l'État membre concerné, décide, après une évaluation globale, s'il y a ou non un déficit excessif.

7. Lorsque le Conseil, conformément au paragraphe 6, décide qu'il y a un déficit excessif, il adresse des recommandations à l'État membre concerné afin que celui-ci mette un terme à cette situation dans un délai donné. Sous réserve des dispositions du paragraphe 8, ces recommandations ne sont pas rendues publiques.

8. Lorsque le Conseil constate qu'aucune action suivie d'effets n'a été prise en réponse à ses recommandations dans le délai prescrit, il peut rendre publiques ses recommandations.

9. Si un État membre persiste à ne pas donner suite aux recommandations du Conseil, celui-ci peut décider de mettre l'État membre concerné en demeure de prendre, dans un délai déterminé, des mesures visant à la réduction du déficit jugée nécessaire par le Conseil pour remédier à la situation.

En pareil cas, le Conseil peut demander à l'État membre concerné de présenter des rapports selon un calendrier précis, afin de pouvoir examiner les efforts d'ajustement consentis par cet État membre.

10. Les droits de recours prévus aux articles 169 et 170 ne peuvent être exercés dans le cadre des paragraphes 1 à 9 du présent article.

11. Aussi longtemps qu'un État membre ne se conforme pas à une décision prise en vertu du paragraphe 9, le Conseil peut décider d'appliquer ou, le cas échéant, d'intensifier une ou plusieurs des mesures suivantes:

— exiger de l'État membre concerné qu'il publie des informations supplémentaires, à préciser par le Conseil, avant d'émettre des obligations et des titres;

— inviter la Banque européenne d'investissement à revoir sa politique de prêts à l'égard de l'État membre concerné;

— exiger que l'État membre concerné fasse, auprès de la Communauté, un dépôt ne portant pas intérêt, d'un montant approprié, jusqu'à ce que, de l'avis du Conseil, le déficit excessif ait été corrigé;

— imposer des amendes d'un montant approprié.

Le président du Conseil informe le Parlement européen des décisions prises.

12. Le Conseil abroge toutes ou certaines de ses décisions visées aux paragraphes 6 à 9 et 11 dans la mesure où, de l'avis du Conseil, le déficit excessif dans l'État membre concerné a été corrigé. Si le Conseil a précédemment rendu publiques ses recommandations, il déclare publiquement, dès l'abrogation de la décision visée au paragraphe 8, qu'il n'y a plus de déficit excessif dans cet État membre.

13. Lorsque le Conseil prend ses décisions visées aux paragraphes 7 à 9, 11 et 12, le Conseil statue sur recommandation de la Commission à une majorité des deux tiers des voix de ses membres, pondérées conformément à l'article 148, paragraphe 2, les voix du représentant de l'État membre concerné étant exclues.

14. Des dispositions complémentaires relatives à la mise en œuvre de la procédure décrite au présent article figurent dans le protocole sur la procédure applicable en cas de déficit excessif, annexé au présent traité.

Le Conseil, statuant à l'unanimité sur proposition de la Commission et après consultation du Parlement européen et de la BCE, arrête les dispositions appropriées qui remplaceront ledit protocole.

Sous réserve des autres dispositions du présent paragraphe, le Conseil, statuant à la majorité qualifiée sur proposition de la Commission et après consultation du Parlement européen, fixe, avant le 1er janvier 1994, les modalités et les définitions en vue de l'application des dispositions dudit protocole.

CHAPITRE 2

LA POLITIQUE MONÉTAIRE

Article 105

1. L'objectif principal du SEBC est de maintenir la stabilité des prix. Sans préjudice de l'objectif de stabilité des prix, le SEBC apporte son soutien aux politiques économiques générales dans la Communauté, en vue de contribuer à la réalisation des objectifs de la Communauté, tels que définis à l'article 2. Le SEBC agit conformément au principe d'une économie de marché ouverte où la

concurrence est libre, en favorisant une allocation efficace des ressources et en respectant les principes fixés à l'article 3 A.

2. Les missions fondamentales relevant du SEBC consistent à:

— définir et mettre en œuvre la politique monétaire de la Communauté;

— conduire les opérations de change conformément à l'article 109;

— détenir et gérer les réserves officielles de change des États membres;

— promouvoir le bon fonctionnement des systèmes de paiement.

3. Le troisième tiret du paragraphe 2 s'applique sans préjudice de la détention et de la gestion, par les gouvernements des États membres, de fonds de roulement en devises.

4. La BCE est consultée:

— sur tout acte communautaire proposé dans les domaines relevant de sa compétence;

— par les autorités nationales, sur tout projet de réglementation dans les domaines relevant de sa compétence, mais dans les limites et selon les conditions fixées par le Conseil conformément à la procédure prévue à l'article 106, paragraphe 6.

La BCE peut, dans les domaines relevant de sa compétence, soumettre des avis aux institutions ou organes communautaires appropriés ou aux autorités nationales.

5. Le SEBC contribue à la bonne conduite des politiques menées par les autorités compétentes en ce qui concerne le contrôle prudentiel des établissements de crédit et la stabilité du système financier.

6. Le Conseil, statuant à l'unanimité sur proposition de la Commission, après consultation de la BCE et sur avis conforme du Parlement européen, peut confier à la BCE des missions spécifiques ayant trait aux politiques en matière de contrôle prudentiel des établissements de crédit et autres établissements financiers, à l'exception des entreprises d'assurances.

Article 105 A

1. La BCE est seule habilitée à autoriser l'émission de billets de banque dans la Communauté. La BCE et les banques centrales nationales peuvent émettre de tels billets. Les billets de banque émis par la BCE et les banques centrales nationales sont les seuls à avoir cours légal dans la Communauté.

2. Les États membres peuvent émettre des pièces, sous réserve de l'approbation, par la BCE, du volume de l'émission. Le Conseil, statuant conformément à la procédure visée à l'article 189 C et après consultation de la BCE, peut adopter des mesures pour harmoniser les valeurs unitaires et les spécifications techniques de toutes les pièces destinées à la circulation, dans la mesure où cela est nécessaire pour assurer la bonne circulation de celles-ci dans la Communauté.

Article 106

1. Le SEBC est composé de la BCE et des banques centrales nationales.

2. La BCE est dotée de la personnalité juridique.

3. Le SEBC est dirigé par les organes de décision de la BCE, qui sont le conseil des gouverneurs et le directoire.

4. Les statuts du SEBC sont définis dans un protocole annexé au présent traité.

5. Les articles 5.1, 5.2, 5.3, 17, 18, 19.1, 22, 23, 24, 26, 32.2, 32.3, 32.4, 32.6, 33.1 a) et 36 des statuts du SEBC peuvent être modifiés par le Conseil, statuant soit à la majorité qualifiée sur recommandation de la BCE et après consultation de la Commission, soit à l'unanimité sur proposition de la Commission et après consultation de la BCE. Dans les deux cas, l'avis conforme du Parlement européen est requis.

6. Le Conseil, statuant à la majorité qualifiée soit sur proposition de la Commission et après consultation du Parlement européen et de la BCE, soit sur recommandation de la BCE et après consultation du Parlement européen et de la Commission, arrête les dispositions visées aux articles 4, 5.4, 19.2, 20, 28.1, 29.2, 30.4 et 34.3 des statuts du SEBC.

Article 107

Dans l'exercice des pouvoirs et dans l'accomplissement des missions et des devoirs qui leur ont été conférés par le présent traité et les statuts du SEBC, ni la BCE, ni une banque centrale nationale, ni un membre quelconque de leurs organes de décision ne peuvent solliciter ni accepter des instructions des institutions ou organes communautaires, des gouvernements des États membres ou de tout autre organisme. Les institutions et organes communautaires ainsi que les gouvernements des États membres s'engagent à respecter ce principe et à ne pas chercher à influencer les membres des organes de décision de la BCE ou des banques centrales nationales dans l'accomplissement de leurs missions.

Article 108

Chaque État membre veille à la compatibilité de sa législation nationale, y compris les statuts de sa banque centrale nationale, avec le présent traité et les statuts du SEBC, et ce au plus tard à la date de la mise en place du SEBC.

Article 108 A

1. Pour l'accomplissement des missions qui sont confiées au SEBC, la BCE, conformément au présent traité et selon les conditions fixées dans les statuts du SEBC:

— arrête des règlements dans la mesure nécessaire à l'accomplissement des missions définies à l'article 3.1, premier tiret, aux articles 19.1, 22 ou 25.2 des statuts du SEBC, ainsi que dans les cas qui sont prévus dans les actes du Conseil visés à l'article 106, paragraphe 6;

— prend les décisions nécessaires à l'accomplissement des missions confiées au SEBC en vertu du présent traité et des statuts du SEBC;

— émet des recommandations et des avis.

2. Le règlement a une portée générale. Il est obligatoire dans tous ses éléments et il est directement applicable dans tout État membre.

Les recommandations et les avis ne lient pas.

La décision est obligatoire dans tous ses éléments pour les destinataires qu'elle désigne.

Les articles 190, 191 et 192 sont applicables aux règlements et aux décisions adoptés par la BCE.

La BCE peut décider de publier ses décisions, recommandations et avis.

3. Dans les limites et selon les conditions arrêtées par le Conseil conformément à la procédure prévue à l'article 106, paragraphe 6, la BCE est habilitée à infliger aux entreprises des amendes et des astreintes en cas de non-respect de ses règlements et de ses décisions.

Article 109

1. Par dérogation à l'article 228, le Conseil, statuant à l'unanimité sur recommandation de la BCE ou de la Commission, après consultation de la BCE en vue de parvenir à un consensus compatible avec l'objectif de la stabilité des prix et après consultation du Parlement européen, selon la procédure visée au paragraphe 3 pour les arrangements y mentionnés, peut conclure des accords formels portant sur un système de taux de change pour l'Écu, vis-à-vis des monnaies non communautaires. Le Conseil, statuant à la majorité qualifiée sur recommandation de la BCE ou de la Commission et après consultation de la BCE en vue de parvenir à un consensus compatible avec l'objectif de la stabilité des prix, peut adopter, modifier ou abandonner les cours centraux de l'Écu dans le système des taux de change. Le président du Conseil informe le Parlement européen de l'adoption, de la modification ou de l'abandon des cours centraux de l'Écu.

2. En l'absence d'un système de taux de change vis-à-vis d'une ou de plusieurs monnaies non communautaires au sens du paragraphe 1, le Conseil, statuant à la majorité qualifiée soit sur recommandation de la Commission et après consultation de la BCE, soit sur recommandation de la BCE, peut formuler les orientations

générales de politique de change vis-à-vis de ces monnaies. Ces orientations générales n'affectent pas l'objectif principal du SEBC, à savoir le maintien de la stabilité des prix.

3. Par dérogation à l'article 228, au cas où des accords sur des questions se rapportant au régime monétaire ou de change doivent faire l'objet de négociations entre la Communauté et un ou plusieurs États ou organisations internationales, le Conseil, statuant à la majorité qualifiée sur recommandation de la Commission et après consultation de la BCE, décide des arrangements relatifs aux négociations et à la conclusion de ces accords. Ces arrangements doivent assurer que la Communauté exprime une position unique. La Commission est pleinement associée aux négociations.

Les accords conclus au titre du présent paragraphe sont contraignants pour les institutions de la Communauté, la BCE et les États membres.

4. Sous réserve du paragraphe 1, le Conseil, sur proposition de la Commission et après consultation de la BCE, statuant à la majorité qualifiée, décide de la position qu'occupe la Communauté au niveau international en ce qui concerne des questions qui revêtent un intérêt particulier pour l'Union économique et monétaire et, statuant à l'unanimité, décide de sa représentation, dans le respect de la répartition des compétences prévue aux articles 103 et 105.

5. Sans préjudice des compétences et des accords communautaires dans le domaine de l'Union économique et monétaire, les États membres peuvent négocier dans les instances internationales et conclure des accords internationaux.

CHAPITRE 3

DISPOSITIONS INSTITUTIONNELLES

Article 109 A

1. Le conseil des gouverneurs de la BCE se compose des membres du directoire de la BCE et des gouverneurs des banques centrales nationales.

2. a) Le directoire se compose du président, du vice-président et de quatre autres membres.

b) Le président, le vice-président et les autres membres du directoire sont nommés d'un commun accord par les gouvernements des États membres au niveau des chefs d'État ou de gouvernement, sur recommandation du Conseil et après consultation du Parlement européen et du conseil des gouverneurs de la BCE, parmi des personnes dont l'autorité et l'expérience professionnelle dans le domaine monétaire ou bancaire sont reconnues.

Leur mandat a une durée de huit ans et n'est pas renouvelable.

Seuls les ressortissants des États membres peuvent être membres du directoire.

Article 109 B

1. Le président du Conseil et un membre de la Commission peuvent participer sans voix délibérative aux réunions du conseil des gouverneurs de la BCE.

Le président du Conseil peut soumettre une motion à la délibération du conseil des gouverneurs de la BCE.

2. Le président de la BCE est invité à participer aux réunions du Conseil lorsque celui-ci délibère sur des questions relatives aux objectifs et aux missions du SEBC.

3. La BCE adresse un rapport annuel sur les activités du SEBC et sur la politique monétaire de l'année précédente et de l'année en cours au Parlement européen, au Conseil et à la Commission, ainsi qu'au Conseil européen. Le président de la BCE présente ce rapport au Conseil et au Parlement européen, qui peut tenir un débat général sur cette base.

Le président de la BCE et les autres membres du directoire peuvent, à la demande du Parlement européen ou de leur propre initiative, être entendus par les commissions compétentes du Parlement européen.

Article 109 C

1. En vue de promouvoir la coordination des politiques des États membres dans toute la mesure nécessaire au fonctionnement du marché intérieur, il est institué un comité monétaire de caractère consultatif.

Ce comité a pour mission:

— de suivre la situation monétaire et financière des États membres et de la Communauté, ainsi que le régime général des paiements des États membres, et de faire rapport régulièrement au Conseil et à la Commission à ce sujet;

— de formuler des avis, soit à la requête du Conseil ou de la Commission, soit de sa propre initiative, à l'intention de ces institutions;

— sans préjudice de l'article 151, de contribuer à la préparation des travaux du Conseil visés aux articles 73 F et 73 G, à l'article 103, paragraphes 2, 3, 4 et 5, aux articles 103 A, 104 A, 104 B et 104 C, à l'article 109 E, paragraphe 2, à l'article 109 F, paragraphe 6, aux articles 109 H et 109 I, à l'article 109 J, paragraphe 2, et à l'article 109 K, paragraphe 1;

— de procéder, au moins une fois par an, à l'examen de la situation en matière de mouvements de capitaux et de liberté des paiements, tels qu'ils résultent de l'application du présent traité et des mesures prises par le Conseil; cet examen porte sur toutes les mesures relatives aux mouvements de capitaux et aux paiements; le comité fait rapport à la Commission et au Conseil sur les résultats de cet examen.

Les États membres et la Commission nomment, chacun en ce qui le concerne, deux membres du comité monétaire.

2. Au début de la troisième phase, il est institué un comité économique et financier. Le comité monétaire prévu au paragraphe 1 est dissous.

Le comité économique et financier a pour mission:

— de formuler des avis, soit à la requête du Conseil ou de la Commission, soit de sa propre initiative, à l'intention de ces institutions;

— de suivre la situation économique et financière des États membres et de la Communauté et de faire rapport régulièrement au Conseil et à la Commission à ce sujet, notamment sur les relations financières avec des pays tiers et des institutions internationales;

— sans préjudice de l'article 151, de contribuer à la préparation des travaux du Conseil visés aux articles 73 F et 73 G, à l'article 103, paragraphes 2, 3, 4 et 5, aux articles 103 A, 104 A, 104 B et 104 C, à l'article 105, paragraphe 6, à l'article 105 A, paragraphe 2, à l'article 106, paragraphes 5 et 6, aux articles 109, 109 H, 109 I, paragraphes 2 et 3, à l'article 109 K, paragraphe 2, et à l'article 109 L, paragraphes 4 et 5, et d'exécuter les autres missions consultatives et préparatoires qui lui sont confiées par le Conseil;

— de procéder, au moins une fois par an, à l'examen de la situation en matière de mouvements des capitaux et de liberté des paiements, tels qu'ils résultent de l'application du traité et des mesures prises par le Conseil; cet examen porte sur toutes les mesures relatives aux mouvements de capitaux et aux paiements; le comité fait rapport à la Commission et au Conseil sur les résultats de cet examen.

Les États membres, la Commission et la BCE nomment chacun au maximum deux membres du comité.

3. Le Conseil, statuant à la majorité qualifiée sur proposition de la Commission et après consultation de la BCE et du comité visé au présent article, arrête les modalités relatives à la composition du comité économique et financier. Le président du Conseil informe le Parlement européen de cette décision.

4. Outre les missions fixées au paragraphe 2, si et tant que des États membres bénéficient d'une dérogation au titre des articles 109 K et 109 L, le comité suit la situation monétaire et financière ainsi que le régime général des paiements de ces États membres et fait rapport régulièrement au Conseil et à la Commission à ce sujet.

Article 109 D

Pour les questions relevant du champ d'application de l'article 103, paragraphe 4, de l'article 104 C à l'exception du paragraphe 14, des articles 109, 109 J, 109 K et de l'article 109 L, paragraphes 4 et 5, le Conseil ou un État membre peut demander à la Commission de formuler, selon le cas, une recommandation ou une proposition. La Commission examine cette demande et présente ses conclusions au Conseil sans délai.

CHAPITRE 4

DISPOSITIONS TRANSITOIRES

Article 109 E

1. La deuxième phase de la réalisation de l'Union économique et monétaire commence le 1er janvier 1994.

2. Avant cette date:

a) chaque État membre:

- adopte, en tant que de besoin, les mesures appropriées pour se conformer aux interdictions prévues à l'article 73 B, sans préjudice de l'article 73 E, à l'article 104 et à l'article 104 A, paragraphe 1;
- arrête, si nécessaire, pour permettre l'évaluation prévue au point b), des programmes pluriannuels destinés à assurer la convergence durable nécessaire à la réalisation de l'Union économique et monétaire, en particulier en ce qui concerne la stabilité des prix et la situation saine des finances publiques;

b) le Conseil, sur la base d'un rapport de la Commission, évalue les progrès réalisés en matière de convergence économique et monétaire, notamment en ce qui concerne la stabilité des prix et la situation saine des finances publiques, ainsi que les progrès accomplis dans l'achèvement de la mise en œuvre de la législation communautaire relative au marché intérieur.

3. L'article 104, l'article 104 A, paragraphe 1, l'article 104 B, paragraphe 1, et l'article 104 C, à l'exception des paragraphes 1, 9, 11 et 14, s'appliquent dès le début de la deuxième phase.

L'article 103 A, paragraphe 2, l'article 104 C, paragraphes 1, 9 et 11, les articles 105, 105 A, 107, 109, 109 A et 109 B et l'article 109 C, paragraphes 2 et 4, s'appliquent dès le début de la troisième phase.

4. Au cours de la deuxième phase, les États membres s'efforcent d'éviter des déficits publics excessifs.

5. Au cours de la deuxième phase, chaque État membre entame, le cas échéant, le processus conduisant à l'indépendance de sa banque centrale, conformément à l'article 108.

Article 109 F

1. Dès le début de la deuxième phase, un Institut monétaire européen, ci-après dénommé «IME», est institué et exerce ses tâches; il a la personnalité juridique et est dirigé et géré par un conseil composé d'un président et des gouverneurs des banques centrales nationales, dont l'un est vice-président.

Le président est nommé d'un commun accord par les gouvernements des États membres au niveau des chefs d'État ou de gouvernement, sur recommandation du comité des gouverneurs des banques centrales des États membres, ci-après dénommé «comité des gouverneurs», ou du conseil de l'IME, selon le cas, et après consultation du Parlement européen et du Conseil. Le président est choisi parmi des personnes dont l'autorité et l'expérience professionnelle dans le domaine monétaire ou bancaire sont reconnues. Le président de l'IME doit être ressortissant d'un État membre. Le conseil de l'IME nomme le vice-président.

Les statuts de l'IME figurent dans un protocole annexé au présent traité.

Le comité des gouverneurs est dissous dès le début de la deuxième phase.

2. L'IME:

— renforce la coopération entre les banques centrales nationales;

— renforce la coordination des politiques monétaires des États membres en vue d'assurer la stabilité des prix;

— supervise le fonctionnement du système monétaire européen;

— procède à des consultations sur des questions qui relèvent de la compétence des banques centrales nationales et affectent la stabilité des établissements et marchés financiers;

— reprend les fonctions jusqu'alors assumées par le Fonds européen de coopération monétaire, qui est dissous; les modalités de dissolution sont fixées dans les statuts de l'IME;

— facilite l'utilisation de l'Écu et surveille son développement, y compris le bon fonctionnement du système de compensation en Écus.

3. En vue de préparer la troisième phase, l'IME:

— prépare les instruments et les procédures nécessaires à l'application de la politique monétaire unique au cours de la troisième phase;

— encourage l'harmonisation, si besoin est, des règles et pratiques régissant la collecte, l'établissement et la diffusion des statistiques dans le domaine relevant de sa compétence;

— élabore les règles des opérations à entreprendre par les banques centrales nationales dans le cadre du SEBC;

— encourage l'efficacité des paiements transfrontaliers;

— supervise la préparation technique des billets de banque libellés en Écus.

Pour le 31 décembre 1996 au plus tard, l'IME précise le cadre réglementaire, organisationnel et logistique dont le SEBC a besoin pour accomplir ses tâches lors de la troisième phase. Ce cadre est soumis pour décision à la BCE à la date de sa mise en place.

4. L'IME, statuant à la majorité des deux tiers des membres de son conseil, peut:

— formuler des avis ou des recommandations sur l'orientation générale de la politique monétaire et de la politique de change ainsi que sur les mesures y afférentes prises dans chaque État membre;

— soumettre des avis ou des recommandations aux gouvernements et au Conseil sur les politiques susceptibles d'affecter la situation monétaire interne ou externe dans la Communauté et, notamment, le fonctionnement du système monétaire européen;

— adresser des recommandations aux autorités monétaires des États membres sur la conduite de leur politique monétaire.

5. L'IME peut décider à l'unanimité de rendre publics ses avis et ses recommandations.

6. L'IME est consulté par le Conseil sur tout acte communautaire proposé dans le domaine relevant de sa compétence.

Dans les limites et selon les conditions fixées par le Conseil, statuant à la majorité qualifiée sur proposition de la Commission et après consultation du Parlement européen et de l'IME, celui-ci est consulté par les autorités des États membres sur tout projet de disposition réglementaire dans le domaine relevant de sa compétence.

7. Le Conseil, statuant à l'unanimité sur proposition de la Commission et après consultation du Parlement européen et de l'IME, peut confier à l'IME d'autres tâches pour la préparation de la troisième phase.

8. Dans les cas où le présent traité attribue un rôle consultatif à la BCE, les références à la BCE sont considérées comme faisant référence à l'IME avant l'établissement de la BCE.

Dans les cas où le présent traité attribue un rôle consultatif à l'IME, les références à l'IME sont considérées, avant le 1er janvier 1994, comme faisant référence au comité des gouverneurs.

9. Au cours de la deuxième phase, le terme «BCE» figurant aux articles 173, 175, 176, 177, 180 et 215 est considéré comme faisant référence à l'IME.

Article 109 G

La composition en monnaies du panier de l'Écu reste inchangée.

Dès le début de la troisième phase, la valeur de l'Écu est irrévocablement fixée, conformément à l'article 109 L, paragraphe 4.

Article 109 H

1. En cas de difficultés ou de menace grave de difficultés dans la balance des paiements d'un État membre, provenant soit d'un déséquilibre global de la balance, soit de la nature des devises dont il dispose, et susceptibles notamment de compromettre le fonctionnement du marché commun ou la réalisation progressive de la politique commerciale commune, la Commission procède sans délai à un examen de la situation de cet État, ainsi que de l'action qu'il a entreprise ou qu'il peut entreprendre conformément aux dispositions du présent traité, en faisant appel à tous les moyens dont il dispose. La Commission indique les mesures dont elle recommande l'adoption par l'État intéressé.

Si l'action entreprise par un État membre et les mesures suggérées par la Commission ne paraissent pas suffisantes pour aplanir les difficultés ou menaces de difficultés rencontrées, la Commission recommande au Conseil, après consultation du comité visé à l'article 109 C, le concours mutuel et les méthodes appropriées.

La Commission tient le Conseil régulièrement informé de l'état de la situation et de son évolution.

2. Le Conseil, statuant à la majorité qualifiée, accorde le concours mutuel; il arrête les directives ou décisions fixant ses

conditions et modalités. Le concours mutuel peut prendre notamment la forme:

a) d'une action concertée auprès d'autres organisations internationales, auxquelles les États membres peuvent avoir recours;

b) de mesures nécessaires pour éviter des détournements de trafic lorsque le pays en difficulté maintient ou rétablit des restrictions quantitatives à l'égard des pays tiers;

c) d'octroi de crédits limités de la part d'autres États membres, sous réserve de leur accord.

3. Si le concours mutuel recommandé par la Commission n'a pas été accordé par le Conseil ou si le concours mutuel accordé et les mesures prises sont insuffisants, la Commission autorise l'État en difficulté à prendre les mesures de sauvegarde dont elle définit les conditions et modalités.

Cette autorisation peut être révoquée et ces conditions et modalités modifiées par le Conseil statuant à la majorité qualifiée.

4. Sous réserve de l'article 109 K, paragraphe 6, le présent article n'est plus applicable à partir du début de la troisième phase.

Article 109 I

1. En cas de crise soudaine dans la balance des paiements et si une décision au sens de l'article 109 H, paragraphe 2, n'intervient pas immédiatement, l'État membre intéressé peut prendre, à titre conservatoire, les mesures de sauvegarde nécessaires. Ces mesures doivent apporter le minimum de perturbations dans le fonctionnement du marché commun et ne pas excéder la portée strictement indispensable pour remédier aux difficultés soudaines qui se sont manifestées.

2. La Commission et les autres États membres doivent être informés de ces mesures de sauvegarde au plus tard au moment où elles entrent en vigueur. La Commission peut recommander au Conseil le concours mutuel conformément à l'article 109 H.

3. Sur l'avis de la Commission et après consultation du comité visé à l'article 109 C, le Conseil, statuant à la majorité qualifiée, peut décider que l'État intéressé doit modifier, suspendre ou supprimer les mesures de sauvegarde susvisées.

4. Sous réserve de l'article 109 K, paragraphe 6, le présent article n'est plus applicable à partir du début de la troisième phase.

Article 109 J

1. La Commission et l'IME font rapport au Conseil sur les progrès faits par les États membres dans l'accomplissement de leurs obligations pour la réalisation de l'Union économique et monétaire. Ces rapports examinent notamment si la législation nationale de chaque État membre, y compris les statuts de sa banque centrale nationale, est compatible avec les articles 107 et 108 du présent traité et avec les statuts du SEBC. Les rapports examinent également si un degré élevé de convergence durable a été réalisé, en analysant dans quelle mesure chaque État membre a satisfait aux critères suivants:

— la réalisation d'un degré élevé de stabilité des prix; cela ressortira d'un taux d'inflation proche de celui des trois États membres, au plus, présentant les meilleurs résultats en matière de stabilité des prix;

— le caractère soutenable de la situation des finances publiques; cela ressortira d'une situation budgétaire qui n'accuse pas de déficit public excessif au sens de l'article 104 C, paragraphe 6;

— le respect des marges normales de fluctuation prévues par le mécanisme de change du système monétaire européen pendant deux ans au moins, sans dévaluation de la monnaie par rapport à celle d'un autre État membre;

— le caractère durable de la convergence atteinte par l'État membre et de sa participation au mécanisme de change du système monétaire européen, qui se reflète dans les niveaux des taux d'intérêt à long terme.

Les quatre critères visés au présent paragraphe et les périodes pertinentes durant lesquelles chacun doit être respecté sont précisés dans un protocole annexé au présent traité. Les rapports de la Commission et de l'IME tiennent également compte du développement de l'Écu, des résultats de l'intégration des marchés, de la situation et de l'évolution des balances des paiements courants, et d'un examen de l'évolution des coûts salariaux unitaires et d'autres indices de prix.

2. Sur la base de ces rapports, le Conseil, statuant à la majorité qualifiée sur recommandation de la Commission, évalue:

— pour chaque État membre, s'il remplit les conditions nécessaires pour l'adoption d'une monnaie unique,

— si une majorité des États membres remplit les conditions nécessaires pour l'adoption d'une monnaie unique,

et transmet, sous forme de recommandations, ses conclusions au Conseil réuni au niveau des chefs d'État ou de gouvernement. Le Parlement européen est consulté et transmet son avis au Conseil réuni au niveau des chefs d'État ou de gouvernement.

3. Prenant dûment en considération les rapports visés au paragraphe 1 et l'avis du Parlement européen visé au paragraphe 2, le

Conseil, réuni au niveau des chefs d'État ou de gouvernement, statuant à la majorité qualifiée, au plus tard le 31 décembre 1996:

— décide, sur la base des recommandations du Conseil visées au paragraphe 2, si une majorité des États membres remplit les conditions nécessaires pour l'adoption d'une monnaie unique,

— décide s'il convient que la Communauté entre dans la troisième phase,

et, dans l'affirmative,

— fixe la date d'entrée en vigueur de la troisième phase.

4. Si, à la fin de 1997, la date du début de la troisième phase n'a pas été fixée, la troisième phase commence le 1er janvier 1999. Avant le 1er juillet 1998, le Conseil, réuni au niveau des chefs d'État ou de gouvernement, après répétition de la procédure visée aux paragraphes 1 et 2, à l'exception du deuxième tiret du paragraphe 2, compte tenu des rapports visés au paragraphe 1 et de l'avis du Parlement européen, confirme, à la majorité qualifiée et sur la base des recommandations du Conseil visées au paragraphe 2, quels sont les États membres qui remplissent les conditions nécessaires pour l'adoption d'une monnaie unique.

Article 109 K

1. Si, conformément à l'article 109 J, paragraphe 3, la décision de fixer la date a été prise, le Conseil, sur la base de ses recommandations visées à l'article 109 J, paragraphe 2, statuant à la majorité qualifiée sur recommandation de la Commission, décide si des États membres font l'objet d'une dérogation telle que définie au paragraphe 3 du présent article et, dans l'affirmative, lesquels. Ces États membres sont ci-après dénommés «États membres faisant l'objet d'une dérogation».

Si le Conseil a confirmé, sur la base de l'article 109 J, paragraphe 4, quels sont les États membres qui remplissent les conditions nécessaires pour l'adoption d'une monnaie unique, les États membres qui ne remplissent pas ces conditions font l'objet d'une dérogation telle que définie au paragraphe 3 du présent article. Ces États membres sont ci-après dénommés «États membres faisant l'objet d'une dérogation».

2. Tous les deux ans au moins, ou à la demande d'un État membre faisant l'objet d'une dérogation, la Commission et la BCE font rapport au Conseil conformément à la procédure prévue à l'article 109 J, paragraphe 1. Après consultation du Parlement européen et discussion au sein du Conseil réuni au niveau des chefs d'État ou de gouvernement, le Conseil, statuant à la majorité qualifiée sur proposition de la Commission, décide quels États membres faisant l'objet d'une dérogation remplissent les conditions nécessaires sur la base des critères fixés à l'article 109 J, paragraphe 1, et met fin aux dérogations des États membres concernés.

3. Une dérogation au sens du paragraphe 1 implique que les articles ci-après ne s'appliquent pas à l'État membre concerné: article 104 C, paragraphes 9 et 11, article 105, paragraphes 1, 2, 3 et 5, articles 105 A, 108 A et 109 et article 109 A, paragraphe 2, point b). L'exclusion de cet État membre et de sa banque centrale nationale des droits et obligations dans le cadre du SEBC est prévue au chapitre IX des statuts du SEBC.

4. À l'article 105, paragraphes 1, 2 et 3, aux articles 105 A, 108 A et 109 et à l'article 109 A, paragraphe 2, point b), on entend par «États membres» les États membres ne faisant pas l'objet d'une dérogation.

5. Les droits de vote des États membres faisant l'objet d'une dérogation sont suspendus pour les décisions du Conseil visées aux articles du présent traité mentionnés au paragraphe 3. Dans ce cas, par dérogation à l'article 148 et à l'article 189 A, paragraphe 1, on

entend par majorité qualifiée les deux tiers des voix des représentants des États membres ne faisant pas l'objet d'une dérogation, pondérées conformément à l'article 148, paragraphe 2, et l'unanimité de ces États membres est requise pour tout acte requérant l'unanimité.

6. Les articles 109 H et 109 I continuent de s'appliquer à l'État membre faisant l'objet d'une dérogation.

Article 109 L

1. Immédiatement après qu'a été prise, conformément à l'article 109 J, paragraphe 3, la décision fixant la date à laquelle commence la troisième phase ou, le cas échéant, immédiatement après le 1er juillet 1998:

— le Conseil adopte les dispositions visées à l'article 106, paragraphe 6;

— les gouvernements des États membres ne faisant pas l'objet d'une dérogation nomment, conformément à la procédure définie à l'article 50 des statuts du SEBC, le président, le vice-président et les autres membres du directoire de la BCE. S'il y a des États membres faisant l'objet d'une dérogation, le nombre des membres composant le directoire de la BCE peut être inférieur à celui prévu à l'article 11.1 des statuts du SEBC, mais il ne peut en aucun cas être inférieur à quatre.

Dès que le directoire est nommé, le SEBC et la BCE sont institués et ils se préparent à entrer pleinement en fonction comme décrit dans le présent traité et dans les statuts du SEBC. Ils exercent pleinement leurs compétences à compter du premier jour de la troisième phase.

2. Dès qu'elle est instituée, la BCE reprend, au besoin, les tâches de l'IME. L'IME est liquidé dès qu'est instituée la BCE; les modalités de liquidation sont prévues dans les statuts de l'IME.

3. Si et tant qu'il existe des États membres faisant l'objet d'une dérogation, et sans préjudice de l'article 106, paragraphe 3, du présent traité, le conseil général de la BCE visé à l'article 45 des statuts du SEBC est constitué comme troisième organe de décision de la BCE.

4. Le jour de l'entrée en vigueur de la troisième phase, le Conseil, statuant à l'unanimité des États membres ne faisant pas l'objet d'une dérogation, sur proposition de la Commission et après consultation de la BCE, arrête les taux de conversion auxquels leurs monnaies sont irrévocablement fixées et le taux irrévocablement fixé auquel l'Écu remplace ces monnaies, et l'Écu sera une monnaie à part entière. Cette mesure ne modifie pas, en soi, la valeur externe de l'Écu. Selon la même procédure, le Conseil prend également les autres mesures nécessaires à l'introduction rapide de l'Écu en tant que monnaie unique de ces États membres.

5. S'il est décidé, conformément à la procédure prévue à l'article 109 K, paragraphe 2, d'abroger une dérogation, le Conseil, statuant à l'unanimité des États membres ne faisant pas l'objet d'une dérogation et de l'État membre concerné, sur proposition de la Commission et après consultation de la BCE, fixe le taux auquel l'Écu remplace la monnaie de l'État membre concerné et décide les autres mesures nécessaires à l'introduction de l'Écu en tant que monnaie unique dans l'État membre concerné.

Article 109 M

1. Jusqu'au début de la troisième phase, chaque État membre traite sa politique de change comme un problème d'intérêt commun. Les États membres tiennent compte, ce faisant, des expé-

riences acquises grâce à la coopération dans le cadre du système monétaire européen (SME) et grâce au développement de l'Écu, dans le respect des compétences existantes.

2. À partir du début de la troisième phase et aussi longtemps qu'un État membre fait l'objet d'une dérogation, le paragraphe 1 s'applique par analogie à la politique de change de cet État membre.

TITRE VII (*)

La politique commerciale commune

(*) Nouveau titre tel qu'inséré par l'article G, point 26), du TUE, en remplacement du chapitre 4 du titre II, articles 110 à 116.

Article 110

En établissant une union douanière entre eux, les États membres entendent contribuer, conformément à l'intérêt commun, au développement harmonieux du commerce mondial, à la suppression progressive des restrictions aux échanges internationaux et à la réduction des barrières douanières.

La politique commerciale commune tient compte de l'incidence favorable que la suppression des droits entre les États membres peut exercer sur l'accroissement de la force concurrentielle des entreprises de ces États.

Article 111

(Abrogé)

Article 112

1. Sans préjudice des engagements assumés par les États membres dans le cadre d'autres organisations internationales, les régimes d'aides accordées par les États membres aux exportations vers les pays tiers sont progressivement harmonisés avant la fin de la période de transition, dans la mesure nécessaire pour éviter que la concurrence entre les entreprises de la Communauté soit faussée.

Sur proposition de la Commission, le Conseil arrête, à l'unanimité jusqu'à la fin de la deuxième étape et à la majorité qualifiée par la suite, les directives nécessaires à cet effet.

2. Les dispositions qui précèdent ne s'appliquent pas aux ristournes de droits de douane ou de taxes d'effet équivalent ni à celles d'impositions indirectes, y compris les taxes sur le chiffre d'affaires, les droits d'accises et les autres impôts indirects, accordées à l'occasion de l'exportation d'une marchandise d'un État membre vers un pays tiers, dans la mesure où ces ristournes n'excèdent pas les charges dont les produits exportés ont été frappés directement ou indirectement.

Article 113 (*)

1. La politique commerciale commune est fondée sur des principes uniformes, notamment en ce qui concerne les modifications tarifaires, la conclusion d'accords tarifaires et commerciaux, l'uniformisation des mesures de libération, la politique d'exportation, ainsi que les mesures de défense commerciale, dont celles à prendre en cas de dumping et de subventions.

2. La Commission, pour la mise en œuvre de la politique commerciale commune, soumet des propositions au Conseil.

3. Si des accords avec un ou plusieurs États ou organisations internationales doivent être négociés, la Commission présente des recommandations au Conseil, qui l'autorise à ouvrir les négociations nécessaires.

Ces négociations sont conduites par la Commission en consultation avec un comité spécial désigné par le Conseil pour l'assister dans cette tâche et dans le cadre des directives que le Conseil peut lui adresser.

Les dispositions pertinentes de l'article 228 sont applicables.

(*) Tel que modifié par l'article G, point 28), du TUE.

4. Dans l'exercice des compétences qui lui sont attribuées par le présent article, le Conseil statue à la majorité qualifiée.

Article 114

(Abrogé)

Article 115 (*)

Aux fins d'assurer que l'exécution des mesures de politique commerciale prises, conformément au présent traité, par tout État membre ne soit empêchée par des détournements de trafic ou lorsque des disparités dans ces mesures entraînent des difficultés économiques dans un ou plusieurs États, la Commission recommande les méthodes par lesquelles les autres États membres apportent la coopération nécessaire. À défaut, elle peut autoriser les États membres à prendre les mesures de protection nécessaires dont elle définit les conditions et modalités.

En cas d'urgence, les États membres demandent l'autorisation de prendre eux-mêmes les mesures nécessaires à la Commission, qui se prononce dans les plus brefs délais; les États membres concernés les notifient ensuite aux autres États membres. La Commission peut décider à tout moment que les États membres concernés doivent modifier ou supprimer les mesures en cause.

Par priorité doivent être choisies les mesures qui apportent le moins de perturbations au fonctionnement du marché commun.

Article 116

(Abrogé)

(*) Tel que modifié par l'article G, point 30), du TUE.

TITRE VIII

Politique sociale, éducation, formation professionnelle et jeunesse (*)

(*) Intitulé tel qu'introduit par l'article G, point 32), du TUE.

CHAPITRE 1

DISPOSITIONS SOCIALES

Article 117

Les États membres conviennent de la nécessité de promouvoir l'amélioration des conditions de vie et de travail de la main-d'œuvre permettant leur égalisation dans le progrès.

Ils estiment qu'une telle évolution résultera tant du fonctionnement du marché commun, qui favorisera l'harmonisation des systèmes sociaux, que des procédures prévues par le présent traité et du rapprochement des dispositions législatives, réglementaires et administratives.

Article 118

Sans préjudice des autres dispositions du présent traité, et conformément aux objectifs généraux de celui-ci, la Commission a pour mission de promouvoir une collaboration étroite entre les États membres dans le domaine social, notamment dans les matières relatives:

— à l'emploi,

— au droit du travail et aux conditions de travail,

— à la formation et au perfectionnement professionnels,

— à la sécurité sociale,

— à la protection contre les accidents et les maladies professionnels,

— à l'hygiène du travail,

— au droit syndical et aux négociations collectives entre employeurs et travailleurs.

À cet effet, la Commission agit en contact étroit avec les États membres, par des études, des avis et par l'organisation de consultations, tant pour les problèmes qui se posent sur le plan national que pour ceux qui intéressent les organisations internationales.

Avant d'émettre les avis prévus au présent article, la Commission consulte le Comité économique et social.

Article 118 A

1. Les États membres s'attachent à promouvoir l'amélioration, notamment du milieu de travail, pour protéger la sécurité et la santé des travailleurs et se fixent pour objectif l'harmonisation, dans le progrès, des conditions existant dans ce domaine.

2. Pour contribuer à la réalisation de l'objectif prévu au paragraphe 1, le Conseil, statuant conformément à la procédure visée à l'article 189 C et après consultation du Comité économique et social, arrête par voie de directive les prescriptions minimales applicables progressivement, compte tenu des conditions et des

réglementations techniques existant dans chacun des États membres (*).

Ces directives évitent d'imposer des contraintes administratives, financières et juridiques telles qu'elles contrarieraient la création et le développement de petites et moyennes entreprises.

3. Les dispositions arrêtées en vertu du présent article ne font pas obstacle au maintien et à l'établissement, par chaque État membre, de mesures de protection renforcée des conditions de travail compatibles avec le présent traité.

Article 118 B

La Commission s'efforce de développer le dialogue entre partenaires sociaux au niveau européen, pouvant déboucher, si ces derniers l'estiment souhaitable, sur des relations conventionnelles.

Article 119

Chaque État membre assure au cours de la première étape, et maintient par la suite, l'application du principe de l'égalité des rémunérations entre les travailleurs masculins et les travailleurs féminins pour un même travail.

Par rémunération, il faut entendre, au sens du présent article, le salaire ou traitement ordinaire de base ou minimum, et tous autres avantages payés directement ou indirectement, en espèces ou en nature, par l'employeur au travailleur en raison de l'emploi de ce dernier.

(*) Premier alinéa tel que modifié par l'article G, point 33), du TUE.

L'égalité de rémunération, sans discrimination fondée sur le sexe, implique:

a) que la rémunération accordée pour un même travail payé à la tâche soit établie sur la base d'une même unité de mesure,

b) que la rémunération accordée pour un travail payé au temps soit la même pour un même poste de travail.

Article 120

Les États membres s'attachent à maintenir l'équivalence existante des régimes de congés payés.

Article 121

Le Conseil, statuant à l'unanimité après consultation du Comité économique et social, peut charger la Commission de fonctions concernant la mise en œuvre de mesures communes, notamment en ce qui concerne la sécurité sociale des travailleurs migrants visés aux articles 48 à 51 inclus.

Article 122

La Commission consacre, dans son rapport annuel au Parlement européen, un chapitre spécial à l'évolution de la situation sociale dans la Communauté.

Le Parlement européen peut inviter la Commission à établir des rapports sur des problèmes particuliers concernant la situation sociale.

CHAPITRE 2

LE FONDS SOCIAL EUROPÉEN

Article 123 (*)

Afin d'améliorer les possibilités d'emploi des travailleurs dans le marché intérieur et de contribuer ainsi au relèvement du niveau de vie, il est institué, dans le cadre des dispositions ci-après, un Fonds social européen, qui vise à promouvoir à l'intérieur de la Communauté les facilités d'emploi et la mobilité géographique et professionnelle des travailleurs, ainsi qu'à faciliter l'adaptation aux mutations industrielles et à l'évolution des systèmes de production, notamment par la formation et la reconversion professionnelles.

Article 124

L'administration du Fonds incombe à la Commission.

La Commission est assistée dans cette tâche par un comité présidé par un membre de la Commission et composé de représentants des gouvernements et des organisations syndicales de travailleurs et d'employeurs.

Article 125 (**)

Le Conseil, statuant conformément à la procédure visée à l'article 189 C et après consultation du Comité économique et social, adopte les décisions d'application relatives au Fonds social européen.

(*) Tel que modifié par l'article G, point 34), du TUE.
(**) Tel que modifié par l'article G, point 35), du TUE.

CHAPITRE 3 (*)

ÉDUCATION, FORMATION PROFESSIONNELLE ET JEUNESSE

Article 126

1. La Communauté contribue au développement d'une éducation de qualité en encourageant la coopération entre États membres et, si nécessaire, en appuyant et en complétant leur action tout en respectant pleinement la responsabilité des États membres pour le contenu de l'enseignement et l'organisation du système éducatif ainsi que leur diversité culturelle et linguistique.

2. L'action de la Communauté vise:

— à développer la dimension européenne dans l'éducation, notamment par l'apprentissage et la diffusion des langues des États membres;

— à favoriser la mobilité des étudiants et des enseignants, y compris en encourageant la reconnaissance académique des diplômes et des périodes d'études;

— à promouvoir la coopération entre les établissements d'enseignement;

— à développer l'échange d'informations et d'expériences sur les questions communes aux systèmes d'éducation des États membres;

(*) Chapitre 3 (articles 126 et 127) tel qu'introduit par l'article G, point 36), du TUE. Anciens articles 126 et 127 caducs.

— à favoriser le développement des échanges de jeunes et d'animateurs socio-éducatifs;

— à encourager le développement de l'éducation à distance.

3. La Communauté et les États membres favorisent la coopération avec les pays tiers et les organisations internationales compétentes en matière d'éducation, et en particulier avec le Conseil de l'Europe.

4. Pour contribuer à la réalisation des objectifs visés au présent article, le Conseil adopte:

— statuant conformément à la procédure visée à l'article 189 B et après consultation du Comité économique et social et du Comité des régions, des actions d'encouragement, à l'exclusion de toute harmonisation des dispositions législatives et réglementaires des États membres;

— statuant à la majorité qualifiée sur proposition de la Commission, des recommandations.

Article 127

1. La Communauté met en œuvre une politique de formation professionnelle, qui appuie et complète les actions des États membres, tout en respectant pleinement la responsabilité des États membres pour le contenu et l'organisation de la formation professionnelle.

2. L'action de la Communauté vise:

— à faciliter l'adaptation aux mutations industrielles, notamment par la formation et la reconversion professionnelle;

— à améliorer la formation professionnelle initiale et la formation continue afin de faciliter l'insertion et la réinsertion professionnelle sur le marché du travail;

— à faciliter l'accès à la formation professionnelle et à favoriser la mobilité des formateurs et des personnes en formation, et notamment des jeunes;

— à stimuler la coopération en matière de formation entre établissements d'enseignement ou de formation professionnelle et entreprises;

— à développer l'échange d'informations et d'expériences sur les questions communes aux systèmes de formation des États membres.

3. La Communauté et les États membres favorisent la coopération avec les pays tiers et les organisations internationales compétentes en matière de formation professionnelle.

4. Le Conseil, statuant conformément à la procédure visée à l'article 189 C et après consultation du Comité économique et social, adopte des mesures pour contribuer à la réalisation des objectifs visés au présent article, à l'exclusion de toute harmonisation des dispositions législatives et réglementaires des États membres.

TITRE IX (*)

Culture

(*) Tel qu'inséré par l'article G, point 37), du TUE. Ancien article 128 caduc. Anciens articles 129 et 130 devenus articles 198 D et 198 E.

Article 128

1. La Communauté contribue à l'épanouissement des cultures des États membres dans le respect de leur diversité nationale et régionale, tout en mettant en évidence l'héritage culturel commun.

2. L'action de la Communauté vise à encourager la coopération entre États membres et, si nécessaire, à appuyer et compléter leur action dans les domaines suivants:

— l'amélioration de la connaissance et de la diffusion de la culture et de l'histoire des peuples européens,

— la conservation et la sauvegarde du patrimoine culturel d'importance européenne,

— les échanges culturels non commerciaux,

— la création artistique et littéraire, y compris dans le secteur de l'audiovisuel.

3. La Communauté et les États membres favorisent la coopération avec les pays tiers et les organisations internationales compétentes dans le domaine de la culture, et en particulier avec le Conseil de l'Europe.

4. La Communauté tient compte des aspects culturels dans son action au titre d'autres dispositions du présent traité.

5. Pour contribuer à la réalisation des objectifs visés au présent article, le Conseil adopte:

— statuant conformément à la procédure visée à l'article 189 B et après consultation du Comité des régions, des actions d'encouragement, à l'exclusion de toute harmonisation des dispositions législatives et réglementaires des États membres. Le Conseil statue à l'unanimité tout au long de la procédure visée à l'article 189 B;

— statuant à l'unanimité sur proposition de la Commission, des recommandations.

TITRE X (*)

Santé publique

(*) Tel qu'inséré par l'article G, point 38), du TUE.

Article 129

1. La Communauté contribue à assurer un niveau élevé de protection de la santé humaine en encourageant la coopération entre les États membres et, si nécessaire, en appuyant leur action.

L'action de la Communauté porte sur la prévention des maladies, et notamment des grands fléaux, y compris la toxicomanie, en favorisant la recherche sur leurs causes et leur transmission ainsi que l'information et l'éducation en matière de santé.

Les exigences en matière de protection de la santé sont une composante des autres politiques de la Communauté.

2. Les États membres coordonnent entre eux, en liaison avec la Commission, leurs politiques et programmes dans les domaines visés au paragraphe 1. La Commission peut prendre, en contact étroit avec les États membres, toute initiative utile pour promouvoir cette coordination.

3. La Communauté et les États membres favorisent la coopération avec les pays tiers et les organisations internationales compétentes en matière de santé publique.

4. Pour contribuer à la réalisation des objectifs visés au présent article, le Conseil adopte:

— statuant conformément à la procédure visée à l'article 189 B et après consultation du Comité économique et social et du Comité des régions, des actions d'encouragement, à l'exclusion de toute harmonisation des dispositions législatives et réglementaires des États membres;

— statuant à la majorité qualifiée sur proposition de la Commission, des recommandations.

TITRE XI (*)

Protection des consommateurs

(*) Tel qu'inséré par l'article G, point 38), du TUE.

Article 129 A

1. La Communauté contribue à la réalisation d'un niveau élevé de protection des consommateurs par:

a) des mesures qu'elle adopte en application de l'article 100 A dans le cadre de la réalisation du marché intérieur;

b) des actions spécifiques qui appuient et complètent la politique menée par les États membres en vue de protéger la santé, la sécurité et les intérêts économiques des consommateurs et de leur assurer une information adéquate.

2. Le Conseil, statuant conformément à la procédure visée à l'article 189 B et après consultation du Comité économique et social, arrête les actions spécifiques visées au paragraphe 1, point b).

3. Les actions arrêtées en application du paragraphe 2 ne peuvent empêcher un État membre de maintenir ou d'établir des mesures de protection plus strictes. Ces mesures doivent être compatibles avec le présent traité. Elles sont notifiées à la Commission.

TITRE XII (*)

Réseaux transeuropéens

(*) Tel qu'inséré par l'article G, point 38), du TUE.

Article 129 B

1. En vue de contribuer à la réalisation des objectifs visés aux articles 7 A et 130 A et de permettre aux citoyens de l'Union, aux opérateurs économiques, ainsi qu'aux collectivités régionales et locales, de bénéficier pleinement des avantages découlant de la mise en place d'un espace sans frontières intérieures, la Communauté contribue à l'établissement et au développement de réseaux transeuropéens dans les secteurs des infrastructures du transport, des télécommunications et de l'énergie.

2. Dans le cadre d'un système de marchés ouverts et concurrentiels, l'action de la Communauté vise à favoriser l'interconnexion et l'interopérabilité des réseaux nationaux ainsi que l'accès à ces réseaux. Elle tient compte en particulier de la nécessité de relier les régions insulaires, enclavées et périphériques aux régions centrales de la Communauté.

Article 129 C

1. Afin de réaliser les objectifs visés à l'article 129 B, la Communauté:

— établit un ensemble d'orientations couvrant les objectifs, les priorités ainsi que les grandes lignes des actions envisagées dans le domaine des réseaux transeuropéens; ces orientations identifient des projets d'intérêt commun;

— met en œuvre toute action qui peut s'avérer nécessaire pour assurer l'interopérabilité des réseaux, en particulier dans le domaine de l'harmonisation des normes techniques;

— peut appuyer les efforts financiers des États membres pour des projets d'intérêt commun financés par les États membres et identifiés dans le cadre des orientations visées au premier tiret, en particulier sous forme d'études de faisabilité, de garanties d'emprunt ou de bonifications d'intérêts; la Communauté peut également contribuer au financement, dans les États membres, de projets spécifiques en matière d'infrastructure des transports par le biais du Fonds de cohésion à créer au plus tard le 31 décembre 1993 conformément à l'article 130 D.

L'action de la Communauté tient compte de la viabilité économique potentielle des projets.

2. Les États membres coordonnent entre eux, en liaison avec la Commission, les politiques menées au niveau national qui peuvent avoir un impact significatif sur la réalisation des objectifs visés à l'article 129 B. La Commission peut prendre, en étroite collaboration avec les États membres, toute initiative utile pour promouvoir cette coordination.

3. La Communauté peut décider de coopérer avec les pays tiers pour promouvoir des projets d'intérêt commun et assurer l'interopérabilité des réseaux.

Article 129 D

Les orientations visées à l'article 129 C, paragraphe 1, sont arrêtées par le Conseil, statuant conformément à la procédure visée à l'article 189 B et après consultation du Comité économique et social et du Comité des régions.

Les orientations et projets d'intérêt commun qui concernent le territoire d'un État membre requièrent l'approbation de l'État membre concerné.

Le Conseil, statuant conformément à la procédure visée à l'article 189 C et après consultation du Comité économique et social et du Comité des régions, arrête les autres mesures prévues à l'article 129 C, paragraphe 1.

TITRE XIII (*)

Industrie

(*) Tel qu'inséré par l'article G, point 38), du TUE.

Article 130

1. La Communauté et les États membres veillent à ce que les conditions nécessaires à la compétitivité de l'industrie de la Communauté soient assurées.

À cette fin, conformément à un système de marchés ouverts et concurrentiels, leur action vise à:

— accélérer l'adaptation de l'industrie aux changements structurels;

— encourager un environnement favorable à l'initiative et au développement des entreprises de l'ensemble de la Communauté, et notamment des petites et moyennes entreprises;

— encourager un environnement favorable à la coopération entre entreprises;

— favoriser une meilleure exploitation du potentiel industriel des politiques d'innovation, de recherche et de développement technologique.

2. Les États membres se consultent mutuellement en liaison avec la Commission et, pour autant que de besoin, coordonnent leurs actions. La Commission peut prendre toute initiative utile pour promouvoir cette coordination.

3. La Communauté contribue à la réalisation des objectifs visés au paragraphe 1 au travers des politiques et actions qu'elle mène au titre d'autres dispositions du présent traité. Le Conseil, statuant

à l'unanimité sur proposition de la Commission, après consultation du Parlement européen et du Comité économique et social, peut décider de mesures spécifiques destinées à appuyer les actions menées dans les États membres afin de réaliser les objectifs visés au paragraphe 1.

Le présent titre ne constitue pas une base pour l'introduction, par la Communauté, de quelque mesure que ce soit pouvant entraîner des distorsions de concurrence.

TITRE XIV (*)

Cohésion économique et sociale

(*) Ancien titre V tel que modifié par l'article G, point 38), du TUE.

Article 130 A

Afin de promouvoir un développement harmonieux de l'ensemble de la Communauté, celle-ci développe et poursuit son action tendant au renforcement de sa cohésion économique et sociale.

En particulier, la Communauté vise à réduire l'écart entre les niveaux de développement des diverses régions et le retard des régions les moins favorisées, y compris les zones rurales.

Article 130 B

Les États membres conduisent leur politique économique et la coordonnent en vue également d'atteindre les objectifs visés à l'article 130 A. La formulation et la mise en œuvre des politiques et actions de la Communauté ainsi que la mise en œuvre du marché intérieur prennent en compte les objectifs visés à l'article 130 A et participent à leur réalisation. La Communauté soutient aussi cette réalisation par l'action qu'elle mène au travers des fonds à finalité structurelle (Fonds européen d'orientation et de garantie agricole, section «orientation»; Fonds social européen; Fonds européen de développement régional), de la Banque européenne d'investissement et des autres instruments financiers existants

La Commission présente un rapport au Parlement européen, au Conseil, au Comité économique et social et au Comité des régions, tous les trois ans, sur les progrès accomplis dans la réalisation de la cohésion économique et sociale et sur la façon dont les divers moyens prévus au présent article y ont contribué. Ce rapport est, le cas échéant, assorti des propositions appropriées.

Si des actions spécifiques s'avèrent nécessaires en dehors des fonds, et sans préjudice des mesures décidées dans le cadre des autres politiques de la Communauté, ces actions peuvent être arrêtées par le Conseil, statuant à l'unanimité sur proposition de la Commission et après consultation du Parlement européen, du Comité économique et social et du Comité des régions.

Article 130 C

Le Fonds européen de développement régional est destiné à contribuer à la correction des principaux déséquilibres régionaux dans la Communauté par une participation au développement et à l'ajustement structurel des régions en retard de développement et à la reconversion des régions industrielles en déclin.

Article 130 D

Sans préjudice de l'article 130 E, le Conseil, statuant à l'unanimité sur proposition de la Commission, après avis conforme du Parlement européen et après consultation du Comité économique et social et du Comité des régions, définit les missions, les objectifs prioritaires et l'organisation des fonds à finalité structurelle, ce qui peut comporter le regroupement des fonds. Sont également définies par le Conseil, statuant selon la même procédure, les règles générales applicables aux fonds, ainsi que les dispositions nécessaires pour assurer leur efficacité et la coordination des fonds entre eux et avec les autres instruments financiers existants.

Le Conseil, statuant selon la même procédure, crée, avant le 31 décembre 1993, un Fonds de cohésion, qui contribue financièrement à la réalisation de projets dans le domaine de l'environnement et dans celui des réseaux transeuropéens en matière d'infrastructure des transports.

Article 130 E

Les décisions d'application relatives au Fonds européen de développement régional sont prises par le Conseil, statuant conformément à la procédure visée à l'article 189 C et après consultation du Comité économique et social et du Comité des régions.

En ce qui concerne le Fonds européen d'orientation et de garantie agricole, section «orientation», et le Fonds social européen, les articles 43 et 125 demeurent respectivement d'application.

TITRE XV (*)

Recherche et développement technologique

(*) Ancien titre VI tel que modifié par l'article G, point 38), du TUE.

Article 130 F

1. La Communauté a pour objectif de renforcer les bases scientifiques et technologiques de l'industrie de la Communauté et de favoriser le développement de sa compétitivité internationale, ainsi que de promouvoir les actions de recherche jugées nécessaires au titre d'autres chapitres du présent traité.

2. À ces fins, elle encourage dans l'ensemble de la Communauté les entreprises, y compris les petites et moyennes entreprises, les centres de recherche et les universités dans leurs efforts de recherche et de développement technologique de haute qualité; elle soutient leurs efforts de coopération, en visant tout particulièrement à permettre aux entreprises d'exploiter pleinement les potentialités du marché intérieur à la faveur, notamment, de l'ouverture des marchés publics nationaux, de la définition de normes communes et de l'élimination des obstacles juridiques et fiscaux à cette coopération.

3. Toutes les actions de la Communauté au titre du présent traité, y compris les actions de démonstration, dans le domaine de la recherche et du développement technologique sont décidées et mises en œuvre conformément aux dispositions du présent titre.

Article 130 G

Dans la poursuite de ces objectifs, la Communauté mène les actions suivantes, qui complètent les actions entreprises dans les États membres:

a) mise en œuvre de programmes de recherche, de développement technologique et de démonstration en promouvant la coopération avec et entre les entreprises, les centres de recherche et les universités;

b) promotion de la coopération en matière de recherche, de développement technologique et de démonstration communautaires avec les pays tiers et les organisations internationales;

c) diffusion et valorisation des résultats des activités en matière de recherche, de développement technologique et de démonstration communautaires;

d) stimulation de la formation et de la mobilité des chercheurs de la Communauté.

Article 130 H

1. La Communauté et les États membres coordonnent leur action en matière de recherche et de développement technologique, afin d'assurer la cohérence réciproque des politiques nationales et de la politique communautaire.

2. La Commission peut prendre, en étroite collaboration avec les États membres, toute initiative utile pour promouvoir la coordination visée au paragraphe 1.

Article 130 I

1. Un programme-cadre pluriannuel, dans lequel est repris l'ensemble des actions de la Communauté, est arrêté par le Conseil, statuant conformément à la procédure visée à l'article 189 B, après consultation du Comité économique et social. Le Conseil statue à l'unanimité tout au long de la procédure visée à l'article 189 B.

Le programme-cadre:

— fixe les objectifs scientifiques et technologiques à réaliser par les actions envisagées à l'article 130 G et les priorités qui s'y attachent;

— indique les grandes lignes de ces actions;

— fixe le montant global maximum et les modalités de la participation financière de la Communauté au programme-cadre, ainsi que les quotes-parts respectives de chacune des actions envisagées.

2. Le programme-cadre est adapté ou complété en fonction de l'évolution des situations.

3. Le programme-cadre est mis en œuvre au moyen de programmes spécifiques développés à l'intérieur de chacune des actions. Chaque programme spécifique précise les modalités de sa réalisation, fixe sa durée et prévoit les moyens estimés nécessaires. La somme des montants estimés nécessaires, fixés par les programmes spécifiques, ne peut pas dépasser le montant global maximum fixé pour le programme-cadre et pour chaque action.

4. Le Conseil, statuant à la majorité qualifiée sur proposition de la Commission et après consultation du Parlement européen et du Comité économique et social, arrête les programmes spécifiques.

Article 130 J

Pour la mise en œuvre du programme-cadre pluriannuel, le Conseil:

— fixe les règles de participation des entreprises, des centres de recherche et des universités;

— fixe les règles applicables à la diffusion des résultats de la recherche.

Article 130 K

Dans la mise en œuvre du programme-cadre pluriannuel peuvent être décidés des programmes complémentaires auxquels ne participent que certains États membres qui assurent leur financement sous réserve d'une participation éventuelle de la Communauté.

Le Conseil arrête les règles applicables aux programmes complémentaires, notamment en matière de diffusion des connaissances et d'accès d'autres États membres.

Article 130 L

Dans la mise en œuvre du programme-cadre pluriannuel, la Communauté peut prévoir, en accord avec les États membres concernés, une participation à des programmes de recherche et de développement entrepris par plusieurs États membres, y compris la participation aux structures créées pour l'exécution de ces programmes.

Article 130 M

Dans la mise en œuvre du programme-cadre pluriannuel, la Communauté peut prévoir une coopération en matière de recherche, de développement technologique et de démonstration communautaires avec des pays tiers ou des organisations internationales.

Les modalités de cette coopération peuvent faire l'objet d'accords entre la Communauté et les tierces parties concernées, qui sont négociés et conclus conformément à l'article 228.

Article 130 N

La Communauté peut créer des entreprises communes ou toute autre structure nécessaire à la bonne exécution des programmes de recherche, de développement technologique et de démonstration communautaires.

Article 130 O

Le Conseil, statuant à l'unanimité sur proposition de la Commission et après consultation du Parlement européen et du Comité économique et social, arrête les dispositions visées à l'article 130 N.

Le Conseil, statuant conformément à la procédure visée à l'article 189 C après consultation du Comité économique et social, arrête les dispositions visées aux articles 130 J, 130 K et 130 L. L'adoption des programmes complémentaires requiert l'accord des États membres concernés.

Article 130 P

Au début de chaque année, la Commission présente un rapport au Parlement européen et au Conseil. Ce rapport porte notamment sur les activités menées en matière de recherche et de développement technologique et de diffusion des résultats durant l'année précédente et sur le programme de travail de l'année en cours.

Article 130 Q

(Abrogé)

TITRE XVI (*)

Environnement

(*) Ancien titre VII tel que modifié par l'article G, point 38), du TUE.

Article 130 R

1. La politique de la Communauté dans le domaine de l'environnement contribue à la poursuite des objectifs suivants:

— la préservation, la protection et l'amélioration de la qualité de l'environnement,

— la protection de la santé des personnes,

— l'utilisation prudente et rationnelle des ressources naturelles,

— la promotion, sur le plan international, de mesures destinées à faire face aux problèmes régionaux ou planétaires de l'environnement.

2. La politique de la Communauté dans le domaine de l'environnement vise un niveau de protection élevé, en tenant compte de la diversité des situations dans les différentes régions de la Communauté. Elle est fondée sur les principes de précaution et d'action préventive, sur le principe de la correction, par priorité à la source, des atteintes à l'environnement et sur le principe du pollueur-payeur. Les exigences en matière de protection de l'environnement doivent être intégrées dans la définition et la mise en œuvre des autres politiques de la Communauté.

Dans ce contexte, les mesures d'harmonisation répondant à de telles exigences comportent, dans les cas appropriés, une clause de sauvegarde autorisant les États membres à prendre, pour des motifs environnementaux non économiques, des mesures provisoires soumises à une procédure communautaire de contrôle.

3. Dans l'élaboration de sa politique dans le domaine de l'environnement, la Communauté tient compte:

— des données scientifiques et techniques disponibles,

— des conditions de l'environnement dans les diverses régions de la Communauté,

— des avantages et des charges qui peuvent résulter de l'action ou de l'absence d'action,

— du développement économique et social de la Communauté dans son ensemble et du développement équilibré de ses régions.

4. Dans le cadre de leurs compétences respectives, la Communauté et les États membres coopèrent avec les pays tiers et les organisations internationales compétentes. Les modalités de la coopération de la Communauté peuvent faire l'objet d'accords entre celle-ci et les tierces parties concernées, qui sont négociés et conclus conformément à l'article 228.

L'alinéa précédent ne préjuge pas la compétence des États membres pour négocier dans les instances internationales et conclure des accords internationaux.

Article 130 S

1. Le Conseil, statuant conformément à la procédure visée à l'article 189 C et après consultation du Comité économique et social, décide des actions à entreprendre par la Communauté en vue de réaliser les objectifs visés à l'article 130 R.

2. Par dérogation à la procédure de décision prévue au paragraphe 1 et sans préjudice de l'article 100 A, le Conseil, statuant à l'unanimité sur proposition de la Commission, après consultation du Parlement européen et du Comité économique et social, arrête:

— des dispositions essentiellement de nature fiscale;

— les mesures concernant l'aménagement du territoire, l'affectation des sols, à l'exception de la gestion des déchets et des mesures à caractère général, ainsi que la gestion des ressources hydrauliques;

— les mesures affectant sensiblement le choix d'un État membre entre différentes sources d'énergie et la structure générale de son approvisionnement énergétique.

Le Conseil, statuant selon les conditions prévues au premier alinéa, peut définir les questions visées au présent paragraphe au sujet desquelles des décisions doivent être prises à la majorité qualifiée.

3. Dans d'autres domaines, des programmes d'action à caractère général fixant les objectifs prioritaires à atteindre sont arrêtés par le Conseil, statuant conformément à la procédure visée à l'article 189 B et après consultation du Comité économique et social.

Le Conseil, statuant selon les conditions prévues au paragraphe 1 ou au paragraphe 2, selon le cas, arrête les mesures nécessaires à la mise en œuvre de ces programmes.

4. Sans préjudice de certaines mesures ayant un caractère communautaire, les États membres assurent le financement et l'exécution de la politique en matière d'environnement.

5. Sans préjudice du principe du pollueur-payeur, lorsqu'une mesure fondée sur le paragraphe 1 implique des coûts jugés dispro-

portionnés pour les pouvoirs publics d'un État membre, le Conseil prévoit, dans l'acte portant adoption de cette mesure, les dispositions appropriées sous forme:

— de dérogations temporaires et/ou

— d'un soutien financier du Fonds de cohésion, qui sera créé au plus tard le 31 décembre 1993 conformément à l'article 130 D.

Article 130 T

Les mesures de protection arrêtées en vertu de l'article 130 S ne font pas obstacle au maintien et à l'établissement, par chaque État membre, de mesures de protection renforcées. Ces mesures doivent être compatibles avec le présent traité. Elles sont notifiées à la Commission.

TITRE XVII (*)

Coopération au développement

(*) Tel qu'inséré par l'article G, point 38), du TUE.

Article 130 U

1. La politique de la Communauté dans le domaine de la coopération au développement, qui est complémentaire de celles qui sont menées par les États membres, favorise:

— le développement économique et social durable des pays en développement et plus particulièrement des plus défavorisés d'entre eux;

— l'insertion harmonieuse et progressive des pays en développement dans l'économie mondiale;

— la lutte contre la pauvreté dans les pays en développement.

2. La politique de la Communauté dans ce domaine contribue à l'objectif général de développement et de consolidation de la démocratie et de l'État de droit, ainsi qu'à l'objectif du respect des droits de l'homme et des libertés fondamentales.

3. La Communauté et les États membres respectent les engagements et tiennent compte des objectifs qu'ils ont agréés dans le cadre des Nations unies et des autres organisations internationales compétentes.

Article 130 V

La Communauté tient compte des objectifs visés à l'article 130 U dans les politiques qu'elle met en œuvre et qui sont susceptibles d'affecter les pays en développement.

Article 130 W

1. Sans préjudice des autres dispositions du présent traité, le Conseil, statuant conformément à la procédure visée à l'article 189 C, arrête les mesures nécessaires à la poursuite des objectifs visés à l'article 130 U. Ces mesures peuvent prendre la forme de programmes pluriannuels.

2. La Banque européenne d'investissement contribue, selon les conditions prévues dans ses statuts, à la mise en œuvre des mesures visées au paragraphe 1.

3. Le présent article n'affecte pas la coopération avec les pays d'Afrique, des Caraïbes et du Pacifique dans le cadre de la convention ACP-CEE.

Article 130 X

1. La Communauté et les États membres coordonnent leurs politiques en matière de coopération au développement et se concertent sur leurs programmes d'aide, y compris dans les organisations internationales et lors des conférences internationales. Ils peuvent entreprendre des actions conjointes. Les États membres contribuent, si nécessaire, à la mise en œuvre des programmes d'aide communautaires.

2. La Commission peut prendre toute initiative utile pour promouvoir la coordination visée au paragraphe 1.

Article 130 Y

Dans le cadre de leurs compétences respectives, la Communauté et les États membres coopèrent avec les pays tiers et les organisations internationales compétentes. Les modalités de la coopération de la

Communauté peuvent faire l'objet d'accords entre celle-ci et les tierces parties concernées, qui sont négociés et conclus conformément à l'article 228.

Le premier alinéa ne préjuge pas la compétence des États membres pour négocier dans les instances internationales et conclure des accords internationaux.

QUATRIÈME PARTIE

L'ASSOCIATION DES PAYS ET TERRITOIRES D'OUTRE-MER

Article 131

Les États membres conviennent d'associer à la Communauté les pays et territoires non européens entretenant avec la Belgique, le Danemark (*), la France, l'Italie, les Pays-Bas et le Royaume-Uni des relations particulières (**). Ces pays et territoires, ci-après dénommés «pays et territoires», sont énumérés à la liste qui fait l'objet de l'annexe IV du présent traité.

Le but de l'association est la promotion du développement économique et social des pays et territoires, et l'établissement de relations économiques étroites entre eux et la Communauté dans son ensemble.

Conformément aux principes énoncés dans le préambule du présent traité, l'association doit en premier lieu permettre de favoriser les intérêts des habitants de ces pays et territoires et leur prospérité, de manière à les conduire au développement économique, social et culturel qu'ils attendent.

Article 132

L'association poursuit les objectifs ci-après.

1. Les États membres appliquent à leurs échanges commerciaux avec les pays et territoires le régime qu'ils s'accordent entre eux en vertu du présent traité.

(*) Les termes «le Danemark» ont été ajoutés par l'article 2 du traité Groenland.

(**) Première phrase, à l'exception des termes «le Danemark», telle que modifiée par l'article 24, paragraphe 1, de l'AA DK/IRL/RU dans la version résultant de l'article 13 de la DA AA DK/IRL/RU.

2. Chaque pays ou territoire applique à ses échanges commerciaux avec les États membres et les autres pays et territoires le régime qu'il applique à l'État européen avec lequel il entretient des relations particulières.

3. Les États membres contribuent aux investissements que demande le développement progressif de ces pays et territoires.

4. Pour les investissements financés par la Communauté, la participation aux adjudications et fournitures est ouverte, à égalité de conditions, à toutes les personnes physiques et morales ressortissantes des États membres et des pays et territoires.

5. Dans les relations entre les États membres et les pays et territoires, le droit d'établissement des ressortissants et sociétés est réglé conformément aux dispositions et par application des procédures prévues au chapitre relatif au droit d'établissement et sur une base non discriminatoire, sous réserve des dispositions particulières prises en vertu de l'article 136.

Article 133

1. Les importations originaires des pays et territoires bénéficient à leur entrée dans les États membres de l'élimination totale des droits de douane qui intervient progressivement entre les États membres conformément aux dispositions du présent traité.

2. À l'entrée dans chaque pays et territoire, les droits de douane frappant les importations des États membres et des autres pays et territoires sont progressivement supprimés conformément aux dispositions des articles 12, 13, 14, 15 et 17.

3. Toutefois, les pays et territoires peuvent percevoir des droits de douane qui répondent aux nécessités de leur développement et

aux besoins de leur industrialisation ou qui, de caractère fiscal, ont pour but d'alimenter leur budget.

Les droits visés à l'alinéa ci-dessus sont cependant progressivement réduits jusqu'au niveau de ceux qui frappent les importations des produits en provenance de l'État membre avec lequel chaque pays ou territoire entretient des relations particulières. Les pourcentages et le rythme des réductions prévus dans le présent traité sont applicables à la différence existant entre le droit frappant le produit en provenance de l'État membre qui entretient des relations particulières avec le pays ou territoire et celui dont est frappé le même produit en provenance de la Communauté à son entrée dans le pays ou territoire importateur.

4. Le paragraphe 2 n'est pas applicable aux pays et territoires qui, en raison des obligations internationales particulières auxquelles ils sont soumis, appliquent déjà à l'entrée en vigueur du présent traité un tarif douanier non discriminatoire.

5. L'établissement ou la modification de droits de douane frappant les marchandises importées dans les pays et territoires ne doit pas donner lieu, en droit ou en fait, à une discrimination directe ou indirecte entre les importations en provenance des divers États membres.

Article 134

Si le niveau des droits applicables aux marchandises en provenance d'un pays tiers à l'entrée dans un pays ou territoire est, compte tenu de l'application des dispositions de l'article 133, paragraphe 1, de nature à provoquer des détournements de trafic au détriment d'un des États membres, celui-ci peut demander à la Commission de proposer aux autres États membres les mesures nécessaires pour remédier à cette situation.

Article 135

Sous réserve des dispositions qui régissent la santé publique, la sécurité publique et l'ordre public, la liberté de circulation des travailleurs des pays et territoires dans les États membres et des travailleurs des États membres dans les pays et territoires sera réglée par des conventions ultérieures qui requièrent l'unanimité des États membres.

Article 136

Pour une première période de cinq ans à compter de l'entrée en vigueur du présent traité, une convention d'application annexée à ce traité fixe les modalités et la procédure de l'association entre les pays et territoires et la Communauté.

Avant l'expiration de la convention prévue à l'alinéa ci-dessus, le Conseil statuant à l'unanimité établit, à partir des réalisations acquises et sur la base des principes inscrits dans le présent traité, les dispositions à prévoir pour une nouvelle période.

Article 136 bis (*)

Les dispositions des articles 131 à 136 sont applicables au Groenland sous réserve des dispositions spécifiques pour le Groenland figurant dans le protocole sur le régime particulier applicable au Groenland, annexé au présent traité.

(*) Article ajouté par l'article 3 du traité Groenland.

CINQUIÈME PARTIE

LES INSTITUTIONS DE LA COMMUNAUTÉ

TITRE I

Dispositions institutionnelles

CHAPITRE 1

LES INSTITUTIONS

Section 1

Le Parlement européen

Article 137 (*)

Le Parlement européen, composé de représentants des peuples des États réunis dans la Communauté, exerce les pouvoirs qui lui sont attribués par le présent traité.

Article 138

(Paragraphes 1 et 2 devenus caducs à la date du 17 juillet 1979, conformément aux dispositions de l'article 14 de l'acte portant élection des représentants au Parlement européen)

[*Voir article 1er de l'acte précité, qui se lit comme suit.*

1. Les représentants, au Parlement européen, des peuples des États réunis dans la Communauté sont élus au suffrage universel direct.]

(*) Tel que modifié par l'article G, point 39), du TUE.

[*Voir article 2 de l'acte précité, qui se lit comme suit:*

2. Le nombre des représentants élus dans chaque État membre est fixé ainsi qu'il suit:

Belgique	24
Danemark	16
Allemagne	81
Grèce	24
Espagne	60
France	81
Irlande	15
Italie	81
Luxembourg	6
Pays-Bas	25
Portugal	24
Royaume-Uni	81] (*)

3. Le Parlement européen élaborera des projets en vue de permettre l'élection au suffrage universel direct selon une procédure uniforme dans tous les États membres (**).

Le Conseil, statuant à l'unanimité, après avis conforme du Parlement européen, qui se prononce à la majorité des membres qui le

(*) Nombre de représentants tel que fixé par l'article 10 de l'AA ESP/PORT. Voir aussi décision du Conseil du 1er février 1993 portant modification du nombre des représentants (point 3 E.2 ci-après, p. 809). Cette décision n'était pas en vigueur à la date du 1er juillet 1993.

(**) Voir également à ce sujet l'article 7, paragraphes 1 et 2, de l'acte portant élection des représentants au Parlement européen.

composent, arrêtera les dispositions dont il recommandera l'adoption par les États membres, conformément à leurs règles constitutionnelles respectives (*).

Article 138 A (**)

Les partis politiques au niveau européen sont importants en tant que facteur d'intégration au sein de l'Union. Ils contribuent à la formation d'une conscience européenne et à l'expression de la volonté politique des citoyens de l'Union.

Article 138 B (**)

Dans la mesure où le présent traité le prévoit, le Parlement européen participe au processus conduisant à l'adoption des actes communautaires, en exerçant ses attributions dans le cadre des procédures définies aux articles 189 B et 189 C, ainsi qu'en rendant des avis conformes ou en donnant des avis consultatifs.

Le Parlement européen peut, à la majorité de ses membres, demander à la Commission de soumettre toute proposition appropriée sur les questions qui lui paraissent nécessiter l'élaboration d'un acte communautaire pour la mise en œuvre du présent traité.

(*) Deuxième alinéa tel que modifié par l'article G, point 40), du TUE.
(**) Tel qu'inséré par l'article G, point 41), du TUE.

Article 138 C (*)

Dans le cadre de l'accomplissement de ses missions, le Parlement européen peut, à la demande d'un quart de ses membres, constituer une commission temporaire d'enquête pour examiner, sans préjudice des attributions conférées par le présent traité à d'autres institutions ou organes, les allégations d'infraction ou de mauvaise administration dans l'application du droit communautaire, sauf si les faits allégués sont en cause devant une juridiction et aussi longtemps que la procédure juridictionnelle n'est pas achevée.

L'existence de la commission temporaire d'enquête prend fin par le dépôt de son rapport.

Les modalités d'exercice du droit d'enquête sont déterminées d'un commun accord par le Parlement européen, le Conseil et la Commission.

Article 138 D (*)

Tout citoyen de l'Union, ainsi que toute personne physique ou morale résidant ou ayant son siège statutaire dans un État membre, a le droit de présenter, à titre individuel ou en association avec d'autres citoyens ou personnes, une pétition au Parlement européen sur un sujet relevant des domaines d'activité de la Communauté et qui le ou la concerne directement.

Article 138 E (*)

1. Le Parlement européen nomme un médiateur, habilité à recevoir les plaintes émanant de tout citoyen de l'Union ou de toute

(*) Tel qu'inséré par l'article G, point 41), du TUE.

personne physique ou morale résidant ou ayant son siège statutaire dans un État membre et relatives à des cas de mauvaise administration dans l'action des institutions ou organes communautaires, à l'exclusion de la Cour de justice et du Tribunal de première instance dans l'exercice de leurs fonctions juridictionnelles.

Conformément à sa mission, le médiateur procède aux enquêtes qu'il estime justifiées, soit de sa propre initiative, soit sur la base des plaintes qui lui ont été présentées directement ou par l'intermédiaire d'un membre du Parlement européen, sauf si les faits allégués font ou ont fait l'objet d'une procédure juridictionnelle. Dans les cas où le médiateur a constaté un cas de mauvaise administration, il saisit l'institution concernée, qui dispose d'un délai de trois mois pour lui faire tenir son avis. Le médiateur transmet ensuite un rapport au Parlement européen et à l'institution concernée. La personne dont émane la plainte est informée du résultat de ces enquêtes.

Chaque année, le médiateur présente un rapport au Parlement européen sur les résultats de ses enquêtes.

2. Le médiateur est nommé après chaque élection du Parlement européen pour la durée de la législature. Son mandat est renouvelable.

Le médiateur peut être déclaré démissionnaire par la Cour de justice, à la requête du Parlement européen, s'il ne remplit plus les conditions nécessaires à l'exercice de ses fonctions ou s'il a commis une faute grave.

3. Le médiateur exerce ses fonctions en toute indépendance. Dans l'accomplissement de ses devoirs, il ne sollicite ni n'accepte d'instructions d'aucun organisme. Pendant la durée de ses fonctions, le médiateur ne peut exercer aucune autre activité professionnelle, rémunérée ou non.

4. Le Parlement européen fixe le statut et les conditions générales d'exercice des fonctions du médiateur après avis de la Commission et avec l'approbation du Conseil statuant à la majorité qualifiée.

Article 139

Le Parlement européen tient une session annuelle. Il se réunit de plein droit le deuxième mardi de mars (*).

Le Parlement européen peut se réunir en session extraordinaire à la demande de la majorité de ses membres, du Conseil ou de la Commission.

Article 140

Le Parlement européen désigne parmi ses membres son président et son bureau.

Les membres de la Commission peuvent assister à toutes les séances et sont entendus au nom de celle-ci sur leur demande.

La Commission répond oralement ou par écrit aux questions qui lui sont posées par le Parlement européen ou par ses membres.

Le Conseil est entendu par le Parlement européen dans les conditions qu'il arrête dans son règlement intérieur.

(*) Premier alinéa tel que modifié par l'article 27, paragraphe 1, du traité de fusion. En ce qui concerne la deuxième phrase de cet alinéa, voir également article 10, paragraphe 3, de l'acte portant élection des représentants au Parlement européen.

Article 141

Sauf dispositions contraires du présent traité, le Parlement européen statue à la majorité absolue des suffrages exprimés.

Le règlement intérieur fixe le quorum.

Article 142

Le Parlement européen arrête son règlement intérieur à la majorité des membres qui le composent.

Les actes du Parlement européen sont publiés dans les conditions prévues par ce règlement.

Article 143

Le Parlement européen procède, en séance publique, à la discussion du rapport général annuel qui lui est soumis par la Commission.

Article 144

Le Parlement européen, saisi d'une motion de censure sur la gestion de la Commission, ne peut se prononcer sur cette motion que trois jours au moins après son dépôt et par un scrutin public.

Si la motion de censure est adoptée à la majorité des deux tiers des voix exprimées et à la majorité des membres qui composent le Parlement européen, les membres de la Commission doivent abandonner collectivement leurs fonctions. Ils continuent à expédier les affaires courantes jusqu'à leur remplacement conformément à l'article 158. Dans ce cas, le mandat des membres de la Commission nommés pour les remplacer expire à la date à laquelle aurait dû expirer le mandat des membres de la Commission obligés d'abandonner collectivement leurs fonctions (*).

Section 2

Le Conseil

Article 145

En vue d'assurer la réalisation des objets fixés par le présent traité et dans les conditions prévues par celui-ci, le Conseil:

— assure la coordination des politiques économiques générales des États membres,

— dispose d'un pouvoir de décision,

— confère à la Commission, dans les actes qu'il adopte, les compétences d'exécution des règles qu'il établit. Le Conseil peut soumettre l'exercice de ces compétences à certaines modalités. Il peut également se réserver, dans des cas spécifiques, d'exercer

(*) Troisième phrase du deuxième alinéa telle qu'insérée par l'article G, point 42), du TUE.

directement des compétences d'exécution. Les modalités visées ci-dessus doivent répondre aux principes et règles que le Conseil, statuant à l'unanimité sur proposition de la Commission et après avis du Parlement européen, aura préalablement établis.

Article 146 (*)

Le Conseil est formé par un représentant de chaque État membre au niveau ministériel, habilité à engager le gouvernement de cet État membre.

La présidence est exercée à tour de rôle par chaque État membre du Conseil pour une durée de six mois selon l'ordre suivant des États membres:

— pendant un premier cycle de six ans: Belgique, Danemark, Allemagne, Grèce, Espagne, France, Irlande, Italie, Luxembourg, Pays-Bas, Portugal, Royaume-Uni;

— pendant le cycle suivant de six ans: Danemark, Belgique, Grèce, Allemagne, France, Espagne, Italie, Irlande, Pays-Bas, Luxembourg, Royaume-Uni, Portugal (**).

Article 147

Le Conseil se réunit sur convocation de son président à l'initiative de celui-ci, d'un de ses membres ou de la Commission.

(*) Tel que modifié par l'article G, point 43), du TUE.

(**) Deuxième alinéa tel que modifié par l'article 11 de l'AA ESP/PORT.

Article 148

1. Sauf dispositions contraires du présent traité, les délibérations du Conseil sont acquises à la majorité des membres qui le composent.

2. Pour les délibérations du Conseil qui requièrent une majorité qualifiée, les voix des membres sont affectées de la pondération suivante:

Belgique	5
Danemark	3
Allemagne	10
Grèce	5
Espagne	8
France	10
Irlande	3
Italie	10
Luxembourg	2
Pays-Bas	5
Portugal	5
Royaume-Uni	10

Les délibérations sont acquises si elles ont recueilli au moins:

— cinquante-quatre voix lorsque, en vertu du présent traité, elles doivent être prises sur proposition de la Commission,

— cinquante-quatre voix exprimant le vote favorable d'au moins huit membres dans les autres cas (*).

(*) Paragraphe 2 tel que modifié par l'article 14 de l'AA ESP/PORT.

3. Les abstentions des membres présents ou représentés ne font pas obstacle à l'adoption des délibérations du Conseil qui requièrent l'unanimité.

Article 149

(Abrogé)

Article 150

En cas de vote, chaque membre du Conseil peut recevoir délégation d'un seul des autres membres.

Article 151 (*)

1. Un comité composé des représentants permanents des États membres a pour tâche de préparer les travaux du Conseil et d'exécuter les mandats qui lui sont confiés par celui-ci.

2. Le Conseil est assisté d'un secrétariat général, placé sous la direction d'un secrétaire général. Le secrétaire général est nommé par le Conseil statuant à l'unanimité.

Le Conseil décide de l'organisation du secrétariat général.

3. Le Conseil arrête son règlement intérieur.

(*) Tel que modifié par l'article G, point 46), du TUE.

Article 152

Le Conseil peut demander à la Commission de procéder à toutes études qu'il juge opportunes pour la réalisation des objectifs communs et de lui soumettre toutes propositions appropriées.

Article 153

Le Conseil arrête, après avis de la Commission, le statut des comités prévus par le présent traité.

Article 154

Le Conseil, statuant à la majorité qualifiée, fixe les traitements, indemnités et pensions du président et des membres de la Commission, du président, des juges, des avocats généraux et du greffier de la Cour de justice. Il fixe également, à la même majorité, toutes indemnités tenant lieu de rémunération.

Section 3

La Commission

Article 155

En vue d'assurer le fonctionnement et le développement du marché commun, la Commission:

— veille à l'application des dispositions du présent traité ainsi que des dispositions prises par les institutions en vertu de celui-ci,

— formule des recommandations ou des avis sur les matières qui font l'objet du présent traité, si celui-ci le prévoit expressément ou si elle l'estime nécessaire,

— dispose d'un pouvoir de décision propre et participe à la formation des actes du Conseil et du Parlement européen dans les conditions prévues au présent traité,

— exerce les compétences que le Conseil lui confère pour l'exécution des règles qu'il établit.

Article 156

La Commission publie tous les ans, un mois au moins avant l'ouverture de la session du Parlement européen, un rapport général sur l'activité de la Communauté.

Article 157

1. La Commission est composée de dix-sept membres choisis en raison de leur compétence générale et offrant toutes garanties d'indépendance (*).

Le nombre des membres de la Commission peut être modifié par le Conseil statuant à l'unanimité.

Seuls les nationaux des États membres peuvent être membres de la Commission.

(*) Premier alinéa du paragraphe 1 tel que modifié par l'article 15 de l'AA ESP/PORT.

La Commission doit comprendre au moins un national de chacun des États membres, sans que le nombre des membres ayant la nationalité d'un même État membre soit supérieur à deux.

2. Les membres de la Commission exercent leurs fonctions en pleine indépendance, dans l'intérêt général de la Communauté.

Dans l'accomplissement de leurs devoirs, ils ne sollicitent ni n'acceptent d'instructions d'aucun gouvernement ni d'aucun organisme. Ils s'abstiennent de tout acte incompatible avec le caractère de leurs fonctions. Chaque État membre s'engage à respecter ce caractère et à ne pas chercher à influencer les membres de la Commission dans l'exécution de leur tâche.

Les membres de la Commission ne peuvent, pendant la durée de leurs fonctions, exercer aucune autre activité professionnelle, rémunérée ou non. Ils prennent, lors de leur installation, l'engagement solennel de respecter, pendant la durée de leurs fonctions et après la cessation de celles-ci, les obligations découlant de leur charge, notamment les devoirs d'honnêteté et de délicatesse quant à l'acceptation, après cette cessation, de certaines fonctions ou de certains avantages. En cas de violation de ces obligations, la Cour de justice, saisie par le Conseil ou par la Commission, peut, selon le cas, prononcer la démission d'office dans les conditions de l'article 160 ou la déchéance du droit à pension de l'intéressé ou d'autres avantages en tenant lieu.

Article 158 (*)

1. Les membres de la Commission sont nommés, pour une durée de cinq ans, selon la procédure visée au paragraphe 2, sous réserve, le cas échéant, de l'article 144.

Leur mandat est renouvelable.

(*) Tel que modifié par l'article G, point 48), du TUE.

2. Les gouvernements des États membres désignent d'un commun accord, après consultation du Parlement européen, la personnalité qu'ils envisagent de nommer président de la Commission.

Les gouvernements des États membres, en consultation avec le président désigné, désignent les autres personnalités qu'ils envisagent de nommer membres de la Commission.

Le président et les autres membres de la Commission ainsi désignés sont soumis, en tant que collège, à un vote d'approbation par le Parlement européen. Après l'approbation du Parlement européen, le président et les autres membres de la Commission sont nommés, d'un commun accord, par les gouvernements des États membres.

3. Les paragraphes 1 et 2 s'appliquent pour la première fois au président et aux autres membres de la Commission dont le mandat commence le 7 janvier 1995.

Le président et les autres membres de la Commission dont le mandat commence le 7 janvier 1993 sont nommés d'un commun accord par les gouvernements des États membres. Leur mandat expire le 6 janvier 1995.

Article 159 (*)

En dehors des renouvellements réguliers et des décès, les fonctions de membre de la Commission prennent fin individuellement par démission volontaire ou d'office.

(*) Tel que modifié par l'article G, point 48), du TUE.

L'intéressé est remplacé pour la durée du mandat restant à courir par un nouveau membre nommé d'un commun accord par les gouvernements des États membres. Le Conseil, statuant à l'unanimité, peut décider qu'il n'y a pas lieu à remplacement.

En cas de démission ou de décès, le président est remplacé pour la durée du mandat restant à courir. La procédure prévue à l'article 158, paragraphe 2, est applicable pour son remplacement.

Sauf en cas de démission d'office prévue à l'article 160, les membres de la Commission restent en fonctions jusqu'à ce qu'il soit pourvu à leur remplacement.

Article 160

Tout membre de la Commission, s'il ne remplit plus les conditions nécessaires à l'exercice de ses fonctions ou s'il a commis une faute grave, peut être déclaré démissionnaire par la Cour de justice, à la requête du Conseil ou de la Commission.

Article 161 (*)

La Commission peut nommer un ou deux vice-présidents parmi ses membres.

Article 162

1. Le Conseil et la Commission procèdent à des consultations réciproques et organisent d'un commun accord les modalités de leur collaboration.

(*) Tel que modifié par l'article G, point 48), du TUE.

2. La Commission fixe son règlement intérieur en vue d'assurer son fonctionnement et celui de ses services dans les conditions prévues par le présent traité. Elle assure la publication de ce règlement.

Article 163

Les délibérations de la Commission sont acquises à la majorité du nombre des membres prévu à l'article 157.

La Commission ne peut siéger valablement que si le nombre de membres fixé dans son règlement intérieur est présent.

Section 4

La Cour de justice

Article 164

La Cour de justice assure le respect du droit dans l'interprétation et l'application du présent traité.

Article 165 (*)

La Cour de justice est formée de treize juges (**).

(*) Tel que modifié par l'article G, point 49), du TUE.
(**) Premier alinéa tel que modifié par l'article 17 de l'AA ESP/PORT.

La Cour de justice siège en séance plénière. Toutefois, elle peut créer en son sein des chambres composées chacune de trois ou cinq juges, en vue soit de procéder à certaines mesures d'instruction, soit de juger certaines catégories d'affaires, dans les conditions prévues par un règlement établi à cet effet.

La Cour de justice siège en séance plénière lorsqu'un État membre ou une institution de la Communauté qui est partie à l'instance le demande.

Si la Cour de justice le demande, le Conseil, statuant à l'unanimité, peut augmenter le nombre des juges et apporter les adaptations nécessaires aux deuxième et troisième alinéas et à l'article 167, deuxième alinéa.

Article 166

La Cour de justice est assistée de six avocats généraux (*).

L'avocat général a pour rôle de présenter publiquement, en toute impartialité et en toute indépendance, des conclusions motivées sur les affaires soumises à la Cour de justice, en vue d'assister celle-ci dans l'accomplissement de sa mission, telle qu'elle est définie à l'article 164.

Si la Cour de justice le demande, le Conseil, statuant à l'unanimité, peut augmenter le nombre des avocats généraux et apporter les adaptations nécessaires à l'article 167, troisième alinéa.

(*) Premier alinéa tel que modifié par l'article 18 de l'AA ESP/PORT.

Article 167

Les juges et les avocats généraux, choisis parmi des personnalités offrant toutes garanties d'indépendance, et qui réunissent les conditions requises pour l'exercice, dans leurs pays respectifs, des plus hautes fonctions juridictionnelles, ou qui sont des jurisconsultes possédant des compétences notoires, sont nommés d'un commun accord pour six ans par les gouvernements des États membres.

Un renouvellement partiel des juges a lieu tous les trois ans. Il porte alternativement sur sept et six juges (*).

Un renouvellement partiel des avocats généraux a lieu tous les trois ans. Il porte chaque fois sur trois avocats généraux (*).

Les juges et les avocats généraux sortants peuvent être nommés de nouveau.

Les juges désignent parmi eux, pour trois ans, le président de la Cour de justice. Son mandat est renouvelable.

Article 168

La Cour de justice nomme son greffier, dont elle fixe le statut.

Article 168 A (**)

1. Il est adjoint à la Cour de justice un tribunal chargé de connaître en première instance, sous réserve d'un pourvoi porté devant la Cour de justice, limité aux questions de droit, dans les

(*) Deuxième et troisième alinéas tels que modifiés par l'article 19 de l'AA ESP/PORT.

(**) Tel que modifié par l'article G, point 50), du TUE.

conditions fixées par le statut, de certaines catégories de recours déterminées dans les conditions fixées au paragraphe 2. Le Tribunal de première instance n'a pas compétence pour connaître des questions préjudicielles soumises en vertu de l'article 177.

2. Sur demande de la Cour de justice et après consultation du Parlement européen et de la Commission, le Conseil, statuant à l'unanimité, fixe les catégories de recours visées au paragraphe 1 et la composition du Tribunal de première instance et adopte les adaptations et les dispositions complémentaires nécessaires au statut de la Cour de justice. Sauf décision contraire du Conseil, les dispositions du présent traité relatives à la Cour de justice, et notamment les dispositions du protocole sur le statut de la Cour de justice, sont applicables au Tribunal de première instance.

3. Les membres du Tribunal de première instance sont choisis parmi les personnes offrant toutes les garanties d'indépendance et possédant la capacité requise pour l'exercice de fonctions juridictionnelles; ils sont nommés d'un commun accord pour six ans par les gouvernements des États membres. Un renouvellement partiel a lieu tous les trois ans. Les membres sortants peuvent être nommés à nouveau.

4. Le Tribunal de première instance établit son règlement de procédure en accord avec la Cour de justice. Ce règlement est soumis à l'approbation unanime du Conseil.

Article 169

Si la Commission estime qu'un État membre a manqué à une des obligations qui lui incombent en vertu du présent traité, elle émet un avis motivé à ce sujet, après avoir mis cet État en mesure de présenter ses observations.

Si l'État en cause ne se conforme pas à cet avis dans le délai déterminé par la Commission, celle-ci peut saisir la Cour de justice.

Article 170

Chacun des États membres peut saisir la Cour de justice s'il estime qu'un autre État membre a manqué à une des obligations qui lui incombent en vertu du présent traité.

Avant qu'un État membre n'introduise, contre un autre État membre, un recours fondé sur une prétendue violation des obligations qui lui incombent en vertu du présent traité, il doit en saisir la Commission.

La Commission émet un avis motivé après que les États intéressés ont été mis en mesure de présenter contradictoirement leurs observations écrites et orales.

Si la Commission n'a pas émis l'avis dans un délai de trois mois à compter de la demande, l'absence d'avis ne fait pas obstacle à la saisine de la Cour de justice.

Article 171 (*)

1. Si la Cour de justice reconnaît qu'un État membre a manqué à une des obligations qui lui incombent en vertu du présent traité, cet État est tenu de prendre les mesures que comporte l'exécution de l'arrêt de la Cour de justice.

2. Si la Commission estime que l'État membre concerné n'a pas pris ces mesures, elle émet, après avoir donné à cet État la possibilité de présenter ses observations, un avis motivé précisant les points sur lesquels l'État membre concerné ne s'est pas conformé à l'arrêt de la Cour de justice.

(*) Tel que modifié par l'article G, point 51), du TUE.

Si l'État membre concerné n'a pas pris les mesures que comporte l'exécution de l'arrêt de la Cour dans le délai fixé par la Commission, celle-ci peut saisir la Cour de justice. Elle indique le montant de la somme forfaitaire ou de l'astreinte à payer par l'État membre concerné qu'elle estime adapté aux circonstances.

Si la Cour de justice reconnaît que l'État membre concerné ne s'est pas conformé à son arrêt, elle peut lui infliger le paiement d'une somme forfaitaire ou d'une astreinte.

Cette procédure est sans préjudice de l'article 170.

Article 172 (*)

Les règlements arrêtés conjointement par le Parlement européen et le Conseil, et par le Conseil en vertu des dispositions du présent traité peuvent attribuer à la Cour de justice une compétence de pleine juridiction en ce qui concerne les sanctions prévues dans ces règlements.

Article 173 (**)

La Cour de justice contrôle la légalité des actes adoptés conjointement par le Parlement européen et le Conseil, des actes du Conseil, de la Commission et de la BCE, autres que les recommandations et les avis, et des actes du Parlement européen destinés à produire des effets juridiques vis-à-vis des tiers.

À cet effet, la Cour est compétente pour se prononcer sur les recours pour incompétence, violation des formes substantielles, violation du présent traité ou de toute règle de droit relative à son

(*) Tel que modifié par l'article G, point 52), du TUE.
(**) Tel que modifié par l'article G, point 53), du TUE.

application, ou détournement de pouvoir, formés par un État membre, le Conseil ou la Commission.

La Cour est compétente, dans les mêmes conditions, pour se prononcer sur les recours formés par le Parlement européen et par la BCE qui tendent à la sauvegarde des prérogatives de ceux-ci.

Toute personne physique ou morale peut former, dans les mêmes conditions, un recours contre les décisions dont elle est le destinataire et contre les décisions qui, bien que prises sous l'apparence d'un règlement ou d'une décision adressée à une autre personne, la concernent directement et individuellement.

Les recours prévus au présent article doivent être formés dans un délai de deux mois à compter, suivant le cas, de la publication de l'acte, de sa notification au requérant ou, à défaut, du jour où celui-ci en a eu connaissance.

Article 174

Si le recours est fondé, la Cour de justice déclare nul et non avenu l'acte contesté.

Toutefois, en ce qui concerne les règlements, la Cour de justice indique, si elle l'estime nécessaire, ceux des effets du règlement annulé qui doivent être considérés comme définitifs.

Article 175 (*)

Dans le cas où, en violation du présent traité, le Parlement européen, le Conseil ou la Commission s'abstiennent de statuer, les

(*) Tel que modifié par l'article G, point 54), du TUE.

États membres et les autres institutions de la Communauté peuvent saisir la Cour de justice en vue de faire constater cette violation.

Ce recours n'est recevable que si l'institution en cause a été préalablement invitée à agir. Si, à l'expiration d'un délai de deux mois à compter de cette invitation, l'institution n'a pas pris position, le recours peut être formé dans un nouveau délai de deux mois.

Toute personne physique ou morale peut saisir la Cour de justice dans les conditions fixées aux alinéas précédents pour faire grief à l'une des institutions de la Communauté d'avoir manqué de lui adresser un acte autre qu'une recommandation ou un avis.

La Cour de justice est compétente, dans les mêmes conditions, pour se prononcer sur les recours formés par la BCE dans les domaines relevant de ses compétences ou intentés contre elle.

Article 176 (*)

L'institution ou les institutions dont émane l'acte annulé, ou dont l'abstention a été déclarée contraire au présent traité, sont tenues de prendre les mesures que comporte l'exécution de l'arrêt de la Cour de justice.

Cette obligation ne préjuge pas celle qui peut résulter de l'application de l'article 215, deuxième alinéa.

Le présent article s'applique également à la BCE.

(*) Tel que modifié par l'article G, point 55), du TUE.

Article 177(*)

La Cour de justice est compétente pour statuer, à titre préjudiciel:

a) sur l'interprétation du présent traité,

b) sur la validité et l'interprétation des actes pris par les institutions de la Communauté et par la BCE,

c) sur l'interprétation des statuts des organismes créés par un acte du Conseil, lorsque ces statuts le prévoient.

Lorsqu'une telle question est soulevée devant une juridiction d'un des États membres, cette juridiction peut, si elle estime qu'une décision sur ce point est nécessaire pour rendre son jugement, demander à la Cour de justice de statuer sur cette question.

Lorsqu'une telle question est soulevée dans une affaire pendante devant une juridiction nationale dont les décisions ne sont pas susceptibles d'un recours juridictionnel de droit interne, cette juridiction est tenue de saisir la Cour de justice.

Article 178

La Cour de justice est compétente pour connaître des litiges relatifs à la réparation des dommages visés à l'article 215, deuxième alinéa.

(*) Tel que modifié par l'article G, point 56), du TUE.

Article 179

La Cour de justice est compétente pour statuer sur tout litige entre la Communauté et ses agents dans les limites et conditions déterminées au statut ou résultant du régime applicable à ces derniers.

Article 180 (*)

La Cour de justice est compétente, dans les limites ci-après, pour connaître des litiges concernant:

a) l'exécution des obligations des États membres résultant des statuts de la Banque européenne d'investissement. Le conseil d'administration de la Banque dispose à cet égard des pouvoirs reconnus à la Commission par l'article 169;

b) les délibérations du conseil des gouverneurs de la Banque européenne d'investissement. Chaque État membre, la Commission et le conseil d'administration de la Banque peuvent former un recours en cette matière dans les conditions prévues à l'article 173;

c) les délibérations du conseil d'administration de la Banque européenne d'investissement. Les recours contre ces délibérations ne peuvent être formés, dans les conditions fixées à l'article 173, que par les États membres ou la Commission, et seulement pour violation des formes prévues à l'article 21, paragraphes 2 et 5 à 7 inclus, des statuts de la Banque;

d) l'exécution par les banques centrales nationales des obligations résultant du présent traité et des statuts du SEBC. Le conseil de la BCE dispose à cet égard, vis-à-vis des banques centrales nationales, des pouvoirs reconnus à la Commission par l'article 169

(*) Tel que modifié par l'article G, point 57), du TUE.

vis-à-vis des États membres. Si la Cour de justice reconnaît qu'une banque centrale nationale a manqué à une des obligations qui lui incombent en vertu du présent traité, cette banque est tenue de prendre les mesures que comporte l'exécution de l'arrêt de la Cour de justice.

Article 181

La Cour de justice est compétente pour statuer en vertu d'une clause compromissoire contenue dans un contrat de droit public ou de droit privé passé par la Communauté ou pour son compte.

Article 182

La Cour de justice est compétente pour statuer sur tout différend entre États membres en connexité avec l'objet du présent traité, si ce différend lui est soumis en vertu d'un compromis.

Article 183

Sous réserve des compétences attribuées à la Cour de justice par le présent traité, les litiges auxquels la Communauté est partie ne sont pas, de ce chef, soustraits à la compétence des juridictions nationales.

Article 184 (*)

Nonobstant l'expiration du délai prévu à l'article 173, cinquième alinéa, toute partie peut, à l'occasion d'un litige mettant en cause un règlement arrêté conjointement par le Parlement européen et le Conseil ou un règlement du Conseil, de la Commission ou de la

(*) Tel que modifié par l'article G, point 58), du TUE.

BCE, se prévaloir des moyens prévus à l'article 173, deuxième alinéa, pour invoquer devant la Cour de justice l'inapplicabilité de ce règlement.

Article 185

Les recours formés devant la Cour de justice n'ont pas d'effet suspensif. Toutefois, la Cour de justice peut, si elle estime que les circonstances l'exigent, ordonner le sursis à l'exécution de l'acte attaqué.

Article 186

Dans les affaires dont elle est saisie, la Cour de justice peut prescrire les mesures provisoires nécessaires.

Article 187

Les arrêts de la Cour de justice ont force exécutoire dans les conditions fixées à l'article 192.

Article 188

Le statut de la Cour de justice est fixé par un protocole séparé.

Le Conseil, statuant à l'unanimité sur demande de la Cour de justice et après consultation de la Commission et du Parlement européen, peut modifier les dispositions du titre III du statut.

La Cour de justice établit son règlement de procédure. Ce règlement est soumis à l'approbation unanime du Conseil.

Section 5 (*)

La Cour des comptes

Article 188 A

La Cour des comptes assure le contrôle des comptes.

Article 188 B

1. La Cour des comptes est composée de douze membres.

2. Les membres de la Cour des comptes sont choisis parmi des personnalités appartenant ou ayant appartenu dans leur pays respectif aux institutions de contrôle externe ou possédant une qualification particulière pour cette fonction. Ils doivent offrir toutes garanties d'indépendance.

3. Les membres de la Cour des comptes sont nommés pour six ans par le Conseil, statuant à l'unanimité après consultation du Parlement européen.

Toutefois, lors des premières nominations, quatre membres de la Cour des comptes, désignés par voie de tirage au sort, reçoivent un mandat limité à quatre ans.

Les membres de la Cour des comptes peuvent être nommés de nouveau.

(*) Section 5 (articles 188 A à 188 C, anciennement articles 206 et 206 bis) telle qu'insérée par l'article G, point 59), du TUE.

Ils désignent parmi eux, pour trois ans, le président de la Cour des comptes. Le mandat de celui-ci est renouvelable.

4. Les membres de la Cour des comptes exercent leurs fonctions en pleine indépendance, dans l'intérêt général de la Communauté.

Dans l'accomplissement de leurs devoirs, ils ne sollicitent ni n'acceptent d'instructions d'aucun gouvernement ni d'aucun organisme. Ils s'abstiennent de tout acte incompatible avec le caractère de leurs fonctions.

5. Les membres de la Cour des comptes ne peuvent, pendant la durée de leurs fonctions, exercer aucune activité professionnelle, rémunérée ou non. Ils prennent, lors de leur installation, l'engagement solennel de respecter, pendant la durée de leurs fonctions et après la cessation de celles-ci, les obligations découlant de leur charge, notamment les devoirs d'honnêteté et de délicatesse quant à l'acceptation, après cette cessation, de certaines fonctions ou de certains avantages.

6. En dehors des renouvellements réguliers et des décès, les fonctions de membre de la Cour des comptes prennent fin individuellement par démission volontaire ou par démission d'office déclarée par la Cour de justice conformément aux dispositions du paragraphe 7.

L'intéressé est remplacé pour la durée du mandat restant à courir.

Sauf en cas de démission d'office, les membres de la Cour des comptes restent en fonctions jusqu'à ce qu'il soit pourvu à leur remplacement.

7. Les membres de la Cour des comptes ne peuvent être relevés de leurs fonctions ni déclarés déchus de leur droit à pension ou d'autres avantages en tenant lieu que si la Cour de justice constate,

à la demande de la Cour des comptes, qu'ils ont cessé de répondre aux conditions requises ou de satisfaire aux obligations découlant de leur charge.

8. Le Conseil, statuant à la majorité qualifiée, fixe les conditions d'emploi, et notamment les traitements, indemnités et pensions, du président et des membres de la Cour des comptes. Il fixe également, statuant à la même majorité, toutes indemnités tenant lieu de rémunération.

9. Les dispositions du protocole sur les privilèges et immunités des Communautés européennes qui sont applicables aux juges de la Cour de justice sont également applicables aux membres de la Cour des comptes.

Article 188 C

1. La Cour des comptes examine les comptes de la totalité des recettes et dépenses de la Communauté. Elle examine également les comptes de la totalité des recettes et dépenses de tout organisme créé par la Communauté dans la mesure où l'acte de fondation n'exclut pas cet examen.

La Cour des comptes fournit au Parlement européen et au Conseil une déclaration d'assurance concernant la fiabilité des comptes ainsi que la légalité et la régularité des opérations sous-jacentes.

2. La Cour des comptes examine la légalité et la régularité des recettes et dépenses et s'assure de la bonne gestion financière.

Le contrôle des recettes s'effectue sur la base des constatations comme des versements des recettes à la Communauté.

Le contrôle des dépenses s'effectue sur la base des engagements comme des paiements.

Ces contrôles peuvent être effectués avant la clôture des comptes de l'exercice budgétaire considéré.

3. Le contrôle a lieu sur pièces et, au besoin, sur place auprès des autres institutions de la Communauté et dans les États membres. Le contrôle dans les États membres s'effectue en liaison avec les institutions de contrôle nationales ou, si celles-ci ne disposent pas des compétences nécessaires, avec les services nationaux compétents. Ces institutions ou services font connaître à la Cour des comptes s'ils entendent participer au contrôle.

Tout document ou toute information nécessaires à l'accomplissement de la mission de la Cour des comptes sont communiqués à celle-ci, sur sa demande, par les autres institutions de la Communauté et par les institutions de contrôle nationales ou, si celles-ci ne disposent pas des compétences nécessaires, par les services nationaux compétents.

4. La Cour des comptes établit un rapport annuel après la clôture de chaque exercice. Ce rapport est transmis aux autres institutions de la Communauté et publié au *Journal officiel des Communautés européennes,* accompagné des réponses desdites institutions aux observations de la Cour des comptes.

La Cour des comptes peut, en outre, présenter à tout moment ses observations, notamment sous forme de rapports spéciaux, sur des questions particulières et rendre des avis à la demande d'une des autres institutions de la Communauté.

Elle adopte ses rapports annuels, rapports spéciaux ou avis à la majorité des membres qui la composent.

Elle assiste le Parlement européen et le Conseil dans l'exercice de leur fonction de contrôle de l'exécution du budget.

CHAPITRE 2

DISPOSITIONS COMMUNES À PLUSIEURS INSTITUTIONS

Article 189 (*)

Pour l'accomplissement de leur mission et dans les conditions prévues au présent traité, le Parlement européen conjointement avec le Conseil, le Conseil et la Commission arrêtent des règlements et des directives, prennent des décisions et formulent des recommandations ou des avis.

Le règlement a une portée générale. Il est obligatoire dans tous ses éléments et il est directement applicable dans tout État membre.

La directive lie tout État membre destinataire quant au résultat à atteindre, tout en laissant aux instances nationales la compétence quant à la forme et aux moyens.

La décision est obligatoire dans tous ses éléments pour les destinataires qu'elle désigne.

Les recommandations et les avis ne lient pas.

(*) Tel que modifié par l'article G, point 60), du TUE.

Article 189 A (*)

1. Lorsque, en vertu du présent traité, un acte du Conseil est pris sur proposition de la Commission, le Conseil ne peut prendre un acte constituant amendement de la proposition que statuant à l'unanimité, sous réserve de l'article 189 B, paragraphes 4 et 5.

2. Tant que le Conseil n'a pas statué, la Commission peut modifier sa proposition tout au long des procédures conduisant à l'adoption d'un acte communautaire.

Article 189 B (*)

1. Lorsque, dans le présent traité, il est fait référence au présent article pour l'adoption d'un acte, la procédure suivante est applicable.

2. La Commission présente une proposition au Parlement européen et au Conseil.

Le Conseil, statuant à la majorité qualifiée, après avis du Parlement européen, arrête une position commune. Cette position commune est transmise au Parlement européen. Le Conseil informe pleinement le Parlement européen des raisons qui l'ont conduit à adopter sa position commune. La Commission informe pleinement le Parlement européen de sa position.

Si, dans un délai de trois mois après cette transmission, le Parlement européen:

a) approuve la position commune, le Conseil arrête définitivement l'acte concerné conformément à cette position commune;

(*) Tel qu'inséré par l'article G, point 61), du TUE.

b) ne s'est pas prononcé, le Conseil arrête l'acte concerné conformément à sa position commune;

c) indique, à la majorité absolue des membres qui le composent, qu'il a l'intention de rejeter la position commune, il informe immédiatement le Conseil de son intention. Le Conseil peut convoquer le comité de conciliation visé au paragraphe 4 pour apporter des précisions sur sa position. Ensuite, le Parlement européen confirme, à la majorité absolue des membres qui le composent, le rejet de la position commune, auquel cas la proposition d'acte est réputée non adoptée, ou propose des amendements conformément au point d) du présent paragraphe;

d) propose à la majorité absolue des membres qui le composent des amendements à la position commune, le texte ainsi amendé est transmis au Conseil et à la Commission, qui émet un avis sur ces amendements.

3. Si, dans un délai de trois mois après réception des amendements du Parlement européen, le Conseil, statuant à la majorité qualifiée, approuve tous ces amendements, il modifie en conséquence sa position commune et arrête l'acte concerné; toutefois, le Conseil statue à l'unanimité sur les amendements ayant fait l'objet d'un avis négatif de la Commission. Si le Conseil n'arrête pas l'acte en question, le président du Conseil, en accord avec le président du Parlement européen, convoque sans délai le comité de conciliation.

4. Le comité de conciliation, qui réunit les membres du Conseil ou leurs représentants et autant de représentants du Parlement européen, a pour mission d'aboutir à un accord sur un projet commun à la majorité qualifiée des membres du Conseil ou de leurs représentants et à la majorité des représentants du Parlement

européen. La Commission participe aux travaux du comité de conciliation et prend toutes les initiatives nécessaires en vue de promouvoir un rapprochement des positions du Parlement européen et du Conseil.

5. Si, dans un délai de six semaines après sa convocation, le comité de conciliation approuve un projet commun, le Parlement européen et le Conseil disposent d'un délai de six semaines à compter de cette approbation pour arrêter l'acte concerné conformément au projet commun, à la majorité absolue des suffrages exprimés lorsqu'il s'agit du Parlement européen et à la majorité qualifiée lorsqu'il s'agit du Conseil. En l'absence d'approbation par l'une des deux institutions, la proposition d'acte est réputée non adoptée.

6. Lorsque le comité de conciliation n'approuve pas de projet commun, la proposition d'acte est réputée non adoptée, sauf si le Conseil, statuant à la majorité qualifiée dans un délai de six semaines à partir de l'expiration du délai imparti au comité de conciliation, confirme la position commune sur laquelle il avait marqué son accord avant l'ouverture de la procédure de conciliation, éventuellement assortie d'amendements proposés par le Parlement européen. Dans ce cas, l'acte concerné est arrêté définitivement, à moins que le Parlement européen, dans un délai de six semaines à compter de la date de la confirmation par le Conseil, ne rejette le texte à la majorité absolue de ses membres, auquel cas la proposition d'acte est réputée non adoptée.

7. Les délais de trois mois et de six semaines visés au présent article peuvent être prolongés respectivement d'un mois ou de deux semaines au maximum, d'un commun accord entre le Parlement européen et le Conseil. Le délai de trois mois visé au paragraphe 2 est automatiquement prolongé de deux mois dans les cas où le point c) dudit paragraphe est applicable.

8. Le champ d'application de la procédure visée au présent article peut être élargi, conformément à la procédure prévue à l'article N, paragraphe 2, du traité sur l'Union européenne, sur la base d'un rapport que la Commission soumettra au Conseil au plus tard en 1996.

Article 189 C(*)

Lorsque, dans le présent traité, il est fait référence au présent article pour l'adoption d'un acte, la procédure suivante est applicable:

a) le Conseil, statuant à la majorité qualifiée sur proposition de la Commission et après avis du Parlement européen, arrête une position commune;

b) la position commune du Conseil est transmise au Parlement européen. Le Conseil et la Commission informent pleinement le Parlement européen des raisons qui ont conduit le Conseil à adopter sa position commune ainsi que de la position de la Commission.

   Si, dans un délai de trois mois après cette communication, le Parlement européen approuve cette position commune ou s'il ne s'est pas prononcé dans ce délai, le Conseil arrête définitivement l'acte concerné conformément à la position commune;

c) le Parlement européen, dans le délai de trois mois visé au point b), peut, à la majorité absolue des membres qui le composent, proposer des amendements à la position commune du Conseil. Il peut également, à la même majorité, rejeter la position commune du Conseil. Le résultat des délibérations est transmis au Conseil et à la Commission.

(*) Tel qu'inséré par l'article G, point 61), du TUE.

Si le Parlement européen a rejeté la position commune du Conseil, celui-ci ne peut statuer en deuxième lecture qu'à l'unanimité;

d) la Commission réexamine, dans un délai d'un mois, la proposition sur la base de laquelle le Conseil a arrêté sa position commune à partir des amendements proposés par le Parlement européen.

La Commission transmet au Conseil, en même temps que sa proposition réexaminée, les amendements du Parlement européen qu'elle n'a pas repris, en exprimant son avis à leur sujet. Le Conseil peut adopter ces amendements à l'unanimité;

e) le Conseil, statuant à la majorité qualifiée, adopte la proposition réexaminée par la Commission.

Le Conseil ne peut modifier la proposition réexaminée de la Commission qu'à l'unanimité;

f) dans les cas visés aux points c), d) et e), le Conseil est tenu de statuer dans un délai de trois mois. À défaut d'une décision dans ce délai, la proposition de la Commission est réputée non adoptée;

g) les délais visés aux points b) et f) peuvent être prolongés d'un commun accord entre le Conseil et le Parlement européen d'un mois au maximum.

Article 190 (*)

Les règlements, les directives et les décisions adoptés conjointement par le Parlement européen et le Conseil ainsi que lesdits actes

(*) Tel que modifié par l'article G, point 62), du TUE.

adoptés par le Conseil ou la Commission sont motivés et visent les propositions ou avis obligatoirement recueillis en exécution du présent traité.

Article 191 (*)

1. Les règlements, les directives et les décisions adoptés conformément à la procédure visée à l'article 189 B sont signés par le président du Parlement européen et par le président du Conseil, et publiés dans le Journal officiel de la Communauté. Ils entrent en vigueur à la date qu'ils fixent ou, à défaut, le vingtième jour suivant leur publication.

2. Les règlements du Conseil et de la Commission, ainsi que les directives de ces institutions qui sont adressées à tous les États membres, sont publiés dans le Journal officiel de la Communauté. Ils entrent en vigueur à la date qu'ils fixent ou, à défaut, le vingtième jour suivant leur publication.

3. Les autres directives, ainsi que les décisions, sont notifiées à leurs destinataires et prennent effet par cette notification.

Article 192

Les décisions du Conseil ou de la Commission qui comportent, à la charge des personnes autres que les États, une obligation pécuniaire forment titre exécutoire.

L'exécution forcée est régie par les règles de la procédure civile en vigueur dans l'État sur le territoire duquel elle a lieu. La formule

(*) Tel que modifié par l'article G, point 63), du TUE.

exécutoire est apposée, sans autre contrôle que celui de la vérification de l'authenticité du titre, par l'autorité nationale que le gouvernement de chacun des États membres désignera à cet effet et dont il donnera connaissance à la Commission et à la Cour de justice.

Après l'accomplissement de ces formalités à la demande de l'intéressé, celui-ci peut poursuivre l'exécution forcée en saisissant directement l'organe compétent, suivant la législation nationale.

L'exécution forcée ne peut être suspendue qu'en vertu d'une décision de la Cour de justice. Toutefois, le contrôle de la régularité des mesures d'exécution relève de la compétence des juridictions nationales.

CHAPITRE 3

LE COMITÉ ÉCONOMIQUE ET SOCIAL

Article 193

Il est institué un Comité économique et social, à caractère consultatif.

Le Comité est composé de représentants des différentes catégories de la vie économique et sociale, notamment des producteurs, des agriculteurs, des transporteurs, des travailleurs, des négociants et artisans, des professions libérales et de l'intérêt général.

Article 194 (*)

Le nombre des membres du Comité économique et social est fixé ainsi qu'il suit:

Belgique	12
Danemark	9
Allemagne	24
Grèce	12
Espagne	21
France	24
Irlande	9
Italie	24
Luxembourg	6
Pays-Bas	12
Portugal	12
Royaume-Uni	24 (**)

Les membres du Comité sont nommés, pour quatre ans, par le Conseil statuant à l'unanimité. Leur mandat est renouvelable.

Les membres du Comité ne doivent être liés par aucun mandat impératif. Ils exercent leurs fonctions en pleine indépendance, dans l'intérêt général de la Communauté.

Le Conseil, statuant à la majorité qualifiée, fixe les indemnités des membres du Comité.

(*) Tel que modifié par l'article G, point 64), du TUE.

(**) Premier alinéa tel que modifié par l'article 21 de l'AA ESP/PORT.

Article 195

1. En vue de la nomination des membres du Comité, chaque État membre adresse au Conseil une liste comprenant un nombre de candidats double de celui des sièges attribués à ses ressortissants.

La composition du Comité doit tenir compte de la nécessité d'assurer une représentation adéquate aux différentes catégories de la vie économique et sociale.

2. Le Conseil consulte la Commission. Il peut recueillir l'opinion des organisations européennes représentatives des différents secteurs économiques et sociaux intéressés à l'activité de la Communauté.

Article 196 (*)

Le Comité désigne parmi ses membres son président et son bureau pour une durée de deux ans.

Il établit son règlement intérieur.

Le Comité est convoqué par son président à la demande du Conseil ou de la Commission. Il peut également se réunir de sa propre initiative.

Article 197

Le Comité comprend des sections spécialisées pour les principaux domaines couverts par le présent traité.

(*) Tel que modifié par l'article G, point 65), du TUE.

Il comporte notamment une section de l'agriculture et une section des transports, qui font l'objet des dispositions particulières prévues aux titres relatifs à l'agriculture et aux transports.

Le fonctionnement des sections spécialisées s'exerce dans le cadre des compétences générales du Comité. Les sections spécialisées ne peuvent être consultées indépendamment du Comité.

Il peut être institué, d'autre part, au sein du Comité des sous-comités appelés à élaborer, sur des questions ou dans des domaines déterminés, des projets d'avis à soumettre aux délibérations du Comité.

Le règlement intérieur fixe les modalités de composition et les règles de compétence concernant les sections spécialisées et les sous-comités.

Article 198 (*)

Le Comité est obligatoirement consulté par le Conseil ou par la Commission dans les cas prévus au présent traité. Il peut être consulté par ces institutions dans tous les cas où elles le jugent opportun. Il peut prendre l'initiative d'émettre un avis dans les cas où il le juge opportun.

S'il l'estime nécessaire, le Conseil ou la Commission impartit au Comité, pour présenter son avis, un délai qui ne peut être inférieur à un mois à compter de la communication qui est adressée à cet effet au président. À l'expiration du délai imparti, il peut être passé outre à l'absence d'avis.

(*) Tel que modifié par l'article G, point 66), du TUE.

L'avis du Comité et l'avis de la section spécialisée, ainsi qu'un compte rendu des délibérations, sont transmis au Conseil et à la Commission.

CHAPITRE 4 (*)

LE COMITÉ DES RÉGIONS

Article 198 A

Il est institué un comité à caractère consultatif composé de représentants des collectivités régionales et locales, ci-après dénommé «Comité des régions».

Le nombre des membres du Comité des régions est fixé ainsi qu'il suit:

Belgique	12
Danemark	9
Allemagne	24
Grèce	12
Espagne	21
France	24
Irlande	9
Italie	24
Luxembourg	6
Pays-Bas	12
Portugal	12
Royaume-Uni	24

(*) Chapitre 4 (articles 198 A à 198 C) tel qu'inséré par l'article G, point 67), du TUE.

Les membres du Comité ainsi qu'un nombre égal de suppléants sont nommés, sur proposition des États membres respectifs, pour quatre ans par le Conseil statuant à l'unanimité. Leur mandat est renouvelable.

Les membres du Comité ne doivent être liés par aucun mandat impératif. Ils exercent leurs fonctions en pleine indépendance, dans l'intérêt général de la Communauté.

Article 198 B

Le Comité des régions désigne parmi ses membres son président et son bureau pour une durée de deux ans.

Il établit son règlement intérieur et le soumet à l'approbation du Conseil statuant à l'unanimité.

Le Comité est convoqué par son président à la demande du Conseil ou de la Commission. Il peut également se réunir de sa propre initiative.

Article 198 C

Le Comité des régions est consulté par le Conseil ou par la Commission dans les cas prévus au présent traité et dans tous les autres cas où l'une de ces deux institutions le juge opportun.

S'il l'estime nécessaire, le Conseil ou la Commission impartit au Comité, pour présenter son avis, un délai qui ne peut être inférieur à un mois à compter de la communication qui est adressée à cet effet au président. À l'expiration du délai imparti, il peut être passé outre à l'absence d'avis.

Lorsque le Comité économique et social est consulté en application de l'article 198, le Comité des régions est informé par le Conseil ou la Commission de cette demande d'avis. Le Comité des régions peut, lorsqu'il estime que des intérêts régionaux spécifiques sont en jeu, émettre un avis à ce sujet.

Il peut émettre un avis de sa propre initiative dans les cas où il le juge utile.

L'avis du Comité ainsi qu'un compte rendu des délibérations sont transmis au Conseil et à la Commission.

CHAPITRE 5 (*)

LA BANQUE EUROPÉENNE D'INVESTISSEMENT

Article 198 D

La Banque européenne d'investissement est dotée de la personnalité juridique.

Les membres de la Banque européenne d'investissement sont les États membres.

(*) Chapitre 5 (articles 198 D et 198 E, anciennement articles 129 et 130) tel qu'inséré par l'article G, point 68), du TUE.

Les statuts de la Banque européenne d'investissement font l'objet d'un protocole annexé au présent traité.

Article 198 E

La Banque européenne d'investissement a pour mission de contribuer, en faisant appel aux marchés des capitaux et à ses ressources propres, au développement équilibré et sans heurt du marché commun dans l'intérêt de la Communauté. À cette fin, elle facilite, par l'octroi de prêts et de garanties, sans poursuivre de but lucratif, le financement des projets ci-après, dans tous les secteurs de l'économie:

a) projets envisageant la mise en valeur des régions moins développées;

b) projets visant la modernisation ou la conversion d'entreprises ou la création d'activités nouvelles appelées par l'établissement progressif du marché commun, qui, par leur ampleur ou par leur nature, ne peuvent être entièrement couverts par les divers moyens de financement existant dans chacun des États membres;

c) projets d'intérêt commun pour plusieurs États membres, qui, par leur ampleur ou par leur nature, ne peuvent être entièrement couverts par les divers moyens de financement existant dans chacun des États membres.

Dans l'accomplissement de sa mission, la Banque facilite le financement de programmes d'investissement en liaison avec les interventions des fonds structurels et des autres instruments financiers de la Communauté.

Les statuts de la Banque européenne d'investissement font l'objet d'un protocole annexé au présent traité.

Article 198 E

La Banque européenne d'investissement a pour mission de contribuer, en faisant appel aux marchés des capitaux et à ses ressources propres, au développement équilibré et sans heurt du marché commun dans l'intérêt de la Communauté. A cette fin, elle facilite, par l'octroi de prêts et de garanties, sans poursuivre de but lucratif, le financement des projets ci-après, dans tous les secteurs de l'économie:

a) projets envisageant la mise en valeur des régions moins développées;

b) projets visant la modernisation ou la conversion d'entreprises ou la création d'activités nouvelles appelées par l'établissement progressif du marché commun, qui, par leur ampleur ou par leur nature, ne peuvent être entièrement couverts par les divers moyens de financement existant dans chacun des États membres;

c) projets d'intérêt commun pour plusieurs États membres, qui, par leur ampleur ou par leur nature, ne peuvent être entièrement couverts par les divers moyens de financement existant dans chacun des États membres.

Dans l'accomplissement de sa mission, la Banque facilite le financement de programmes d'investissement en liaison avec les interventions des fonds structurels et des autres instruments financiers de la Communauté.

TITRE II

Dispositions financières

Article 199 (*)

Toutes les recettes et les dépenses de la Communauté, y compris celles qui se rapportent au Fonds social européen, doivent faire l'objet de prévisions pour chaque exercice budgétaire et être inscrites au budget.

Les dépenses administratives entraînées pour les institutions par les dispositions du traité sur l'Union européenne relatives à la politique étrangère et de sécurité commune et à la coopération dans les domaines de la justice et des affaires intérieures sont à la charge du budget. Les dépenses opérationnelles entraînées par la mise en œuvre desdites dispositions peuvent, selon les conditions visées par celles-ci, être mises à la charge du budget.

Le budget doit être équilibré en recettes et en dépenses.

Article 200

(Abrogé)

Article 201 (**)

Le budget est, sans préjudice des autres recettes, intégralement financé par des ressources propres.

Le Conseil, statuant à l'unanimité sur proposition de la Commission et après consultation du Parlement européen, arrête les dispo-

---

(*) Tel que modifié par l'article G, point 69), du TUE.

(**) Tel que modifié par l'article G, point 71), du TUE.

sitions relatives au système des ressources propres de la Communauté dont il recommande l'adoption par les États membres, conformément à leurs règles constitutionnelles respectives.

Article 201 A (*)

En vue d'assurer la discipline budgétaire, la Commission ne fait pas de proposition d'acte communautaire, ne modifie pas ses propositions et n'adopte pas de mesures d'exécution susceptibles d'avoir des incidences notables sur le budget sans donner l'assurance que cette proposition ou cette mesure peut être financée dans la limite des ressources propres de la Communauté découlant des dispositions fixées par le Conseil en vertu de l'article 201.

Article 202

Les dépenses inscrites au budget sont autorisées pour la durée d'un exercice budgétaire, sauf dispositions contraires du règlement pris en exécution de l'article 209.

Dans les conditions qui seront déterminées en application de l'article 209, les crédits, autres que ceux relatifs aux dépenses de personnel, qui seront inutilisés à la fin de l'exercice budgétaire pourront faire l'objet d'un report qui sera limité au seul exercice suivant.

Les crédits sont spécialisés par chapitres groupant les dépenses selon leur nature ou leur destination, et subdivisés, pour autant que de besoin, conformément au règlement pris en exécution de l'article 209.

(*) Tel qu'inséré par l'article G, point 72), du TUE.

Les dépenses du Parlement européen, du Conseil, de la Commission et de la Cour de justice font l'objet de parties séparées du budget sans préjudice d'un régime spécial pour certaines dépenses communes.

Article 203 (*)

1. L'exercice budgétaire commence le 1er janvier et s'achève le 31 décembre.

2. Chacune des institutions de la Communauté dresse, avant le 1er juillet, un état prévisionnel de ses dépenses. La Commission groupe ces états dans un avant-projet de budget. Elle y joint un avis qui peut comporter des prévisions divergentes.

Cet avant-projet comprend une prévision des recettes et une prévision des dépenses.

3. Le Conseil doit être saisi par la Commission de l'avant-projet de budget au plus tard le 1er septembre de l'année qui précède celle de l'exécution du budget.

Il consulte la Commission et, le cas échéant, les autres institutions intéressées toutes les fois qu'il entend s'écarter de cet avant-projet.

Statuant à la majorité qualifiée, il établit le projet de budget et le transmet au Parlement européen.

4. Le Parlement européen doit être saisi du projet de budget au plus tard le 5 octobre de l'année qui précède celle de l'exécution du budget.

(*) Tel que modifié par l'article 12 du traité modifiant certaines dispositions financières.

Il a le droit d'amender, à la majorité des membres qui le composent, le projet de budget et de proposer au Conseil, à la majorité absolue des suffrages exprimés, des modifications au projet en ce qui concerne les dépenses découlant obligatoirement du traité ou des actes arrêtés en vertu de celui-ci.

Si, dans un délai de quarante-cinq jours après communication du projet de budget, le Parlement européen a donné son approbation, le budget est définitivement arrêté. Si, dans ce délai, le Parlement européen n'a pas amendé le projet de budget ni proposé de modification à celui-ci, le budget est réputé définitivement arrêté.

Si, dans ce délai, le Parlement européen a adopté des amendements ou proposé des modifications, le projet de budget ainsi amendé ou assorti de propositions de modification est transmis au Conseil.

5. Après avoir délibéré du projet de budget avec la Commission et, le cas échéant, avec les autres institutions intéressées, le Conseil statue dans les conditions suivantes:

a) le Conseil peut, statuant à la majorité qualifiée, modifier chacun des amendements adoptés par le Parlement européen;

b) en ce qui concerne les propositions de modification:

— si une modification proposée par le Parlement européen n'a pas pour effet d'augmenter le montant global des dépenses d'une institution, notamment du fait que l'augmentation des dépenses qu'elle entraînerait serait expressément compensée par une ou plusieurs modifications proposées comportant une diminution correspondante des dépenses, le Conseil peut, statuant à la majorité qualifiée, rejeter cette proposition de modification. À défaut d'une décision de rejet, la proposition de modification est acceptée;

— si une modification proposée par le Parlement européen a pour effet d'augmenter le montant global des dépenses d'une institution, le Conseil peut, statuant à la majorité qualifiée, accepter cette proposition de modification. À défaut d'une décision d'acceptation, la proposition de modification est rejetée;

— si, en application des dispositions de l'un des deux alinéas précédents, le Conseil a rejeté une proposition de modification, il peut, statuant à la majorité qualifiée, soit maintenir le montant figurant dans le projet de budget, soit fixer un autre montant.

Le projet de budget est modifié en fonction des propositions de modification acceptées par le Conseil.

Si, dans un délai de quinze jours après communication du projet de budget, le Conseil n'a modifié aucun des amendements adoptés par le Parlement européen et si les propositions de modification présentées par celui-ci ont été acceptées, le budget est réputé définitivement arrêté. Le Conseil informe le Parlement européen du fait qu'il n'a modifié aucun des amendements et que les propositions de modification ont été acceptées.

Si, dans ce délai, le Conseil a modifié un ou plusieurs des amendements adoptés par le Parlement européen ou si les propositions de modification présentées par celui-ci ont été rejetées ou modifiées, le projet de budget modifié est transmis de nouveau au Parlement européen. Le Conseil expose à celui-ci le résultat de ses délibérations.

6. Dans un délai de quinze jours après communication du projet de budget, le Parlement européen, informé de la suite donnée à ses propositions de modification, peut, statuant à la majorité des membres qui le composent et des trois cinquièmes des suffrages exprimés, amender ou rejeter les modifications apportées par le

Conseil à ses amendements et arrête en conséquence le budget. Si, dans ce délai, le Parlement européen n'a pas statué, le budget est réputé définitivement arrêté.

7. Lorsque la procédure prévue au présent article est achevée, le président du Parlement européen constate que le budget est définitivement arrêté.

8. Toutefois, le Parlement européen, statuant à la majorité des membres qui le composent et des deux tiers des suffrages exprimés, peut, pour des motifs importants, rejeter le projet de budget et demander qu'un nouveau projet lui soit soumis.

9. Pour l'ensemble des dépenses autres que celles découlant obligatoirement du traité ou des actes arrêtés en vertu de celui-ci, un taux maximal d'augmentation par rapport aux dépenses de même nature de l'exercice en cours est fixé chaque année.

La Commission, après avoir consulté le comité de politique économique, constate ce taux maximal, qui résulte:

— de l'évolution du produit national brut en volume dans la Communauté,

— de la variation moyenne des budgets des États membres

et

— de l'évolution du coût de la vie au cours du dernier exercice.

Le taux maximal est communiqué, avant le 1er mai, à toutes les institutions de la Communauté. Celles-ci sont tenues de le respecter au cours de la procédure budgétaire, sous réserve des dispositions des quatrième et cinquième alinéas du présent paragraphe.

Si, pour les dépenses autres que celles découlant obligatoirement du traité ou des actes arrêtés en vertu de celui-ci, le taux d'augmentation qui résulte du projet de budget établi par le Conseil est supérieur à la moitié du taux maximal, le Parlement européen, dans l'exercice de son droit d'amendement, peut encore augmenter le montant total desdites dépenses dans la limite de la moitié du taux maximal.

Lorsque le Parlement européen, le Conseil ou la Commission estime que les activités des Communautés exigent un dépassement du taux établi selon la procédure définie au présent paragraphe, un nouveau taux peut être fixé par accord entre le Conseil, statuant à la majorité qualifiée, et le Parlement européen, statuant à la majorité des membres qui le composent et des trois cinquièmes des suffrages exprimés.

10. Chaque institution exerce les pouvoirs qui lui sont dévolus par le présent article dans le respect des dispositions du traité et des actes arrêtés en vertu de celui-ci, notamment en matière de ressources propres aux Communautés et d'équilibre des recettes et des dépenses.

Article 204 (*)

Si, au début d'un exercice budgétaire, le budget n'a pas encore été voté, les dépenses peuvent être effectuées mensuellement par chapitre ou par autre division, d'après les dispositions du règlement pris en exécution de l'article 209, dans la limite du douzième des crédits ouverts au budget de l'exercice précédent, sans que cette mesure puisse avoir pour effet de mettre à la disposition de la Commission des crédits supérieurs au douzième de ceux prévus dans le projet de budget en préparation.

(*) Tel que modifié par l'article 13 du traité modifiant certaines dispositions financières.

Le Conseil, statuant à la majorité qualifiée, peut, sous réserve que les autres conditions fixées au premier alinéa soient respectées, autoriser des dépenses excédant le douzième.

Si cette décision concerne des dépenses autres que celles découlant obligatoirement du traité ou des actes arrêtés en vertu de celui-ci, le Conseil la transmet immédiatement au Parlement européen; dans un délai de trente jours, le Parlement européen, statuant à la majorité des membres qui le composent et des trois cinquièmes des suffrages exprimés, peut prendre une décision différente sur ces dépenses en ce qui concerne la partie excédant le douzième visé au premier alinéa. Cette partie de la décision du Conseil est suspendue jusqu'à ce que le Parlement européen ait pris sa décision. Si, dans le délai précité, le Parlement européen n'a pas pris une décision différente de la décision du Conseil, cette dernière est réputée définitivement arrêtée.

Les décisions visées aux deuxième et troisième alinéas prévoient les mesures nécessaires en matière de ressources pour l'application du présent article.

Article 205 (*)

La Commission exécute le budget, conformément aux dispositions du règlement pris en exécution de l'article 209, sous sa propre responsabilité et dans la limite des crédits alloués, conformément au principe de bonne gestion financière.

Le règlement prévoit les modalités particulières selon lesquelles chaque institution participe à l'exécution de ses dépenses propres.

(*) Tel que modifié par l'article G, point 73), du TUE.

À l'intérieur du budget, la Commission peut procéder, dans les limites et conditions fixées par le règlement pris en exécution de l'article 209, à des virements de crédits, soit de chapitre à chapitre, soit de subdivision à subdivision.

Article 205 bis (*)

La Commission soumet chaque année au Conseil et au Parlement européen les comptes de l'exercice écoulé afférents aux opérations du budget. En outre, elle leur communique un bilan financier décrivant l'actif et le passif de la Communauté.

Article 206 (**)

1. Le Parlement européen, sur recommandation du Conseil, qui statue à la majorité qualifiée, donne décharge à la Commission sur l'exécution du budget. À cet effet, il examine, à la suite du Conseil, les comptes et le bilan financier mentionnés à l'article 205 bis, le rapport annuel de la Cour des comptes, accompagné des réponses des institutions contrôlées aux observations de la Cour des comptes, ainsi que les rapports spéciaux pertinents de celle-ci.

2. Avant de donner décharge à la Commission, ou à toute autre fin se situant dans le cadre de l'exercice des attributions de celle-ci en matière d'exécution du budget, le Parlement européen peut demander à entendre la Commission sur l'exécution des dépenses ou le fonctionnement des systèmes de contrôle financier. La Commission soumet au Parlement européen, à la demande de ce dernier, toute information nécessaire.

(*) Article ajouté par l'article 14 du traité modifiant certaines dispositions financières.

(**) Ancien article 206 ter tel que modifié par l'article G, point 74), du TUE.

3. La Commission met tout en œuvre pour donner suite aux observations accompagnant les décisions de décharge et aux autres observations du Parlement européen concernant l'exécution des dépenses ainsi qu'aux commentaires accompagnant les recommandations de décharge adoptées par le Conseil.

À la demande du Parlement européen ou du Conseil, la Commission fait rapport sur les mesures prises à la lumière de ces observations et commentaires et notamment sur les instructions données aux services chargés de l'exécution du budget. Ces rapports sont également transmis à la Cour des comptes.

Article 206 bis

(Abrogé)

Article 207

Le budget est établi dans l'unité de compte fixée conformément aux dispositions du règlement pris en exécution de l'article 209.

Les contributions financières prévues à l'article 200, paragraphe 1, sont mises à la disposition de la Communauté par les États membres dans leur monnaie nationale.

Les soldes disponibles de ces contributions sont déposés auprès des Trésors des États membres ou des organismes désignés par eux. Pendant la durée de ce dépôt, les fonds déposés conservent la valeur correspondant à la parité, en vigueur au jour du dépôt, par rapport à l'unité de compte visée au premier alinéa.

Ces disponibilités peuvent être placées dans des conditions qui font l'objet d'accords entre la Commission et l'État membre intéressé.

Le règlement pris en exécution de l'article 209 détermine les conditions techniques dans lesquelles sont effectuées les opérations financières relatives au Fonds social européen.

Article 208

La Commission peut, sous réserve d'en informer les autorités compétentes des États intéressés, transférer dans la monnaie de l'un des États membres les avoirs qu'elle détient dans la monnaie d'un autre État membre, dans la mesure nécessaire à leur utilisation pour les objets auxquels ils sont destinés par le présent traité. La Commission évite, dans la mesure du possible, de procéder à de tels transferts, si elle détient des avoirs disponibles ou mobilisables dans les monnaies dont elle a besoin.

La Commission communique avec chacun des États membres par l'intermédiaire de l'autorité qu'il désigne. Dans l'exécution des opérations financières, elle a recours à la banque d'émission de l'État membre intéressé ou à une autre institution financière agréée par celui-ci.

Article 209 (*)

Le Conseil, statuant à l'unanimité sur proposition de la Commission et après consultation du Parlement européen et avis de la Cour des comptes:

a) arrête les règlements financiers spécifiant notamment les modalités relatives à l'établissement et à l'exécution du budget et à la reddition et à la vérification des comptes;

(*) Tel que modifié par l'article G, point 76), du TUE.

b) fixe les modalités et la procédure selon lesquelles les recettes budgétaires prévues dans le régime des ressources propres de la Communauté sont mises à la disposition de la Commission, et définit les mesures à appliquer pour faire face, le cas échéant, aux besoins de trésorerie;

c) détermine les règles et organise le contrôle de la responsabilité des contrôleurs financiers, ordonnateurs et comptables.

Article 209 A (*)

Les États membres prennent les mêmes mesures pour combattre la fraude portant atteinte aux intérêts financiers de la Communauté que celles qu'ils prennent pour combattre la fraude portant atteinte à leurs propres intérêts financiers.

Sans préjudice d'autres dispositions du présent traité, les États membres coordonnent leur action visant à protéger les intérêts financiers de la Communauté contre la fraude. À cette fin, ils organisent, avec l'aide de la Commission, une collaboration étroite et régulière entre les services compétents de leurs administrations.

(*) Tel qu'inséré par l'article G, point 77), du TUE.

SIXIÈME PARTIE

DISPOSITIONS GÉNÉRALES ET FINALES

Article 210

La Communauté a la personnalité juridique.

Article 211

Dans chacun des États membres, la Communauté possède la capacité juridique la plus large reconnue aux personnes morales par les législations nationales; elle peut notamment acquérir ou aliéner des biens immobiliers et mobiliers et ester en justice. À cet effet, elle est représentée par la Commission.

Article 212

(Article abrogé par l'article 24, paragraphe 2, du traité de fusion)

[*Voir article 24, paragraphe 1, du traité de fusion, qui se lit comme suit:*

1. Les fonctionnaires et autres agents de la Communauté européenne du charbon et de l'acier, de la Communauté économique européenne et de la Communauté européenne de l'énergie atomique deviennent, à la date de l'entrée en vigueur du présent traité, fonctionnaires et autres agents des Communautés européennes et font partie de l'administration unique de ces Communautés.

Le Conseil, statuant à la majorité qualifiée, arrête, sur proposition de la Commission et après consultation des autres institutions intéressées, le statut des fonctionnaires des Communautés européennes et le régime applicable aux autres agents de ces Communautés.]

Article 213

Pour l'accomplissement des tâches qui lui sont confiées, la Commission peut recueillir toutes informations et procéder à toutes vérifications nécessaires, dans les limites et conditions fixées par le Conseil en conformité avec les dispositions du présent traité.

Article 214

Les membres des institutions de la Communauté, les membres des comités ainsi que les fonctionnaires et agents de la Communauté sont tenus, même après la cessation de leurs fonctions, de ne pas divulguer les informations qui, par leur nature, sont couvertes par le secret professionnel, et notamment les renseignements relatifs aux entreprises et concernant leurs relations commerciales ou les éléments de leur prix de revient.

Article 215 (*)

La responsabilité contractuelle de la Communauté est régie par la loi applicable au contrat en cause.

En matière de responsabilité non contractuelle, la Communauté doit réparer, conformément aux principes généraux communs aux droits des États membres, les dommages causés par ses institutions ou par ses agents dans l'exercice de leurs fonctions.

Le deuxième alinéa s'applique selon les mêmes conditions aux dommages causés par la BCE ou par ses agents dans l'exercice de leurs fonctions.

(*) Tel que modifié par l'article G, point 78), du TUE.

La responsabilité personnelle des agents envers la Communauté est réglée dans les dispositions fixant leur statut ou le régime qui leur est applicable.

Article 216

Le siège des institutions de la Communauté est fixé du commun accord des gouvernements des États membres.

Article 217

Le régime linguistique des institutions de la Communauté est fixé, sans préjudice des dispositions prévues dans le règlement de la Cour de justice, par le Conseil statuant à l'unanimité.

Article 218

(Article abrogé par l'article 28, deuxième alinéa, du traité de fusion)

[*Voir article 28, premier alinéa, du traité de fusion, qui se lit comme suit:*

Les Communautés européennes jouissent sur le territoire des États membres des privilèges et immunités nécessaires à l'accomplissement de leur mission dans les conditions définies au protocole annexé au présent traité. Il en est de même de la Banque européenne d'investissement.]

Article 219

Les États membres s'engagent à ne pas soumettre un différend relatif à l'interprétation ou à l'application du présent traité à un mode de règlement autre que ceux prévus par celui-ci.

Article 220

Les États membres engageront entre eux, en tant que de besoin, des négociations en vue d'assurer, en faveur de leurs ressortissants:

— la protection des personnes, ainsi que la jouissance et la protection des droits dans les conditions accordées par chaque État à ses propres ressortissants,

— l'élimination de la double imposition à l'intérieur de la Communauté,

— la reconnaissance mutuelle des sociétés au sens de l'article 58, deuxième alinéa, le maintien de la personnalité juridique en cas de transfert du siège de pays en pays et la possibilité de fusion de sociétés relevant de législations nationales différentes,

— la simplification des formalités auxquelles sont subordonnées la reconnaissance et l'exécution réciproques des décisions judiciaires ainsi que des sentences arbitrales.

Article 221

Dans un délai de trois ans à compter de l'entrée en vigueur du présent traité, les États membres accordent le traitement national en ce qui concerne la participation financière des ressortissants des autres États membres au capital des sociétés au sens de l'article 58, sans préjudice de l'application des autres dispositions du présent traité.

Article 222

Le présent traité ne préjuge en rien le régime de la propriété dans les États membres.

Article 223

1. Les dispositions du présent traité ne font pas obstacle aux règles ci-après:

a) aucun État membre n'est tenu de fournir des renseignements dont il estimerait la divulgation contraire aux intérêts essentiels de sa sécurité,

b) tout État membre peut prendre les mesures qu'il estime nécessaires à la protection des intérêts essentiels de sa sécurité et qui se rapportent à la production ou au commerce d'armes, de munitions et de matériel de guerre; ces mesures ne doivent pas altérer les conditions de la concurrence dans le marché commun en ce qui concerne les produits non destinés à des fins spécifiquement militaires.

2. Au cours de la première année suivant l'entrée en vigueur du présent traité, le Conseil statuant à l'unanimité fixe la liste des produits auxquels les dispositions du paragraphe 1, point b), s'appliquent.

3. Le Conseil, statuant à l'unanimité sur proposition de la Commission, peut apporter des modifications à cette liste.

Article 224

Les États membres se consultent en vue de prendre en commun les dispositions nécessaires pour éviter que le fonctionnement du marché commun ne soit affecté par les mesures qu'un État membre peut être appelé à prendre en cas de troubles intérieurs graves affectant l'ordre public, en cas de guerre ou de tension internationale grave constituant une menace de guerre, ou pour faire face aux engagements contractés par lui en vue du maintien de la paix et de la sécurité internationale.

Article 225

Si des mesures prises dans les cas prévus aux articles 223 et 224 ont pour effet de fausser les conditions de la concurrence dans le marché commun, la Commission examine avec l'État intéressé les conditions dans lesquelles ces mesures peuvent être adaptées aux règles établies par le présent traité.

Par dérogation à la procédure prévue aux articles 169 et 170, la Commission ou tout État membre peut saisir directement la Cour de justice, s'il estime qu'un autre État membre fait un usage abusif des pouvoirs prévus aux articles 223 et 224. La Cour de justice statue à huis clos.

Article 226

1. Au cours de la période de transition, en cas de difficultés graves et susceptibles de persister dans un secteur de l'activité économique ainsi que de difficultés pouvant se traduire par l'altération grave d'une situation économique régionale, un État membre peut demander à être autorisé à adopter des mesures de sauvegarde permettant de rééquilibrer la situation et d'adapter le secteur intéressé à l'économie du marché commun.

2. Sur demande de l'État intéressé, la Commission, par une procédure d'urgence, fixe sans délai les mesures de sauvegarde qu'elle estime nécessaires, en précisant les conditions et les modalités d'application.

3. Les mesures autorisées aux termes du paragraphe 2 peuvent comporter des dérogations aux règles du présent traité, dans la mesure et pour les délais strictement nécessaires pour atteindre les buts visés au paragraphe 1. Par priorité devront être choisies les mesures qui apportent le moins de perturbations au fonctionnement du marché commun.

Article 227(*)

1. Le présent traité s'applique au royaume de Belgique, au royaume de Danemark, à la république fédérale d'Allemagne, à la République hellénique, au royaume d'Espagne, à la République française, à l'Irlande, à la République italienne, au grand-duché de Luxembourg, au royaume des Pays-Bas, à la République portugaise et au Royaume-Uni de Grande-Bretagne et d'Irlande du Nord (**).

2. En ce qui concerne les départements français d'outre-mer, les dispositions particulières et générales du présent traité relatives:

— à la libre circulation des marchandises,

— à l'agriculture, à l'exception de l'article 40, paragraphe 4,

— à la libération des services,

— aux règles de concurrence,

— aux mesures de sauvegarde prévues aux articles 109 H, 109 I et 226,

— aux institutions,

sont applicables dès l'entrée en vigueur du présent traité.

Les conditions d'application des autres dispositions du présent traité seront déterminées au plus tard deux ans après son entrée en vigueur par des décisions du Conseil statuant à l'unanimité sur proposition de la Commission.

(*) Tel que modifié par l'article G, point 79), du TUE.
(**) Paragraphe 1 tel que modifié par l'article 24 de l'AA ESP/PORT.

Les institutions de la Communauté veilleront, dans le cadre des procédures prévues par le présent traité et notamment de l'article 226, à permettre le développement économique et social de ces régions.

3. Les pays et territoires d'outre-mer dont la liste figure à l'annexe IV du présent traité font l'objet du régime spécial d'association défini dans la quatrième partie de ce traité.

Le présent traité ne s'applique pas aux pays et territoires d'outre-mer entretenant des relations particulières avec le Royaume-Uni de Grande-Bretagne et d'Irlande du Nord qui ne sont pas mentionnés dans la liste précitée (*).

4. Les dispositions du présent traité s'appliquent aux territoires européens dont un État membre assume les relations extérieures.

5. (**) Par dérogation aux paragraphes précédents:

a) le présent traité ne s'applique pas aux îles Féroé;

b) le présent traité ne s'applique pas aux zones de souveraineté du Royaume-Uni de Grande-Bretagne et d'Irlande du Nord à Chypre;

c) les dispositions du présent traité ne sont applicables aux îles Anglo-Normandes et à l'île de Man que dans la mesure néces-

---

(*) Deuxième alinéa du paragraphe 3 ajouté par l'article 26, paragraphe 2, de l'AA DK/IRL/RU.

(**) Paragraphe 5 ajouté par l'article 26, paragraphe 3, de l'AA DK/IRL/RU dans la version résultant de l'article 15, paragraphe 2, de la DA AA DK/IRL/RU.

saire pour assurer l'application du régime prévu pour ces îles par le traité relatif à l'adhésion de nouveaux États membres à la Communauté économique européenne et à la Communauté européenne de l'énergie atomique, signé le 22 janvier 1972 (*).

Article 228 (**)

1. Dans les cas où les dispositions du présent traité prévoient la conclusion d'accords entre la Communauté et un ou plusieurs États ou organisations internationales, la Commission présente des recommandations au Conseil, qui l'autorise à ouvrir les négociations nécessaires. Ces négociations sont conduites par la Commission, en consultation avec des comités spéciaux désignés par le Conseil pour l'assister dans cette tâche et dans le cadre des directives que le Conseil peut lui adresser.

Dans l'exercice des compétences qui lui sont attribuées par le présent paragraphe, le Conseil statue à la majorité qualifiée, sauf dans les cas prévus au paragraphe 2, deuxième phrase, pour lesquels il statue à l'unanimité.

2. Sous réserve des compétences reconnues à la Commission dans ce domaine, les accords sont conclus par le Conseil, statuant à la majorité qualifiée sur proposition de la Commission. Le Conseil statue à l'unanimité lorsque l'accord porte sur un domaine pour lequel l'unanimité est requise pour l'adoption de règles internes, ainsi que pour les accords visés à l'article 238.

3. Le Conseil conclut les accords après consultation du Parlement européen, sauf pour les accords visés à l'article 113, para-

(*) Voir tome II, volume II, de la présente édition.

(**) Tel que modifié par l'article G, point 80), du TUE.

graphe 3, y compris lorsque l'accord porte sur un domaine pour lequel la procédure visée à l'article 189 B ou celle visée à l'article 189 C est requise pour l'adoption de règles internes. Le Parlement européen émet son avis dans un délai que le Conseil peut fixer en fonction de l'urgence. En l'absence d'avis dans ce délai, le Conseil peut statuer.

Par dérogation aux dispositions de l'alinéa précédent, sont conclus après avis conforme du Parlement européen les accords visés à l'article 238, ainsi que les autres accords qui créent un cadre institutionnel spécifique en organisant des procédures de coopération, les accords ayant des implications budgétaires notables pour la Communauté et les accords impliquant une modification d'un acte adopté selon la procédure visée à l'article 189 B.

Le Conseil et le Parlement européen peuvent, en cas d'urgence, convenir d'un délai pour l'avis conforme.

4. Lors de la conclusion d'un accord, le Conseil peut, par dérogation aux dispositions du paragraphe 2, habiliter la Commission à approuver les modifications au nom de la Communauté lorsque l'accord prévoit que ces modifications doivent être adoptées selon une procédure simplifiée ou par une instance créée par ledit accord; le Conseil peut assortir cette habilitation de certaines conditions spécifiques.

5. Lorsque le Conseil envisage de conclure un accord modifiant le présent traité, les modifications doivent d'abord être adoptées selon la procédure prévue à l'article N du traité sur l'Union européenne.

6. Le Conseil, la Commission ou un État membre peut recueillir l'avis de la Cour de justice sur la compatibilité d'un accord envisagé avec les dispositions du présent traité. L'accord qui a fait l'objet d'un avis négatif de la Cour de justice ne peut entrer en vigueur que dans les conditions fixées à l'article N du traité sur l'Union européenne.

7. Les accords conclus selon les conditions fixées au présent article lient les institutions de la Communauté et les États membres.

Article 228 A (*)

Lorsqu'une position commune ou une action commune adoptées en vertu des dispositions du traité sur l'Union européenne relatives à la politique étrangère et de sécurité commune prévoient une action de la Communauté visant à interrompre ou à réduire, en tout ou en partie, les relations économiques avec un ou plusieurs pays tiers, le Conseil, statuant à la majorité qualifiée sur proposition de la Commission, prend les mesures urgentes nécessaires.

Article 229

La Commission est chargée d'assurer toutes liaisons utiles avec les organes des Nations unies, de leurs institutions spécialisées et de l'accord général sur les tarifs douaniers et le commerce.

Elle assure en outre les liaisons opportunes avec toutes organisations internationales.

Article 230

La Communauté établit avec le Conseil de l'Europe toutes coopérations utiles.

(*) Tel qu'inséré par l'article G, point 81), du TUE.

Article 231(*)

La Communauté établit avec l'Organisation de coopération et de développement économiques une étroite collaboration dont les modalités sont fixées d'un commun accord.

Article 232

1. Les dispositions du présent traité ne modifient pas celles du traité instituant la Communauté européenne du charbon et de l'acier, notamment en ce qui concerne les droits et obligations des États membres, les pouvoirs des institutions de cette Communauté et les règles posées par ce traité pour le fonctionnement du marché commun du charbon et de l'acier.

2. Les dispositions du présent traité ne dérogent pas aux stipulations du traité instituant la Communauté européenne de l'énergie atomique.

Article 233

Les dispositions du présent traité ne font pas obstacle à l'existence et à l'accomplissement des unions régionales entre la Belgique et le Luxembourg, ainsi qu'entre la Belgique, le Luxembourg et les Pays-Bas, dans la mesure où les objectifs de ces unions régionales ne sont pas atteints en application du présent traité.

(*) Tel que modifié par l'article G, point 82), du TUE.

Article 234

Les droits et obligations résultant de conventions conclues antérieurement à l'entrée en vigueur du présent traité, entre un ou plusieurs États membres, d'une part, et un ou plusieurs États tiers, d'autre part, ne sont pas affectés par les dispositions du présent traité.

Dans la mesure où ces conventions ne sont pas compatibles avec le présent traité, le ou les États membres en cause recourent à tous les moyens appropriés pour éliminer les incompatibilités constatées. En cas de besoin, les États membres se prêtent une assistance mutuelle en vue d'arriver à cette fin et adoptent le cas échéant une attitude commune.

Dans l'application des conventions visées au premier alinéa, les États membres tiennent compte du fait que les avantages consentis dans le présent traité par chacun des États membres font partie intégrante de l'établissement de la Communauté et sont, de ce fait, inséparablement liés à la création d'institutions communes, à l'attribution de compétences en leur faveur et à l'octroi des mêmes avantages par tous les autres États membres.

Article 235

Si une action de la Communauté apparaît nécessaire pour réaliser, dans le fonctionnement du marché commun, l'un des objets de la Communauté, sans que le présent traité ait prévu les pouvoirs d'action requis à cet effet, le Conseil, statuant à l'unanimité sur proposition de la Commission et après consultation du Parlement européen, prend les dispositions appropriées.

Article 236

(Abrogé)

Article 237

(Abrogé)

Article 238 (*)

La Communauté peut conclure avec un ou plusieurs États ou organisations internationales des accords créant une association caractérisée par des droits et obligations réciproques, des actions en commun et des procédures particulières.

Article 239

Les protocoles qui, du commun accord des États membres, seront annexés au présent traité en font partie intégrante.

Article 240

Le présent traité est conclu pour une durée illimitée.

(*) Tel que modifié par l'article G, point 84), du TUE.

Mise en place des institutions

Article 241

Le Conseil se réunit dans un délai d'un mois à compter de l'entrée en vigueur du traité.

Article 242

Le Conseil prend toutes dispositions utiles pour constituer le Comité économique et social dans un délai de trois mois à compter de sa première réunion.

Article 243

L'Assemblée (*) se réunit dans un délai de deux mois à compter de la première réunion du Conseil, sur convocation du président de celui-ci, pour élire son bureau et élaborer son règlement intérieur. Jusqu'à l'élection du bureau, elle est présidée par le doyen d'âge.

Article 244

La Cour de justice entre en fonctions dès la nomination de ses membres. La première désignation du président est faite pour trois ans dans les mêmes conditions que celles des membres.

La Cour de justice établit son règlement de procédure dans un délai de trois mois à compter de son entrée en fonctions.

(*) NOTE DES ÉDITEURS
Par dérogation aux dispositions de l'article 3 de l'AUE, et pour des raisons historiques, le terme «Assemblée» n'a pas été remplacé par les termes «Parlement européen».

La Cour de justice ne peut être saisie qu'à partir de la date de publication de ce règlement. Les délais d'introduction des recours ne courent qu'à compter de cette même date.

Dès sa nomination, le président de la Cour de justice exerce les attributions qui lui sont confiées par le présent traité.

Article 245

La Commission entre en fonctions et assume les charges qui lui sont confiées par le présent traité dès la nomination de ses membres.

Dès son entrée en fonctions, la Commission procède aux études et établit les liaisons nécessaires à l'établissement d'une vue d'ensemble de la situation économique de la Communauté.

Article 246

1. Le premier exercice financier s'étend de la date d'entrée en vigueur du traité jusqu'au 31 décembre suivant. Toutefois, cet exercice s'étend jusqu'au 31 décembre de l'année suivant celle de l'entrée en vigueur du traité, si celle-ci se situe au cours du second semestre.

2. Jusqu'à l'établissement du budget applicable au premier exercice, les États membres font à la Communauté des avances sans intérêts, qui viennent en déduction des contributions financières afférentes à l'exécution de ce budget.

3. Jusqu'à l'établissement du statut des fonctionnaires et du régime applicable aux autres agents de la Communauté, prévus à l'article 212, chaque institution recrute le personnel nécessaire et conclut à cet effet des contrats de durée limitée.

Chaque institution examine avec le Conseil les questions relatives au nombre, à la rémunération et à la répartition des emplois.

Dispositions finales

Article 247

Le présent traité sera ratifié par les Hautes Parties Contractantes en conformité de leurs règles constitutionnelles respectives. Les instruments de ratification seront déposés auprès du gouvernement de la République italienne.

Le présent traité entrera en vigueur le premier jour du mois suivant le dépôt de l'instrument de ratification de l'État signataire qui procédera le dernier à cette formalité. Toutefois, si ce dépôt a lieu moins de quinze jours avant le début du mois suivant, l'entrée en vigueur du traité est reportée au premier jour du deuxième mois suivant la date de ce dépôt.

Article 248

Le présent traité, rédigé en un exemplaire unique, en langue allemande, en langue française, en langue italienne et en langue néerlandaise, les quatre textes faisant également foi, sera déposé dans les archives du gouvernement de la République italienne, qui remettra une copie certifiée conforme à chacun des gouvernements des autres États signataires.

EN FOI DE QUOI, les plénipotentiaires soussignés ont apposé leurs signatures au bas du présent traité.

Fait à Rome, le vingt-cinq mars mil neuf cent cinquante-sept.

P. H. SPAAK	J. Ch. SNOY ET D'OPPUERS
ADENAUER	HALLSTEIN
PINEAU	M. FAURE
Antonio SEGNI	Gaetano MARTINO
BECH	Lambert SCHAUS
J. LUNS	J. LINTHORST HOMAN

Annexes

ANNEXE I

LISTES A à G

prévues aux articles 19 et 20 du traité

LISTE A

Liste des positions tarifaires pour lesquelles le calcul de la moyenne arithmétique doit être effectué compte tenu du droit mentionné dans la colonne 3 ci-dessous

— 1 — Numéros de la nomenclature de Bruxelles	— 2 — Désignation des produits	— 3 — Droits (en %) à prendre en considération pour la France
ex 15.10	Huiles acides de raffinage	18
15.11	Glycérine, y compris les eaux et lessives glycérineuses:	
	— brutes	6
	— épurées	10
19.04	Tapioca, y compris celui de fécule de pommes de terre	45
ex 28.28	Pentoxyde de vanadium	15
ex 28.37	Sulfite de sodium neutre	20
ex 28.52	Chlorure de cérium; sulfate de cérium	20
ex 29.01	Hydrocarbures aromatiques:	
	— xylènes:	
	— mélanges d'isomères	20

— 1 — Numéros de la nomenclature de Bruxelles	— 2 — Désignation des produits	— 3 — Droits (en %) à prendre en considération pour la France
ex 29.01	— orthoxylène, métaxylène, paraxylène	25
	— styrolène (styrène) monomère	20
	— isopropylbenzène (cumène)	25
ex 29.02	Dichlorométhane	20
	Chlorure de vinylidène monomère	25
ex 29.03	Paratoluène sulfochlorure	15
ex 29.15	Téréphtalate de diméthyle	30
ex 29.22	Éthylène diamine et ses sels	20
ex 29.23	Aminoaldéhydes cycliques, aminocétones cycliques et aminoquinones, leurs dérivés halogénés, sulfonés, nitrés, nitrosés, leurs sels et leurs esters	25
ex 29.25	Homovératrylamine	25
29.28	Composés diazoïques, azoïques ou azoxyques	25
ex 29.31	Disulfure de benzyle dichloré	25
ex 29.44	Antibiotiques, à l'exception de la pénicilline, de la streptomycine, de la chloromycétine et de leurs sels et de l'auréomycine	15
ex 30.02	Vaccins antiaphteux, souches de microorganismes destinées à leur fabrication; sérums et vaccins contre la peste porcine	15

— 1 — Numéros de la nomenclature de Bruxelles	— 2 — Désignation des produits	— 3 — Droits (en %) à prendre en considération pour la France
ex 30.03	Sarkomycine	18
ex 31.02	Engrais minéraux ou chimiques azotés, composés	20
ex 31.03	Engrais minéraux ou chimiques phosphatés:	
	— simples:	
	— superphoshates:	
	— d'os	10
	— autres	12
	— mélangés	7
ex 31.04	Engrais minéraux ou chimiques potassiques, mélangés	7
ex 31.05	Autres engrais, y compris les engrais composés et les engrais complexes:	
	— phosphonitrates et phosphates ammonopotassiques	10
	— autres, à l'exception des engrais organiques dissous	7
	Engrais présentés soit en tablettes, pastilles et autres formes similaires, soit en emballages d'un poids brut maximum de 10 kg	15
ex 32.07	Magnétite naturelle finement broyée des types utilisés pour servir de pigments et destinés exclusivement au lavage du charbon	25

— 1 — Numéros de la nomenclature de Bruxelles	— 2 — Désignation des produits	— 3 — Droits (en %) à prendre en considération pour la France
ex 37.02	Pellicules sensibilisées, non impressionnées, perforées:	
	— pour images monochromes, positives, importées en jeux de trois unités non utilisables séparément et destinées à constituer le support d'un film polychrome	20
	— pour images polychromes d'une longueur supérieure à 100 mètres	20
ex 39.02	Chlorure de polyvinylidène: butyral en feuilles	30
ex 39.03	Esters de la cellulose, à l'exclusion des nitrates et acétates	20
	Matières plastiques à base d'esters de la cellulose (autres que les nitrates et acétates)	15
	Matières plastiques à base d'éthers ou autres dérivés chimiques de la cellulose	30
ex 39.06	Acide alginique, ses sels et ses esters, à l'état sec	20
ex 48.01	Papiers et cartons fabriqués mécaniquement:	
	— papier et carton kraft	25
	— autres, formés en continu, en deux ou plusieurs jets, à intérieur en papier kraft	25

— 1 — Numéros de la nomenclature de Bruxelles	— 2 — Désignation des produits	— 3 — Droits (en %) à prendre en considération pour la France
48.04	Papiers et cartons simplement assemblés par collage, non imprégnés ni enduits à la surface, même renforcés intérieurement, en rouleau ou en feuilles	25
ex 48.05	Papiers et cartons simplement ondulés	25
	Papiers et cartons kraft simplement crêpés ou plissés	25
ex 48.07	Papiers et cartons kraft gommés	25
ex 51.01	Fils de fibres textiles artificielles continues, simples, non moulinés ou moulinés à moins de 400 tours	20
ex 55.05	Fils de coton, retors, autres que de fantaisie, écrus, mesurant au kilogramme en fils simples 337 500 m ou plus	20
ex 57.07	Fils de coco	18
ex 58.01	Tapis à points noués ou enroulés, de soie, de schappe, de fibres textiles synthétiques, de filés ou de fils du n° 52.01, de fils de métal, de laine ou de poils fins	80
ex 59.04	Fils de coco retors	18
ex 71.04	Égrisées et poudres de diamants	10

— 1 — Numéros de la nomenclature de Bruxelles	— 2 — Désignation des produits	— 3 — Droits (en %) à prendre en considération pour la France
ex 84.10	Corps de pompes en acier non oxydable ou en métaux légers ou leurs alliages pour moteurs à pistons pour l'aviation	15
ex 84.11	Corps de pompes ou de compresseurs en acier non inoxydable ou en métaux légers ou leurs alliages pour moteurs à pistons pour l'aviation	15
ex 84.37	Métiers à tulle, à dentelle, à guipure	10
	Métiers à broderie, à l'exception des machines à tirer les fils et à lier les jours	10
ex 84.38	Appareils et machines auxiliaires de métiers à tulle, à dentelle, à guipure:	
	— machines à remonter les chariots	10
	— mécaniques jacquard	18
	Appareils et machines auxiliaires de métiers à broderie:	
	— automates	18

— 1 — Numéros de la nomenclature de Bruxelles	— 2 — Désignation des produits	— 3 — Droits (en %) à prendre en considération pour la France
ex 84.38	— machines à piquer les cartons, machines à répéter les cartons, métiers de contrôle, coconneuses	10
	Accessoires et pièces détachées pour métiers à tulle, à dentelle, à guipure et pour leurs appareils et leurs machines auxiliaires:	
	— chariots, bobines, combs, jumelles et lames de combs pour métiers rectilignes, battants (leurs plateaux et couteaux), fuseaux complets et pièces détachées de battants et fuseaux pour métiers circulaires	10
	Accessoires et pièces détachées pour métiers à broderie et pour leurs appareils et leurs machines auxiliaires:	
	— navettes, boîtes à navettes y compris leurs plaques; agrafes	10
ex 84.59	Machines dites «à bobiner» destinées à l'enroulement des fils conducteurs et des bandes isolantes ou protectrices pour la fabrication des enroulements et bobinages électriques	23

— 1 — Numéros de la nomenclature de Bruxelles	— 2 — Désignation des produits	— 3 — Droits (en %) à prendre en considération pour la France
ex 84.59	Démarreurs d'aviation à prise directe ou à inertie	25
ex 84.63	Vilebrequins pour moteurs à pistons pour l'aviation	10
ex 85.08	Démarreurs d'aviation	20
	Magnétos, y compris les dynamos-magnétos pour l'aviation	25
88.01	Aérostats	25
ex 88.03	Parties et pièces détachées d'aérostats	25
88.04	Parachutes et leurs parties, pièces détachées et accessoires	12
88.05	Catapultes et autres engins de lancement similaires, leurs parties et pièces détachées	15
	Appareils au sol d'entraînement au vol, leurs parties et pièces détachées	20
ex 90.14	Instruments et appareils pour la navigation aérienne	18
ex 92.10	Mécaniques et claviers (comportant 85 notes ou plus) de pianos	30

LISTE B

Liste des positions tarifaires pour lesquelles les droits du tarif douanier commun ne peuvent dépasser 3 %

— 1 — Numéros de la nomenclature de Bruxelles	— 2 — Désignation des produits
CHAPITRE 5	
05.01	
05.02	
05.03	
05.05	
05.06	
ex 05.07	Plumes, peaux et autres parties d'oiseaux revêtues de leurs plumes ou de leur duvet, brutes (à l'exception des plumes à lit et du duvet, bruts)
05.09 à 05.12	
ex 05.13	Éponges naturelles, brutes
CHAPITRE 13	
13.01	
13.02	
CHAPITRE 14	
14.01 à 14.05	
CHAPITRE 25	
25.02	

— 1 — Numéros de la nomenclature de Bruxelles	— 2 — Désignation des produits
CHAPITRE 25 *(suite)*	
ex 25.04	Graphite naturel, non conditionné pour la vente au détail
25.05	
25.06	
ex 25.07	Argiles (sauf le kaolin) à l'exception des argiles expansées du nº 68.07, andalousite, cyanite, même calcinées; mullite; terres de chamotte et de dinas
ex 25.08	Craie, non conditionnée pour la vente au détail
ex 25.09	Terres colorantes, non calcinées ni mélangées; oxydes de fer micacés naturels
25.10	
25.11	
ex 25.12	Terres d'infusoires, farines siliceuses fossiles et autres terres siliceuses analogues (kieselgur, tripolite, diatomite, etc.) d'une densité apparente inférieure ou égale à 1, même calcinées, non conditionnées pour la vente au détail
ex 25.13	Pierre ponce, émeri, corindon naturel et autres abrasifs naturels, non conditionnés pour la vente au détail
25.14	
ex 25.17	Silex; pierres concassées, macadam et tarmacadam, cailloux et graviers des types généralement utilisés pour l'empierrement des routes et des voies ferrées, ballast, bétonnage; galets

— 1 — Numéros de la nomenclature de Bruxelles	— 2 — Désignation des produits
CHAPITRE 25 *(suite)*	
ex 25.18	Dolomie brute, dégrossie ou simplement débitée par sciage
25.20	
25.21	
25.24	
25.25	
25.26	
ex 25.27	Stéatite naturelle, brute, dégrossie ou simplement débitée par sciage; talc, autre qu'en emballages d'un poids net de un kilo ou moins
25.28	
25.29	
25.31	
25.32	
CHAPITRE 26	
ex 26.01	Minerais métallurgiques, même enrichis, à l'exception du minerai de plomb, du minerai de zinc et des produits relevant de la Communauté européenne du charbon et de l'acier, pyrites de fer grillées (cendres de pyrites)
26.02	
ex 26.03	Cendres et résidus (autres que ceux du n° 26.02), contenant du métal ou des composés métalliques, à l'exception de ceux contenant du zinc
26.04	

— 1 — Numéros de la nomenclature de Bruxelles	— 2 — Désignation des produits
CHAPITRE 27	
27.03	
ex 27.04	Coke et semi-coke de houille pour la fabrication des électrodes et coke de tourbe
27.05	
27.05 bis	
27.06	
ex 27.13	Ozokérite, cire de lignite et cire de tourbe, brutes
27.15	
27.17	
CHAPITRE 31	
31.01	
ex 31.02	Nitrate de sodium, naturel
CHAPITRE 40	
40.01	
40.03	
40.04	
CHAPITRE 41	
41.09	
CHAPITRE 43	
43.01	
CHAPITRE 44	
44.01	

— 1 — Numéros de la nomenclature de Bruxelles	— 2 — Désignation des produits
CHAPITRE 47	
47.02	
CHAPITRE 50	
50.01	
CHAPITRE 53	
53.01	
53.02	
53.03	
53.05	
CHAPITRE 55	
ex 55.02	Linters de coton, autres que bruts
55.04	
CHAPITRE 57	
57.04	
CHAPITRE 63	
63.02	
CHAPITRE 70	
ex 70.01	Tessons de verrerie et autres déchets et débris de verre
CHAPITRE 71	
ex 71.01	Perles fines brutes

— 1 — Numéros de la nomenclature de Bruxelles	— 2 — Désignation des produits
CHAPITRE 71 *(suite)*	
ex 71.02	Pierres gemmes (précieuses ou fines) brutes
71.04	
71.11	
CHAPITRE 77	
ex 77.04	Béryllium (glucinium) brut

LISTE C

Liste des positions tarifaires pour lesquelles les droits du tarif douanier commun ne peuvent dépasser 10 %

— 1 — Numéros de la nomenclature de Bruxelles	— 2 — Désignation des produits
CHAPITRE 5	
ex 05.07	Plumes, peaux et autres parties d'oiseaux revêtues de leurs plumes ou de leur duvet, autres que brutes
05.14	
CHAPITRE 13	
ex 13.03	Sucs et extraits végétaux; agar-agar et autres mucilages et épaississants naturels extraits des végétaux (à l'exception de la pectine)
CHAPITRE 15	
ex 15.04	Graisses et huiles de poissons et mammifères marins, même raffinées (à l'exception de l'huile de baleine)
15.05	
15.06	
15.09	
15.11	
15.14	
CHAPITRE 25	
ex 25.09	Terres colorantes calcinées ou mélangées

— 1 — Numéros de la nomenclature de Bruxelles	— 2 — Désignation des produits
CHAPITRE 25 *(suite)*	
ex 25.15	Marbres, travertins, écaussines et autres pierres calcaires de taille ou de construction d'une densité apparente supérieure ou égale à 2,5 et albâtre, simplement débités par sciage, d'une épaisseur de 25 cm ou moins
ex 25.16	Granit, porphyre, basalte, grès et autres pierres de taille ou de construction, simplement débités par sciage, d'une épaisseur de 25 cm ou moins
ex 25.17	Granules, éclats et poudres des pierres des nos 25.15 et 25.16
ex 25.18	Dolomie frittée ou calcinée; pisé de dolomie
25.22	
25.23	
CHAPITRE 27	
ex 27.07	Huiles et autres produits provenant de la distillation des goudrons de houille de haute température et produits assimilés, à l'exception des phénols, crésols et xylénols
27.08	
ex 27.13	Ozokérite, cire de lignite et cire de tourbe, autres que brutes
ex 27.14	Bitume de pétrole et autres résidus des huiles de pétrole ou de schistes, à l'exception du coke de pétrole
27.16	

— 1 — Numéros de la nomenclature de Bruxelles	— 2 — Désignation des produits
CHAPITRE 30	
ex 30.01	Glandes et autres organes à usages opothérapiques, à l'état desséché, même pulvérisés
CHAPITRE 32	
ex 32.01	Extraits tannants d'origine végétale, à l'exception des extraits de mimosa et de quebracho
32.02	
32.03	
32.04	
CHAPITRE 33	
ex 33.01	Huiles essentielles (déterpénées ou non), liquides ou concrètes, à l'exception des huiles essentielles d'agrumes; résinoïdes
33.02	
33.03	
33.04	
CHAPITRE 38	
38.01	
38.02	
38.04	
38.05	
38.06	
ex 38.07	Essence de térébenthine; essence de papeterie au sulfate, brute; dipentène brut

— 1 — Numéros de la nomenclature de Bruxelles	— 2 — Désignation des produits
CHAPITRE 38 *(suite)*	
38.08	
38.10	
CHAPITRE 40	
40.05	
ex 40.07	Fils textiles imprégnés ou recouverts de caoutchouc vulcanisé
40.15	
CHAPITRE 41	
41.02	
ex 41.03	Peaux d'ovins, travaillées après tannage
ex 41.04	Peaux de caprins, travaillées après tannage
41.05	
41.06	
41.07	
41.10	
CHAPITRE 43	
43.02	
CHAPITRE 44	
44.06 à 44.13	

— 1 — Numéros de la nomenclature de Bruxelles	— 2 — Désignation des produits
CHAPITRE 44 *(suite)*	
44.16	
44.17	
44.18	
CHAPITRE 48	
ex 48.01	Papier journal présenté en bobines
CHAPITRE 50	
50.06	
50.08	
CHAPITRE 52	
52.01	
CHAPITRE 53	
53.06 à 53.09	
CHAPITRE 54	
54.03	
CHAPITRE 55	
55.05	

— 1 — Numéros de la nomenclature de Bruxelles	— 2 — Désignation des produits
CHAPITRE 57	
ex 57.05	Fils de chanvre, non conditionnés pour la vente au détail
ex 57.06	Fils de jute, non conditionnés pour la vente au détail
ex 57.07	Fils d'autres fibres textiles végétales, non conditionnés pour la vente au détail
ex 57.08	Fils de papier, non conditionnés pour la vente au détail
CHAPITRE 68	
68.01	
68.03	
68.08	
ex 68.10	Matériaux de construction en plâtre ou en compositions à base de plâtre
ex 68.11	Matériaux de construction en ciment, en béton ou en pierre artificielle, même armés, y compris ceux en ciment de laitier ou en granito
ex 68.12	Matériaux de construction en amiante-ciment, cellulose-ciment et similaires
ex 68.13	Amiante travaillé; mélanges à base d'amiante ou à base d'amiante et de carbonate de magnésium
CHAPITRE 69	
69.01	
69.02	
69.04	
69.05	

— 1 — Numéros de la nomenclature de Bruxelles	— 2 — Désignation des produits
CHAPITRE 70	
ex 70.01	Verre en masse (à l'exception du verre d'optique)
70.02	
70.03	
70.04	
70.05	
70.06	
70.16	
CHAPITRE 71	
ex 71.05	Argent et alliages d'argent, bruts
ex 71.06	Plaqué ou doublé d'argent, brut
ex 71.07	Or et alliages d'or, bruts
ex 71.08	Plaqué ou doublé d'or sur métaux communs ou sur argent, brut
ex 71.09	Platine et métaux de la mine du platine et leurs alliages, bruts
ex 71.10	Plaqué ou doublé de platine ou de métaux de la mine du platine sur métaux communs ou sur métaux précieux bruts
CHAPITRE 73	
73.04	
73.05	
ex 73.07	Fer et acier en blooms, billettes, brames et largets (à l'exception des produits relevant de la Communauté européenne du charbon et de l'acier); fer et acier simplement dégrossis par forgeage ou par martelage (ébauches de forge)

— 1 — Numéros de la nomenclature de Bruxelles	— 2 — Désignation des produits
CHAPITRE 73 *(suite)*	
ex 73.10	Barres en fer ou en acier, laminées ou filées à chaud ou forgées (y compris le fil machine); barres en fer ou en acier, obtenues ou parachevées à froid; barres creuses en acier pour le forage des mines (à l'exception des produits relevant de la Communauté européenne du charbon et de l'acier)
ex 73.11	Profilés en fer ou en acier, laminés ou filés à chaud, forgés ou bien obtenus ou parachevés à froid; palplanches en fer ou en acier, même percées ou faites d'éléments assemblés (à l'exception des produits relevant de la Communauté européenne du charbon et de l'acier)
ex 73.12	Feuillards en fer ou en acier laminés à chaud ou à froid (à l'exception des produits relevant de la Communauté européenne du charbon et de l'acier)
ex 73.13	Tôles de fer ou d'acier, laminées à chaud ou à froid (à l'exception des produits relevant de la Communauté européenne du charbon et de l'acier)
73.14	
ex 73.15	Aciers alliés et acier fin au carbone sous les formes indiquées aux nos 73.06 à 73.14 inclus (à l'exception des produits relevant de la Communauté européenne du charbon et de l'acier)
CHAPITRE 74	
74.03	
74.04	

— 1 — Numéros de la nomenclature de Bruxelles	— 2 — Désignation des produits
CHAPITRE 74 *(suite)*	
ex 74.05	Feuilles et bandes minces en cuivre, même gaufrées, découpées, perforées, revêtues ou imprimées (autres que celles fixées sur support)
ex 74.06	Poudre de cuivre (autre qu'impalpable)
CHAPITRE 75	
75.02	
75.03	
ex 75.05	Anodes pour nickelage, brutes de coulée
CHAPITRE 76	
76.02	
76.03	
ex 76.04	Feuilles et bandes minces d'aluminium, même gaufrées, découpées, perforées, revêtues ou imprimées (autres que celles fixées sur support)
ex 76.05	Poudre d'aluminium (autre qu'impalpable)
CHAPITRE 77	
ex 77.02	Magnésium sous forme de barres, profilés, fils, tôles, feuilles, bandes et tournures calibrées; poudre de magnésium (autre qu'impalpable)
ex 77.04	Béryllium (glucinium) sous forme de barres, profilés, fils, tôles, feuilles et bandes

— 1 — Numéros de la nomenclature de Bruxelles	— 2 — Désignation des produits
CHAPITRE 78	
78.02	
78.03	
ex 78.04	Feuilles et bandes minces en plomb, même gaufrées, découpées, perforées, revêtues ou imprimées (à l'exception de celles fixées sur support)
CHAPITRE 79	
79.02	
79.03	
CHAPITRE 80	
80.02	
80.03	
ex 80.04	Feuilles et bandes minces en étain, même gaufrées, découpées, perforées, revêtues ou imprimées (à l'exception de celles fixés sur support)
CHAPITRE 81	
ex 81.01	Tungstène (wolfram) sous forme de barres, profilés, tôles, feuilles, bandes, fils, filaments
ex 81.02	Molybdène sous forme de barres, profilés, tôles, feuilles, bandes, fils, filaments

— 1 — Numéros de la nomenclature de Bruxelles	— 2 — Désignation des produits
CHAPITRE 81 *(suite)*	
ex 81.03	Tantale sous forme de barres, profilés, tôles, feuilles, bandes, fils, filaments
ex 81.04	Autres métaux communs sous forme de barres, profilés, tôles, feuilles, bandes, fils, filaments
CHAPITRE 93	
ex 93.06	Bois de fusils
CHAPITRE 95	
ex 95.01 à ex 95.07	Matières à tailler: dégrossissages, c'est-à-dire plaques, feuilles, baguettes, tubes et formes similaires, non polis ni autrement ouvrés
CHAPITRE 98	
ex 98.11	Ébauchons pour pipes

LISTE D

Liste des positions tarifaires pour lesquelles les droits du tarif douanier commun ne peuvent dépasser 15 %

— 1 — Numéros de la nomenclature de Bruxelles	— 2 — Désignation des produits
CHAPITRE 28	*Produits chimiques inorganiques; composés inorganiques ou organiques de métaux précieux, d'éléments radioactifs, de métaux des terres rares et d'isotopes*
ex 28.01	Halogènes (à l'exception de l'iode brut et du brome)
ex 28.04	Hydrogène; gaz rares; autres métalloïdes (à l'exception du sélénium et du phosphore)
28.05 à 28.10	
ex 28.11	Anhydride arsénieux; acide arsénique
28.13 à 28.22	
28.24	
28.26 à 28.31	
ex 28.32	Chlorates (à l'exception du chlorate de sodium et du chlorate de potassium) et perchlorates
ex 28.34	Oxyiodures et périodates
28.35 à 28.45	
28.47 à 28.58	

LISTE E

Liste des positions tarifaires pour lesquelles les droits du tarif douanier commun ne peuvent dépasser 25 %

— 1 — Numéros de la nomenclature de Bruxelles	— 2 — Désignation des produits
CHAPITRE 29	*Produits chimiques organiques*
ex 29.01	Hydrocarbures (à l'exception du naphtalène)
29.02	
29.03	
ex 29.04	Alcools acycliques et leurs dérivés halogénés, sulfonés, nitrés, nitrosés (à l'exception des alcools butyliques et isobutyliques)
29.05	
ex 29.06	Phénols (à l'exception du phénol, des crésols et des xylénols) et phénols-alcools
29.07 à 29.45	
CHAPITRE 32	
32.05	
32.06	
CHAPITRE 39	
39.01 à 39.06	

LISTE F

Liste des positions tarifaires pour lesquelles les droits du tarif douanier commun ont été fixés d'un commun accord

— 1 — Numéros de la nomenclature de Bruxelles	— 2 — Désignation des produits	— 3 — Tarif douanier commun (taux ad valorem en %)
ex 01.01	Chevaux vivants destinés à la boucherie	11
ex 01.02	Animaux vivants de l'espèce bovine (autres que les animaux reproducteurs de race pure) (1)	16
ex 01.03	Animaux vivants de l'espèce porcine autres que les animaux reproducteurs de race pure) (1)	16
ex 02.01	Viandes et abats comestibles, frais, réfrigérés ou congelés:	
	— de l'espèce chevaline	16
	— de l'espèce bovine (1)	20
	— de l'espèce porcine (1)	20
02.02	Volailles mortes de basse-cour et leurs abats comestibles (à l'exclusion des foies), frais, réfrigérés ou congelés	18
ex 02.06	Viandes salées ou séchées de cheval	16
ex 03.01	Poissons d'eau douce, frais (vivants ou morts), réfrigérés ou congelés:	
	— truites et autres salmonidés	16
	— autres	10

(1) Ne sont visés que les animaux des espèces domestiques.

— 1 — Numéros de la nomenclature de Bruxelles	— 2 — Désignation des produits	— 3 — Tarif douanier commun (taux ad valorem en %)
ex 03.03	Crustacés, mollusques et coquillages (même séparés de leur carapace ou coquille), frais (vivants ou morts), réfrigérés, congelés, séchés, salés ou en saumure; crustacés non décortiqués, simplement cuits à l'eau:	
	— langoustes et homards	25
	— crabes et crevettes	18
	— huîtres	18
04.03	Beurre	24
ex 04.05	Œufs d'oiseaux, en coquilles, frais ou conservés:	
	— du 16.2 au 31.8	12
	— du 1.9 au 15.2	15
04.06	Miel naturel	30
ex 05.07	Plumes à lit et duvet, bruts	0
05.08	Os et cornillons, bruts, dégraissés ou simplement préparés, mais non découpés en forme, acidulés ou bien dégélatinés; poudres et déchets de ces matières	0
ex 06.03	Fleurs et boutons de fleurs coupés, pour bouquets ou pour ornements, frais:	
	— du 1.6 au 31.10	24
	— du 1.11 au 31.5	20

— 1 — Numéros de la nomenclature de Bruxelles	— 2 — Désignation des produits	— 3 — Tarif douanier commun (taux ad valorem en %)
07.01	Légumes et plantes potagères, à l'état frais ou réfrigéré:	
	— oignons, échalotes, aulx	12
	— pommes de terre, de primeurs:	
	— du 1.1 au 15.5	15
	— du 16.5 au 30.6	21
	— autres ([1])	
07.04	Légumes et plantes potagères, desséchés, déshydratés ou évaporés, même coupés en morceaux ou en tranches ou bien broyés, ou pulvérisés, mais non autrement préparés:	
	— oignons	20
	— autres	16
ex 07.05	Légumes à cosse, secs, écossés, même décortiqués ou cassés:	
	— pois et haricots	10
ex 08.01	Bananes fraîches	20
08.02	Agrumes, frais ou secs:	
	— oranges:	
	— du 15.3 au 30.9	15
	— en dehors de cette période	20
	— mandarines et clémentines	20
	— citrons	8
	— pamplemousses	12
	— autres	16

([1]) En principe, le taux est fixé au niveau de la moyenne arithmétique. Un ajustement éventuel pourra être effectué en fixant les droits saisonniers dans le cadre de la politique agricole de la Communauté.

— 1 — Numéros de la nomenclature de Bruxelles	— 2 — Désignation des produits	— 3 — Tarif douanier commun (taux ad valorem en %)
ex 08.04	Raisins frais:	
	— du 1.11 au 14.7	18
	— du 15.7 au 31.10	22
08.06	Pommes, poires et coings, frais [1]	
08.07	Fruits à noyaux, frais:	
	— abricots	25
	— autres [1]	
ex 08.12	Pruneaux	18
ex 09.01	Café vert	16
10.01 à 10.07	Céréales [2]	
ex 11.01	Farine de froment [2]	
12.01	Graines et fruits oléagineux, même concassés	0

[1] En principe, le taux est fixé au niveau de la moyenne arithmétique. Un ajustement éventuel pourra être effectué en fixant les droits saisonniers dans le cadre de la politique agricole de la Communauté.

[2] a) Les droits du tarif douanier commun sur les céréales et la farine de froment s'établissent au niveau de la moyenne arithmétique des droits inscrits.

b) Jusqu'au moment où le régime à appliquer sera déterminé dans le cadre des mesures prévues à l'article 40, paragraphe 2, les États membres pourront, par dérogation aux dispositions de l'article 23, suspendre la perception des droits sur ces produits.

c) Au cas où la production ou la transformation de céréales et de farine de froment dans un État membre se trouve gravement menacée, ou compromise par la suspension de droits dans un autre État membre, les États membres intéressés engagent des négociations entre eux. Si ces négociations n'aboutissent à aucun résultat, la Commission peut autoriser l'État lésé à prendre les mesures appropriées, dont elle fixe les modalités, dans la mesure où la différence de prix de revient n'est pas compensée par l'existence d'une organisation interne du marché des céréales de l'État membre qui pratique la suspension.

— 1 — Numéros de la nomenclature de Bruxelles	— 2 — Désignation des produits	— 3 — Tarif douanier commun (taux ad valorem en %)
ex 12.03	Graines à ensemencer (autres que de betteraves)	10
12.06	Houblon (cônes et lupuline)	12
15.15	Cires d'abeilles et d'autres insectes même artificiellement colorées:	
	— brutes	0
	— autres	10
15.16	Cires végétales, même artificiellement colorées:	
	— brutes	0
	— autres	8
ex 16.04	Préparations et conserves de poissons:	
	— salmonidés	20
ex 16.05	Crustacés, préparés ou conservés	20
17.01	Sucres de betterave et de canne, à l'état solide	80
18.01	Cacao en fèves et brisures de fèves, bruts ou torréfiés	9
18.02	Coques, pelures, pellicules et déchets de cacao	9
19.02	Préparations pour l'alimentation des enfants ou pour usages diététiques ou culinaires, à base de farines, fécules ou extraits de malt, même additionnées de cacao dans une proportion inférieure à 50 % en poids	25
ex 20.02	Choucroute	20
21.07	Préparations alimentaires non dénommées ni comprises ailleurs	25

— 1 — Numéros de la nomenclature de Bruxelles	— 2 — Désignation des produits	— 3 — Tarif douanier commun (taux ad valorem en %)
22.04	Moûts de raisins partiellement fermentés, même mutés autrement qu'à l'alcool	40
23.01	Farines et poudres impropres à l'alimentation humaine:	
	— de viandes et d'abats; cretons	4
	— de poissons, de crustacés ou de mollusques	5
24.01	Tabacs bruts ou non fabriqués: déchets de tabac	30
ex 25.07	Kaolin, sillimanite	0
ex 25.15	Marbres bruts ou équarris, y compris ceux débités par sciage d'une épaisseur supérieure à 25 cm	0
ex 25.16	Granit, porphyre, basalte, grès et autres pierres de taille ou de construction, bruts ou équarris, y compris ceux débités par sciage d'une épaisseur supérieure à 25 cm	0
25.19	Carbonate de magnésium naturel (magnésite), même calciné, à l'exclusion de l'oxyde de magnésium	0
ex 25.27	Talc en emballages d'un poids net de un kilo ou moins	8
ex 27.07	Phénols, crésols et xylénols, bruts	3
27.09	Huiles brutes de pétrole ou de schistes	0

— 1 — Numéros de la nomenclature de Bruxelles	— 2 — Désignation des produits	— 3 — Tarif douanier commun (taux ad valorem en %)
ex 27.14	Coke de pétrole	0
28.03	Carbone (noir de gaz de pétrole ou carbon black, noirs d'acétylène, noirs anthracéniques, autres noirs de fumée, etc.)	5
ex 28.04	Phosphore	15
	Sélénium	0
28.23	Oxydes et hydroxydes de fer (y compris les terres colorantes à base d'oxyde de fer naturel, contenant en poids 70 % et plus de fer combiné, évalué en Fe_2O_3)	10
28.25	Oxydes de titane	15
ex 28.32	Chlorates de sodium et de potassium	10
ex 29.01	Hydrocarbures aromatiques: — naphtalène	8
ex 29.04	Alcool butylique tertiaire	8
ex 32.07	Blanc de titane	15
ex 33.01	Huiles essentielles d'agrumes, déterpénées ou non, liquides ou concrètes	12
34.04	Cires artificielles, y compris celles solubles dans l'eau; cires préparées non émulsionnées et sans solvant	12
ex 40.07	Fils et cordes de caoutchouc vulcanisé même recouverts de textiles	15

— 1 — Numéros de la nomenclature de Bruxelles	— 2 — Désignation des produits	— 3 — Tarif douanier commun (taux ad valorem en %)
41.01	Peaux brutes (fraîches, salées, séchées, chaulées, picklées), y compris les peaux d'ovins lainées	0
ex 41.03	Peaux d'ovins, simplement tannées:	
	— de métis des Indes	0
	— autres	6
ex 41.04	Peaux de caprins, simplement tannées:	
	— de chèvres des Indes	0
	— autres	7
41.08	Cuirs et peaux vernis ou métallisés	12
44.14	Feuilles de placage en bois, sciées, tranchées ou déroulées, d'une épaisseur égale ou inférieure à 5 mm, même renforcées sur une face de papier ou de tissu	10
44.15	Bois plaqués ou contre-plaqués, même avec adjonction d'autres matières; bois marquetés ou incrustés	15
53.04	Effilochés de laine et de poils (fins ou grossiers)	0

— 1 — Numéros de la nomenclature de Bruxelles	— 2 — Désignation des produits	— 3 — Tarif douanier commun (taux ad valorem en %)
54.01	Lin brut, roui, teillé, peigné ou autrement traité, mais non filé; étoupes et déchets (y compris les effilochés)	0
54.02	Ramie brute, décortiquée, dégommée, peignée ou autrement traitée, mais non filée; étoupes et déchets (y compris les effilochés)	0
55.01	Coton en masse	0
ex 55.02	Linters de coton, bruts	0
55.03	Déchets de coton (y compris les effilochés) non peignés ni cardés	0
57.01	Chanvre *(Cannabis sativa)* brut, roui, teillé, peigné ou autrement traité, mais non filé; étoupes et déchets (y compris les effilochés)	0
57.02	Abaca (chanvre de Manille ou *Musa textilis*) brut, en filasse ou travaillé, mais non filé; étoupes et déchets (y compris les effilochés)	0
57.03	Jute brut, décortiqué ou autrement traité, mais non filé; étoupes et déchets (y compris les effilochés)	0
74.01	Mattes de cuivre; cuivre brut (cuivre pour affinage et cuivre affiné); déchets et débris de cuivre	0

— 1 — Numéros de la nomenclature de Bruxelles	— 2 — Désignation des produits	— 3 — Tarif douanier commun (taux ad valorem en %)
74.02	Cupro-alliages	0
75.01	Mattes, speiss et autres produits intermédiaires de la métallurgie du nickel; nickel brut (à l'exclusion des anodes du nº 75.05); déchets et débris de nickel	0
80.01	Étain brut; déchets et débris d'étain	0
ex 85.08	Bougies d'allumage	18

LISTE G

Liste des positions tarifaires pour lesquelles les droits du tarif douanier commun doivent faire l'objet d'une négociation entre les États membres

— 1 — Numéros de la nomenclature de Bruxelles	— 2 — Désignation des produits
ex 03.01	Poissons de mer frais (vivants ou morts), réfrigérés ou congelés
03.02	Poissons simplement salés, ou en saumure, séchés ou fumés
04.04	Fromages et caillebotte
11.02	Gruaux, semoules; grains mondés, perlés, concassés, aplatis (y compris les flocons), à l'exception du riz pelé, glacé, poli ou en brisures; germes de céréales, même en farines
11.07	Malt, même torréfié
ex 15.01	Saindoux et autres graisses de porc, pressées ou fondues
15.02	Suifs des espèces bovine, ovine et caprine, bruts ou fondus, y compris les suifs dits «premiers jus»
15.03	Stéarine solaire; oléo-stéarine; huile de saindoux et oléo-margarine non émulsionnée, sans mélange ni aucune préparation
ex 15.04	Huile de baleine, même raffinée
15.07	Huiles végétales fixes, fluides ou concrètes, brutes épurées ou raffinées
15.12	Graisses et huiles animales ou végétales hydrogénées, même raffinées mais non préparées
18.03	Cacao en masse ou en pains (pâte de cacao), même dégraissé

— 1 — Numéros de la nomenclature de Bruxelles	— 2 — Désignation des produits
18.04	Beurre de cacao, y compris la graisse et l'huile de cacao
18.05	Cacao en poudre, non sucré
18.06	Chocolat et autres préparations alimentaires contenant du cacao
19.07	Pains, biscuits de mer et autres produits de la boulangerie ordinaire, sans addition de sucre, de miel, d'œufs, de matières grasses, de fromage ou de fruits
19.08	Produits de la boulangerie fine, de la pâtisserie et de la biscuiterie, même additionnés de cacao en toutes proportions
21.02	Extraits ou essences de café, de thé ou de maté; préparation à base de ces extraits ou essences
22.05	Vins de raisins frais; moûts de raisins frais mutés à l'alcool (y compris les mistelles)
22.08	Alcool éthylique non dénaturé de 80 degrés et plus; alcool éthylique dénaturé de tous titres
22.09	Alcool éthylique non dénaturé de moins de 80 degrés; eaux-de-vie, liqueurs et autres boissons spiritueuses, préparations alcooliques composées (dites «extraits concentrés») pour la fabrication de boissons
25.01	Sel gemme, sel de saline, sel marin, sel préparé pour la table; chlorure de sodium pur; eaux mères de salines; eau de mer

— 1 — Numéros de la nomenclature de Bruxelles	— 2 — Désignation des produits
25.03	Soufres de toute espèce (à l'exception du soufre sublimé, du soufre précipité et du soufre colloïdal)
25.30	Borates naturels bruts et leurs concentrés (calcinés ou non), à l'exclusion des borates extraits des saumures naturelles; acide borique naturel titrant au maximum 85 % de BO_3H_3 sur produit sec
ex 26.01	Minerais de plomb et minerais de zinc
ex 26.03	Cendres et résidus contenant du zinc
27.10	Huiles de pétrole ou de schistes (autres que les huiles brutes), y compris les préparations non dénommées ni comprises ailleurs contenant en poids une proportion d'huile de pétrole ou de schistes supérieure ou égale à 70 % et dont ces huiles constituent l'élément de base
27.11	Gaz de pétrole et autres hydrocarbures gazeux
27.12	Vaseline
ex 27.13	Paraffine, cires de pétrole ou de schistes, résidus paraffineux (gatsch ou slack wax), même colorés
ex 28.01	Iode brut et brome
28.02	Soufre sublimé ou précipité; soufre coloïdal
ex 28.11	Anhydride arsénique
28.12	Acide et anhydride boriques
28.33	Bromures et oxybromures; bromates et perbromates; hypobromites
ex 28.34	Iodures et iodates

— 1 — Numéros de la nomenclature de Bruxelles	— 2 — Désignation des produits
28.46	Borates et perborates
ex 29.04	Alcools butyliques et isobutyliques (autres que l'alcool butylique tertiaire)
ex 29.06	Phénol, crésols et xylénols
ex 32.01	Extraits de quebracho et extraits de mimosa
40.02	Caoutchouc synthétique, y compris le latex synthétique, stabilisé ou non; factice pour caoutchouc dérivé des huiles
44.03	Bois bruts, même écorcés ou simplement dégrossis
44.04	Bois simplement équarris
44.05	Bois simplement sciés longitudinalement, tranchés ou déroulés, d'une épaisseur supérieure à 5 mm
45.01	Liège naturel brut et déchets de liège; liège concassé, granulé ou pulvérisé
45.02	Cubes, plaques, feuilles et bandes en liège naturel, y compris les cubes ou carrés pour la fabrication des bouchons
47.01	Pâtes à papier
50.02	Soie grège (non moulinée)
50.03	Déchets de soie (y compris les cocons de vers à soie non dévidables et les effilochés); bourre, bourrette et blousses
50.04	Fils de soie, non conditionnés pour la vente au détail

— 1 — Numéros de la nomenclature de Bruxelles	— 2 — Désignation des produits
50.05	Fils de bourre de soie (schappe) non conditionnés pour la vente au détail
ex 62.03	Sacs et sachets d'emballage en tissus de jute, usagés
ex 70.19	Perles de verre et imitations de perles fines; imitations de pierres gemmes ou de pierres synthétiques et verroteries similaires
ex 73.02	Ferro-alliages (autres que le ferromanganèse carburé)
76.01	Aluminium brut; déchets et débris d'aluminium (1)
77.01	Magnésium brut; déchets et débris de magnésium (y compris les tournures non calibrées) (1)
78.01	Plomb brut (même argentifère); déchets et débris de plomb (1)
79.01	Zinc brut; déchets et débris de zinc (1)
ex 81.01	Tungstène (wolfram) brut, en poudre (1)
ex 81.02	Molybdène brut (1)
ex 81.03	Tantale brut (1)
ex 81.04	Autres métaux bruts (1)
ex 84.06	Moteurs pour véhicules automobiles, aérodynes et bateaux, leurs parties et pièces détachées
ex 84.08	Propulseurs à réaction, leurs pièces détachées et accessoires

(1) Les droits applicables aux demi-produits devront être revus en fonction du droit arrêté pour le métal brut conformément à la procédure prévue à l'article 21, paragraphe 2, du traité.

— 1 — Numéros de la nomenclature de Bruxelles	— 2 — Désignation des produits
84.45	Machines-outils pour le travail des métaux et des carbures métalliques, autres que celles des n°s 84.49 et 84.50
84.48	Pièces détachées et accessoires reconnaissables comme étant exclusivement ou principalement destinés aux machines-outils des n°s 84.45 à 84.47 inclus, y compris les porte-pièces et porte-outils, les filières à déclenchement automatique, les dispositifs diviseurs et autres dispositifs spéciaux se montant sur les machines-outils; porte-outils pour outillage à main des n°s 82.04, 84.49 et 85.05
ex 84.63	Organes de transmission pour moteurs d'automobiles
87.06	Parties, pièces détachées et accessoires des véhicules automobiles repris aux n°s 87.01 à 87.03 inclus
88.02	Aérodynes (avions, hydravions, cerfs-volants, planeurs, autogyres, hélicoptères, ornithoptères, etc.); rotochutes
ex 88.03	Parties et pièces détachées d'aérodynes

ANNEXE II

LISTE

prévue à l'article 38 du traité

— 1 — Numéros de la nomenclature de Bruxelles	— 2 — Désignation des produits
CHAPITRE 1	*Animaux vivants*
CHAPITRE 2	*Viandes et abats comestibles*
CHAPITRE 3	*Poissons, crustacés et mollusques*
CHAPITRE 4	*Lait et produits de la laiterie; œufs d'oiseaux; miel naturel*
CHAPITRE 5	
05.04	Boyaux, vessies et estomacs d'animaux, entiers ou en morceaux, autres que ceux de poissons
05.15	Produits d'origine animale, non dénommés ni compris ailleurs; animaux morts des chapitres 1 ou 3, impropres à la consommation humaine
CHAPITRE 6	*Plantes vivantes et produits de la floriculture*
CHAPITRE 7	*Légumes, plantes, racines et tubercules alimentaires*

— 1 — Numéros de la nomenclature de Bruxelles	— 2 — Désignation des produits
CHAPITRE 8	*Fruits comestibles; écorces d'agrumes et de melons*
CHAPITRE 9	*Café, thé et épices, à l'exclusion du maté* (n° 09.03)
CHAPITRE 10	*Céréales*
CHAPITRE 11	*Produits de la minoterie; malt; amidons et fécules; gluten; inuline*
CHAPITRE 12	*Graines et fruits oléagineux; graines, semences et fruits divers; plantes industrielles et médicinales; pailles et fourrages*
CHAPITRE 13	
ex 13.03	Pectine
CHAPITRE 15	
15.01	Saindoux et autres graisses de porc pressées ou fondues; graisse de volailles pressée ou fondue
15.02	Suifs (des espèces bovine, ovine et caprine) bruts ou fondus, y compris les suifs dits «premiers jus»
15.03	Stéarine solaire; oléo-stéarine; huile de saindoux et oléo-margarine non émulsionnée, sans mélange ni aucune préparation
15.04	Graisses et huiles de poissons et de mammifères marins même raffinées

— 1 — Numéros de la nomenclature de Bruxelles	— 2 — Désignation des produits
CHAPITRE 15 *(suite)*	
15.07	Huiles végétales fixes, fluides ou concrètes, brutes, épurées ou raffinées
15.12	Graisses et huiles animales ou végétales hydrogénées, même raffinées mais non préparées
15.13	Margarine, simili-saindoux et autres graisses alimentaires préparées
15.17	Résidus provenant du traitement des corps gras ou de cires animales ou végétales
CHAPITRE 16	*Préparations de viandes, de poissons, de crustacés et de mollusques*
CHAPITRE 17	
17.01	Sucres de betterave et de canne, à l'état solide
17.02	Autres sucres; sirops; succédanés du miel, même mélangés de miel naturel; sucres et mélasses caramélisés
17.03	Mélasses, même décolorées
17.05 (*)	Sucres, sirops et mélasses aromatisés ou additionnés de colorants (y compris le sucre vanillé ou vanilliné), à l'exception des jus de fruits additionnés de sucre en toutes proportions

(*) Position ajoutée par l'article 1er du règlement n° 7 bis du Conseil de la Communauté économique européenne, du 18 décembre 1959 (JO 7 du 30.1.1961, p. 71/61).

— 1 — Numéros de la nomenclature de Bruxelles	— 2 — Désignation des produits
CHAPITRE 18	
18.01	Cacao en fèves et brisures de fèves, brutes ou torréfiées
18.02	Coques, pelures, pellicules et déchets de cacao
CHAPITRE 20	*Préparations de légumes, de plantes potagères, de fruits et d'autres plantes ou parties de plantes*
CHAPITRE 22	
22.04	Moûts de raisins partiellement fermentés, même mutés autrement qu'à l'alcool
22.05	Vins de raisins frais; moûts de raisins frais mutés à l'alcool (y compris les mistelles)
22.07	Cidre, poiré, hydromel et autres boissons fermentées
ex 22.08 (*) et ex 22.09 (*)	Alcool éthylique, dénaturé ou non, de tous titres, obtenu à partir de produits agricoles figurant à l'annexe II du traité, à l'exclusion des eaux-de-vie, liqueurs et autres boissons spiritueuses, préparations alcooliques composées (dites «extraits concentrés») pour la fabrication de boissons
22.10 (*)	Vinaigres comestibles et leurs succédanés comestibles

(*) Position ajoutée par l'article 1er du règlement nº 7 bis du Conseil de la Communauté économique européenne, du 18 décembre 1959 (JO 7 du 30.1.1961, p. 71/61).

— 1 — Numéros de la nomenclature de Bruxelles	— 2 — Désignation des produits
CHAPITRE 23	*Résidus et déchets des industries alimentaires; aliments préparés pour animaux*
CHAPITRE 24	
24.01	Tabacs bruts ou non fabriqués; déchets de tabac
CHAPITRE 45	
45.01	Liège naturel brut et déchets de liège; liège concassé, granulé ou pulvérisé
CHAPITRE 54	
54.01	Lin brut, roui, teillé, peigné, ou autrement traité, mais non filé; étoupes et déchets (y compris les effilochés)
CHAPITRE 57	
57.01	Chanvre *(Cannabis sativa)* brut, roui, teillé, peigné ou autrement traité, mais non filé; étoupes et déchets (y compris les effilochés)

ANNEXE III

LISTE DES TRANSACTIONS INVISIBLES

prévue à l'article 73 H du traité (*)

— Frets maritimes, y compris chartes-parties, frais de port, dépenses pour bateaux de pêche, etc.

— Frets fluviaux, y compris les chartes-parties.

— Transports par route: voyageurs, frets et affrètements.

— Transports aériens: voyageurs, frets et affrètements.

Règlement par les passagers des billets de passage aérien internationaux, des excédents de bagages; règlement du fret aérien international et des vols affrétés.

Recettes provenant de la vente des billets de passage aérien internationaux, des excédents de bagages, du fret aérien international et des vols affrétés.

— Pour tous les moyens de transports maritimes: frais d'escale (soutage, essence, vivres, frais d'entretien, réparations, frais d'équipage, etc.).

(*) Titre modifié par l'article G, point 85), du TUE.

Pour tous les moyens de transports fluviaux: frais d'escale (soutage, essence, vivres, frais d'entretien et petites réparations de matériel de transport, frais d'équipage, etc.).

Pour tous les moyens de transports commerciaux routiers: carburants, huile, petites réparations, garage, frais pour les chauffeurs et le personnel de bord, etc.

Pour tous les moyens de transports aériens: frais d'exploitation et frais commerciaux, y compris réparations d'aéronefs et de matériel de navigation aérienne.

— Frais et droits d'entrepôt, de magasinage, de dédouanement.

— Droits de douane et taxes.

— Charges résultant du transit.

— Frais de réparation et de montage.
  Frais de transformation, d'usinage, de travail à façon et autres services du même genre.

— Réparations de navires.
  Réparations de matériel de transport, à l'exclusion des navires et des aéronefs.

— Assistance technique (assistance en vue de la production et de la distribution de biens et de services à tous les stades, fournie pour une période fixée en fonction de l'objet particulier de cette assistance, et comprenant par exemple des consultations et des déplacements d'experts, l'établissement de plans et de dessins d'ordre technique, des contrôles de fabrication, des études de marchés, ainsi que la formation du personnel).

— Commissions et courtages.

Bénéfices découlant des opérations de transit.

Commissions et frais bancaires.

Frais de représentation.

— Publicité sous toutes ses formes.

— Voyages d'affaires.

— Participation de filiales, succursales, etc., aux frais généraux de leur maison mère à l'étranger et vice versa.

— Contrats d'entreprises (travaux de construction et d'entretien de bâtiments, routes, ponts, ports, etc., exécutés par des entreprises spécialisées, généralement à des prix forfaitaires après adjudication publique).

— Différences, nantissements et dépôts concernant les opérations à terme sur marchandises, effectuées conformément aux pratiques commerciales établies.

— Tourisme.

— Voyages et séjours de caractère personnel pour études.

— Voyages et séjours de caractère personnel, nécessités par des raisons de santé.

— Voyages et séjours de caractère personnel pour raisons de famille.

— Abonnements à des journaux, périodiques, livres, éditions musicales.

Journaux, périodiques, livres, éditions musicales et disques.

- Films impressionnés, commerciaux, d'information, d'éducation, etc. (location, redevances cinématographiques, souscriptions et frais de copie et de synchronisation, etc.).

- Cotisations.

- Entretien et réparations courantes de propriétés privées à l'étranger.

- Dépenses gouvernementales (représentations officielles à l'étranger, contributions aux organismes internationaux).

- Impôts et taxes, frais de justice, frais d'enregistrement de brevets et de marques de fabrique.

  Dommages et intérêts.

  Remboursements effectués en cas d'annulation de contrats ou de paiements indus.

  Amendes.

- Règlements périodiques des administrations des Postes, Télégraphes et Téléphones, ainsi que des entreprises de transport public.

- Autorisations de change accordées aux ressortissants ou résidents de nationalité étrangère émigrant à l'étranger.

  Autorisations de change accordées aux ressortissants ou résidents de nationalité étrangère rentrant dans leur patrie.

- Salaires et traitements (ouvriers, frontaliers ou saisonniers, et autres prestations de non-résidents, sans préjudice au droit pour les pays de réglementer l'emploi de la main-d'œuvre étrangère).

- Remises d'émigrants (sans préjudice au droit pour les pays de réglementer l'immigration).

— Honoraires et rémunérations.

— Dividendes et revenus de parts bénéficiaires.

— Intérêts (titres mobiliers, titres hypothécaires, etc.).

— Loyers et fermages, etc.

— Amortissements contractuels d'emprunts (à l'exception des transferts représentant un amortissement ayant le caractère d'un remboursement anticipé ou de paiement d'arriérés accumulés).

— Bénéfices découlant d'exploitation d'entreprises.

— Droits d'auteur.

Brevets, dessins, marques de fabrique et inventions (cessions et licences de brevets, dessins, marques de fabrique et inventions, protégés ou non, et transferts découlant de telles cessions ou licences).

— Recettes consulaires.

— Pensions et retraites, et autres revenus analogues.

Pensions alimentaires légales et assistance financière en cas de gêne particulière.

Transferts échelonnés d'avoirs détenus dans un pays membre par des personnes résidant dans un autre pays membre et dépourvues de ressources suffisant à leur entretien personnel dans ce dernier pays.

— Transactions et transferts afférents à l'assurance directe.

— Transactions et transferts afférents à la réassurance et à la rétrocession.

- Ouverture et remboursement de crédits de caractère commercial ou industriel.

- Transferts à l'étranger de montants de minime importance.

- Frais de documentation de toute nature engagés pour leur compte personnel par des établissements de change agréés.

- Primes de sportifs et gains de course.

- Successions.

- Dots.

ANNEXE IV

PAYS ET TERRITOIRES D'OUTRE-MER

auxquels s'appliquent les dispositions de la quatrième partie du traité (1) (2) (3)

L'Afrique-Occidentale française, comprenant: le Sénégal, le Soudan, la Guinée, la Côte d'Ivoire, le Dahomey, la Mauritanie, le Niger et la Haute-Volta (4).

NOTES DES ÉDITEURS

(1) Texte tel qu'il est modifié par:
- l'article 1er de la convention du 13 novembre 1962 portant révision du traité instituant la Communauté économique européenne (JO 150 du 1.10.1964, p. 2414/64),
- l'article 24, paragraphe 2, de l'AA DK/IRL/RU dans la version résultant de l'article 13 de la DA AA DK/IRL/RU,
- le traité du 13 mars 1984 modifiant les traités instituant les Communautés en ce qui concerne le Groenland (JO L 29 du 1.2.1985).

(2) La décision 86/283/CEE du Conseil, du 30 juin 1986, relative à l'association des pays et territoires d'outre-mer à la Communauté économique européenne (JO L 175 du 1.7.1986) comporte en annexe I la liste des pays et territoires d'outre-mer auxquels s'appliquent les dispositions de la quatrième partie du traité.

(3) Les dispositions de la quatrième partie du traité ont été appliquées au Surinam, en vertu d'un acte additionnel du royaume des Pays-Bas déposé en complément à son instrument de ratification, du 1er septembre 1962 au 16 juillet 1976.

(4) Les dispositions de la quatrième partie du traité ne s'appliquent plus à ces pays ou territoires devenus indépendants et dont la dénomination a pu être modifiée.
Les relations entre la CEE et certains États africains et malgache ont fait l'objet des conventions d'association signées à Yaoundé successivement le 20 juillet 1963 et le 29 juillet 1969. Les relations avec certains États africains, des Caraïbes et du Pacifique ont ensuite fait l'objet de:
- la convention ACP-CEE de Lomé, signée le 28 février 1975 (JO L 25 du 30.1.1976) et entrée en vigueur le 1er avril 1976,
- la deuxième convention ACP-CEE, signée à Lomé le 31 octobre 1979 (JO L 347 du 22.12.1980) et entrée en vigueur le 1er janvier 1981,
- la troisième convention ACP-CEE, signée à Lomé le 8 décembre 1984 (JO L 86 du 31.3.1986) et entrée en vigueur le 1er mai 1986,
- la quatrième convention ACP-CEE, signée à Lomé le 15 décembre 1989 (JO L 229 du 17.8.1991) et entrée en vigueur le 1er septembre 1991.

L'Afrique-Équatoriale française, comprenant: le Moyen-Congo, l'Oubangui-Chari, le Tchad et le Gabon [1].

Saint-Pierre-et-Miquelon [2], l'archipel des Comores [3], Madagascar [1] et dépendances [1], la Côte française des Somalis [1], la Nouvelle-Calédonie et dépendances, les Établissements français de l'Océanie [4], les Terres australes et antarctiques [5].

La république autonome du Togo [1].

Le territoire sous tutelle du Cameroun administré par la France [1].

Le Congo belge et le Ruanda-Urundi [1].

La Somalie sous tutelle italienne [1].

La Nouvelle-Guinée néerlandaise [1].

Les Antilles néerlandaises [6].

NOTES DES ÉDITEURS

[1] Voir note 4 en bas de la première page de cette annexe.

[2] Devenu collectivité territoriale de la République française.

[3] Les dispositions de la quatrième partie du traité ne s'appliquent plus à cet archipel, à l'exception de la collectivité territoriale de Mayotte, restée dans la liste des pays et territoires d'outre-mer (voir note 2 en bas de la première page de cette annexe).

[4] Nouvelle dénomination: territoire d'outre-mer de la Polynésie française,
territoire d'outre-mer des îles Wallis-et-Futuna.

[5] Nouvelle dénomination: territoire des Terres australes et antarctiques françaises.

[6] Nouvelle dénomination: pays d'outre-mer relevant du royaume des Pays-Bas:
- Aruba,
- Antilles néerlandaises:
  - Bonaire,
  - Curaçao,
  - Saba,
  - Sint-Eustatius,
  - Sint-Maarten.

Le condominium franco-britannique des Nouvelles-Hébrides (1).

Les Bahamas (1).

Les Bermudes (2).

Brunei (3).

Les États associés de la mer des Caraïbes: Antigua, la Dominique, Grenade, Sainte-Lucie, Saint-Vincent, Saint-Christophe, Nevis, Anguilla (4).

Le Honduras britannique (1).

Les îles Caïmans.

Les îles Falkland et leurs dépendances (5).

Les îles Gilbert et Ellice (1).

Les îles de la Ligne méridionales et centrales (2).

NOTES DES ÉDITEURS

(1) Voir note 4 en bas de la première page de cette annexe.

(2) Ces territoires ne figurent pas parmi les pays et territoires d'outre-mer couverts par la décision 86/283/CEE du Conseil, du 30 juin 1986 (voir note 2 en bas de la première page de cette annexe).

(3) Les dispositions de la quatrième partie du traité ne s'appliquent plus à ce territoire, devenu indépendant le 31 décembre 1983.

(4) Les États associés de la mer des Caraïbes n'existent plus comme entité constitutionnelle. Tous les territoires qui composaient ce groupe sont devenus indépendants, à l'exception d'Anguilla, à qui continuent d'être appliquées les dispositions de la quatrième partie du traité.

(5) Les dépendances des îles Falkland ont changé de nom le 3 octobre 1985, cessant d'être des dépendances des îles Falkland. Leur dénomination actuelle est: Géorgie du Sud et îles Sandwich du Sud.

Les îles Salomon britanniques ([1]).

Les îles Turques et Caïques.

Les îles Vierges britanniques.

Montserrat.

Pitcairn.

Sainte-Hélène et ses dépendances.

Les Seychelles ([1]).

Le territoire antarctique britannique.

Le territoire britannique de l'océan Indien.

Groenland ([2]).

NOTES DES ÉDITEURS

([1]) Voir note 4 en bas de la première page de cette annexe.

([2]) Mention ajoutée par l'article 4 du traité Groenland.

II — Protocoles (*)

(*) NOTE DES ÉDITEURS

Les protocoles n° A et n° B ci-après ont été adoptés à Rome le 25 mars 1957; les protocoles n° 1 à n° 17 ont été adoptés à Maastricht le 7 février 1992. Pour les textes des protocoles non repris dans le présent volume, ainsi que pour la convention d'application relative à l'association des pays et territoires d'outre-mer à la Communauté, voir le volume II.

Protocole (n° A)

sur les statuts de la Banque européenne d'investissement

LES HAUTES PARTIES CONTRACTANTES,

DÉSIRANT fixer les statuts de la Banque européenne d'investissement, prévus à l'article 198 D (*) du traité,

SONT CONVENUES des dispositions ci-après, qui sont annexées à ce traité.

Article premier (*)

La Banque européenne d'investissement instituée par l'article 198 D du traité, ci-après dénommée la «Banque», est constituée et exerce ses fonctions et son activité conformément aux dispositions de ce traité et des présents statuts.

Le siège de la Banque est fixé du commun accord des gouvernements des États membres.

Article 2 (*)

La mission de la Banque est définie par l'article 198 E du traité.

Article 3 (*) (**)

Conformément à l'article 198 D du traité, sont membres de la Banque:

— le royaume de Belgique,
— le royaume de Danemark,
— la république fédérale d'Allemagne,
— la République hellénique,
— le royaume d'Espagne,

(*) Texte modifié par l'article G, point 86), du TUE.

(**) Tel que remplacé par l'article 1er du protocole no 1 annexé à l'AA ESP/PORT.

— la République française,
— l'Irlande,
— la République italienne,
— le grand-duché de Luxembourg,
— le royaume des Pays-Bas,
— la République portugaise,
— le Royaume-Uni de Grande-Bretagne et d'Irlande du Nord.

Article 4

1. La Banque est dotée d'un capital de vingt-huit milliards huit cents millions d'Écus souscrit par les États membres à concurrence des montants suivants:

Allemagne	5 508 725 000
France	5 508 725 000
Italie	5 508 725 000
Royaume-Uni	5 508 725 000
Espagne	2 024 928 000
Belgique	1 526 980 000
Pays-Bas	1 526 980 000
Danemark	773 154 000
Grèce	414 190 000
Portugal	266 922 000
Irlande	193 288 000
Luxembourg	38 658 000 (*)

L'unité de compte est définie comme étant l'Écu utilisé par les Communautés européennes (**). Le conseil des gouverneurs,

(*) Paragraphe 1, premier alinéa, tel que remplacé par l'article 2 du protocole n° 1 annexé à l'AA ESP/PORT.

(**) Paragraphe 1, deuxième alinéa, tel que modifié par la décision du conseil des gouverneurs du 13 mai 1981 (JO L 311 du 30.10.1981).

statuant à l'unanimité sur proposition du conseil d'administration, peut modifier la définition de l'unité de compte (*).

Les États membres ne sont responsables que jusqu'à concurrence de leur quote-part du capital souscrit et non versé.

2. L'admission d'un nouveau membre entraîne une augmentation du capital souscrit correspondant à l'apport du nouveau membre.

3. Le conseil des gouverneurs, statuant à l'unanimité, peut décider une augmentation du capital souscrit.

4. La quote-part du capital souscrit ne peut être ni cédée ni donnée en nantissement et est insaisissable.

Article 5

1. Le capital souscrit est versé par les États membres à concurrence de 9,01367457 % en moyenne des montants définis à l'article 4, paragraphe 1 (**).

2. En cas d'augmentation du capital souscrit, le conseil des gouverneurs, statuant à l'unanimité, fixe le pourcentage qui doit être versé ainsi que les modalités de versement (***).

3. Le conseil d'administration peut exiger le versement du solde du capital souscrit pour autant que ce versement est rendu néces-

(*) Paragraphe 1, deuxième alinéa, tel que complété par l'article 1er du traité modifiant le protocole sur les statuts de la Banque.

(**) Paragraphe 1 tel que remplacé par l'article 3 du protocole nº 1 annexé à l'AA ESP/PORT.

(***) Paragraphe 2 tel que remplacé par l'article 3 du protocole nº 1 annexé à l'AA DK/IRL/RU.

saire pour faire face aux obligations de la Banque à l'égard de ses bailleurs de fonds.

Le versement est effectué par chaque État membre proportionnellement à sa quote-part du capital souscrit, dans les monnaies dont la Banque a besoin pour faire face à ces obligations (*).

Article 6

1. Sur la proposition du conseil d'administration, le conseil des gouverneurs peut décider à la majorité qualifiée que les États membres accordent à la Banque des prêts spéciaux productifs d'intérêts, dans le cas et dans la mesure où la Banque aura besoin d'un tel prêt pour le financement de projets déterminés, et où le conseil d'administration justifie qu'elle n'est pas en mesure de se procurer les ressources nécessaires sur les marchés des capitaux à des conditions convenables, compte tenu de la nature et de l'objet des projets à financer.

2. Les prêts spéciaux ne peuvent être requis qu'à partir du début de la quatrième année suivant l'entrée en vigueur du traité. Ils ne doivent pas excéder 400 millions d'unités de compte au total ni 100 millions d'unités de compte par an.

3. La durée des prêts spéciaux sera établie en fonction de la durée des crédits ou garanties que la Banque se propose d'accorder au moyen de ces prêts; elle ne doit pas dépasser 20 ans. Le conseil des gouverneurs, statuant à la majorité qualifiée sur proposition du conseil d'administration, peut décider le remboursement anticipé des prêts spéciaux.

4. Les prêts spéciaux porteront intérêt au taux de 4 % l'an, à moins que le conseil des gouverneurs, en tenant compte de l'évolution et du niveau des taux d'intérêt sur les marchés des capitaux, ne décide de fixer un taux différent.

(*) Paragraphe 3 tel que remplacé par l'article 3 du protocole n° 1 annexé à l'AA DK/IRL/RU.

5. Les prêts spéciaux doivent être accordés par les États membres au prorata de leur souscription dans le capital; ils doivent être versés en monnaie nationale au cours des six mois qui suivent leur appel.

6. En cas de liquidation de la Banque, les prêts spéciaux des États membres ne sont remboursés qu'après extinction des autres dettes de la Banque.

Article 7(*)

1. Au cas où la valeur de la monnaie d'un État membre par rapport à l'unité de compte définie à l'article 4 serait réduite, le montant de la quote-part de capital versée par cet État dans sa monnaie nationale serait ajusté proportionnellement à la modification intervenue dans la valeur, moyennant un versement complémentaire effectué par cet État en faveur de la Banque.

2. Au cas où la valeur de la monnaie d'un État membre par rapport à l'unité de compte définie à l'article 4 serait augmentée, le montant de la quote-part de capital versée par cet État dans sa monnaie nationale serait ajusté proportionnellement à la modification intervenue dans la valeur, moyennant un remboursement effectué par la Banque en faveur de cet État.

3. Au sens du présent article, la valeur de la monnaie d'un État membre par rapport à l'unité de compte, définie à l'article 4, correspond au taux de conversion entre cette unité de compte et cette monnaie établi sur la base des taux du marché.

4. Le conseil des gouverneurs, statuant à l'unanimité sur proposition du conseil d'administration, peut modifier la méthode de

(*) Tel que modifié par l'article 3 du protocole n° 1 annexé à l'AA GR.

conversion en monnaies nationales des sommes exprimées en unités de compte et vice versa.

Il peut en outre, sur proposition du conseil d'administration et statuant à l'unanimité, définir les modalités de l'ajustement du capital visé aux paragraphes 1 et 2 du présent article; les versements relatifs à cet ajustement doivent être effectués au moins une fois l'an.

Article 8

La Banque est administrée et gérée par un conseil des gouverneurs, un conseil d'administration et un comité de direction.

Article 9

1. Le conseil des gouverneurs se compose des ministres désignés par les États membres.

2. Le conseil des gouverneurs établit les directives générales relatives à la politique de crédit de la Banque, notamment en ce qui concerne les objectifs dont il y aura lieu de s'inspirer au fur et à mesure que progresse la réalisation du marché commun.

Il veille à l'exécution de ces directives.

3. En outre, le conseil des gouverneurs:

a) décide de l'augmentation du capital souscrit, conformément à l'article 4, paragraphe 3, et à l'article 5, paragraphe 2 (*),

(*) Points a) et c) tels que modifiés par l'article 4 du protocole n° 1 annexé à l'AA DK/IRL/RU.

b) exerce les pouvoirs prévus par l'article 6 en matière de prêts spéciaux,

c) exerce les pouvoirs prévus par les articles 11 et 13 pour la nomination et la démission d'office des membres du conseil d'administration et du comité de direction, ainsi que ceux prévus par l'article 13, paragraphe 1, deuxième alinéa (*),

d) accorde la dérogation prévue par l'article 18, paragraphe 1,

e) approuve le rapport annuel établi par le conseil d'administration,

f) approuve le bilan annuel, de même que le compte des profits et pertes,

g) exerce les pouvoirs et attributions prévus par les articles 4, 7, 14, 17, 26 et 27 (**),

h) approuve le règlement intérieur de la Banque.

4. Le conseil des gouverneurs est compétent pour prendre, à l'unanimité, dans le cadre du traité et des présents statuts, toutes décisions relatives à la suspension de l'activité de la Banque et à sa liquidation éventuelle.

Article 10 (***)

Sauf dispositions contraires des présents statuts, les décisions du conseil des gouverneurs sont prises à la majorité des membres qui

---

(*) Points a) et c) tels que modifiés par l'article 4 du protocole n° 1 annexé à l'AA DK/IRL/RU.

(**) Point g) tel que modifié par l'article 3 du traité modifiant le protocole sur les statuts de la Banque.

(***) Tel que modifié par l'article 4 du protocole n° 1 annexé à l'AA ESP/PORT.

le composent. Cette majorité doit représenter au moins 45 % du capital souscrit. Les votes du conseil des gouverneurs sont régis par les dispositions de l'article 148 du traité.

Article 11

1. Le conseil d'administration a compétence exclusive pour décider de l'octroi de crédits et de garanties et de la conclusion d'emprunts, fixe les taux d'intérêt pour les prêts, ainsi que les commissions de garanties, contrôle la saine administration de la Banque et assure la conformité de la gestion de la Banque avec les dispositions du traité et des statuts et les directives générales fixées par le conseil des gouverneurs.

À l'expiration de l'exercice, il est tenu de soumettre un rapport au conseil des gouverneurs et de le publier après approbation.

2. Le conseil d'administration est composé de vingt-deux administrateurs et douze suppléants (*).

Les administrateurs sont nommés pour une période de cinq ans par le conseil des gouverneurs à raison de:

— trois administrateurs désignés par la république fédérale d'Allemagne,

— trois administrateurs désignés par la République française,

— trois administrateurs désignés par la République italienne,

— trois administrateurs désignés par le Royaume-Uni de Grande-Bretagne et d'Irlande du Nord,

— deux administrateurs désignés par le royaume d'Espagne,

(*) Paragraphe 2, premier, deuxième et troisième alinéas, tels que modifiés par l'article 5 du protocole nº 1 annexé à l'AA ESP/PORT.

— un administrateur désigné par le royaume de Belgique,

— un administrateur désigné par le royaume de Danemark,

— un administrateur désigné par la République hellénique,

— un administrateur désigné par l'Irlande,

— un administrateur désigné par le grand-duché de Luxembourg,

— un administrateur désigné par le royaume des Pays-Bas,

— un administrateur désigné par la République portugaise,

— un administrateur désigné par la Commission (*).

Les suppléants sont nommés pour une période de cinq ans par le conseil des gouverneurs à raison de:

— deux suppléants désignés par la république fédérale d'Allemagne,

— deux suppléants désignés par la République française,

— deux suppléants désignés par la République italienne,

— deux suppléants désignés par le Royaume-Uni de Grande-Bretagne et d'Irlande du Nord,

— un suppléant désigné d'un commun accord par le royaume de Danemark, la République hellénique et l'Irlande,

— un suppléant désigné d'un commun accord par les pays du Benelux,

— un suppléant désigné d'un commun accord par le royaume d'Espagne et la République portugaise,

— un suppléant désigné par la Commission (*).

(*) Paragraphe 2, premier, deuxième et troisième alinéas, tels que modifiés par l'article 5 du protocole nº 1 annexé à l'AA ESP/PORT.

Le mandat des administrateurs et des suppléants est renouvelable (*).

Les suppléants peuvent participer aux séances du conseil d'administration. Les suppléants désignés par un État, ou d'un commun accord par plusieurs États, ou par la Commission, peuvent remplacer les titulaires respectivement désignés par cet État, par l'un de ces États ou par la Commission. Les suppléants n'ont pas le droit de vote, sauf s'ils remplacent un ou plusieurs titulaires ou s'ils ont reçu délégation à cet effet, conformément aux dispositions de l'article 12, paragraphe 1 (*).

Le président, ou à son défaut un des vice-présidents du comité de direction, préside les séances du conseil d'administration sans prendre part au vote.

Les membres du conseil d'administration sont choisis parmi les personnalités offrant toutes garanties d'indépendance et de compétence: ils ne sont responsables qu'envers la Banque.

3. Dans le seul cas où un administrateur ne remplit plus les conditions nécessaires pour exercer ses fonctions, le conseil des gouverneurs, statuant à la majorité qualifiée, pourra prononcer sa démission d'office.

La non-approbation du rapport annuel entraîne la démission du conseil d'administration.

4. En cas de vacance, par suite de décès ou de démission volontaire, d'office ou collective, il est procédé au remplacement selon les règles fixées au paragraphe 2. En dehors des renouvellements généraux, les membres sont remplacés pour la durée de leur mandat restant à courir.

(*) Paragraphe 2, quatrième et cinquième alinéas, tels que modifiés par l'article 6 du protocole n° 1 annexé à l'AA DK/IRL/RU dans la version résultant de l'article 37 de la DA AA DK/IRL/RU.

5. Le conseil des gouverneurs fixe la rétribution des membres du conseil d'administration. Il établit à l'unanimité les incompatibilités éventuelles avec les fonctions d'administrateur et de suppléant.

Article 12

1. Chaque administrateur dispose d'une voix au conseil d'administration. Il peut déléguer sa voix dans tous les cas, selon des modalités à déterminer dans le règlement intérieur de la Banque (*).

2. Sauf dispositions contraires des présents statuts, les décisions du conseil d'administration sont prises à la majorité simple des membres du conseil ayant voix délibérative. La majorité qualifiée requiert la réunion de quinze voix (**). Le règlement intérieur de la Banque fixe le quorum nécessaire pour la validité des délibérations du conseil d'administration.

Article 13

1. Le comité de direction se compose d'un président et de six vice-présidents nommés pour une période de six ans par le conseil des gouverneurs sur proposition du conseil d'administration. Leur mandat est renouvelable (***).

Le conseil des gouverneurs, statuant à l'unanimité, peut modifier le nombre des membres du comité de direction (****).

2. Sur proposition du conseil d'administration ayant statué à la majorité qualifiée, le conseil des gouverneurs, statuant à son tour à

(*) Paragraphe 1 tel que modifié par l'article 7 du protocole nº 1 annexé à l'AA DK/IRL/RU.

(**) Paragraphe 2, deuxième phrase, telle que modifiée par l'article 6 du protocole nº 1 annexé à l'AA ESP/PORT.

(***) Paragraphe 1, premier alinéa, tel que modifié par l'article 7 du protocole nº 1 annexé à l'AA ESP/PORT.

(****) Paragraphe 1, deuxième alinéa, tel que modifié par l'article 9 du protocole nº 1 annexé à l'AA DK/IRL/RU.

la majorité qualifiée, peut prononcer la démission d'office des membres du comité de direction.

3. Le comité de direction assure la gestion des affaires courantes de la Banque, sous l'autorité du président et sous le contrôle du conseil d'administration.

Il prépare les décisions du conseil d'administration, notamment en ce qui concerne la conclusion d'emprunts et l'octroi de crédits et de garanties; il assure l'exécution de ces décisions.

4. Le comité de direction formule à la majorité ses avis sur les projets de prêts et de garanties et sur les projets d'emprunts.

5. Le conseil des gouverneurs fixe la rétribution des membres du comité de direction et établit les incompatibilités avec leurs fonctions.

6. Le président, ou en cas d'empêchement un des vice-présidents, représente la Banque en matière judiciaire ou extrajudiciaire.

7. Les fonctionnaires et employés de la Banque sont placés sous l'autorité du président. Ils sont engagés et licenciés par lui. Dans le choix du personnel, il doit être tenu compte non seulement des aptitudes personnelles et des qualifications professionnelles, mais encore d'une participation équitable des nationaux des États membres.

8. Le comité de direction et le personnel de la Banque ne sont responsables que devant cette dernière et exercent leurs fonctions en pleine indépendance.

Article 14

1. Un comité, composé de trois membres nommés par le conseil des gouverneurs en raison de leur compétence, vérifie chaque année la régularité des opérations et des livres de la Banque.

2. Il confirme que le bilan et le compte de profits et pertes sont conformes aux écritures comptables et qu'ils reflètent exactement, à l'actif comme au passif, la situation de la Banque.

Article 15

La Banque communique avec chaque État membre par l'intermédiaire de l'autorité désignée par celui-ci. Dans l'exécution des opérations financières, elle a recours à la banque d'émission de l'État membre intéressé ou à d'autres institutions financières agréées par celui-ci.

Article 16

1. La Banque coopère avec toutes les organisations internationales dont l'activité s'exerce en des domaines analogues aux siens.

2. La Banque recherche tous les contacts utiles en vue de coopérer avec les institutions bancaires et financières des pays auxquels elle étend ses opérations.

Article 17

À la requête d'un État membre ou de la Commission, ou d'office, le conseil des gouverneurs interprète ou complète, dans les conditions dans lesquelles elles ont été arrêtées, les directives fixées par lui aux termes de l'article 9 des présents statuts.

Article 18

1. Dans le cadre du mandat défini à l'article 130 du traité, la Banque accorde des crédits à ses membres ou à des entreprises privées ou publiques pour des projets d'investissement à réaliser sur les territoires européens des États membres, pour autant que des moyens provenant d'autres ressources ne sont pas disponibles à des conditions raisonnables.

Toutefois, par dérogation accordée à l'unanimité par le conseil des gouverneurs, sur proposition du conseil d'administration, la Banque peut octroyer des crédits pour des projets d'investissement à réaliser en tout ou en partie hors des territoires européens des États membres.

2. L'octroi de prêts est, autant que possible, subordonné à la mise en œuvre d'autres moyens de financement.

3. Lorsqu'un prêt est consenti à une entreprise ou à une collectivité autre qu'un État membre, la Banque subordonne l'octroi de ce prêt soit à une garantie de l'État membre sur le territoire duquel le projet sera réalisé, soit à d'autres garanties suffisantes.

4. La Banque peut garantir des emprunts contractés par des entreprises publiques ou privées ou par des collectivités pour la réalisation d'opérations prévues à l'article 130 du traité.

5. L'encours total des prêts et des garanties accordés par la Banque ne doit pas excéder 250 % du montant du capital souscrit.

6. La Banque se prémunit contre le risque de change en assortissant les contrats de prêts et de garanties des clauses qu'elle estime appropriées.

Article 19

1. Les taux d'intérêt pour les prêts à consentir par la Banque, ainsi que les commissions de garantie, doivent être adaptés aux conditions qui prévalent sur le marché des capitaux et doivent être calculés de façon que les recettes qui en résultent permettent à la Banque de faire face à ses obligations, de couvrir ses frais et de constituer un fonds de réserve conformément à l'article 24.

2. La Banque n'accorde pas de réduction sur les taux d'intérêt. Dans le cas où, compte tenu du caractère spécifique du projet à financer, une réduction du taux d'intérêt paraît indiquée, l'État

membre intéressé ou une tierce instance peut accorder des bonifications d'intérêts, dans la mesure où leur octroi est compatible avec les règles fixées à l'article 92 du traité.

Article 20

Dans ses opérations de prêts et de garanties, la Banque doit observer les principes suivants.

1. Elle veille à ce que ses fonds soient utilisés de la façon la plus rationnelle dans l'intérêt de la Communauté.

Elle ne peut accorder des prêts ou garantir des emprunts que:

a) lorsque le service d'intérêt et d'amortissement est assuré par les bénéfices d'exploitation, dans le cas de projets mis en œuvre par des entreprises du secteur de la production, ou par un engagement souscrit par l'État dans lequel le projet est mis en œuvre, ou de toute autre manière, dans le cas d'autres projets,

b) et lorsque l'exécution du projet contribue à l'accroissement de la productivité économique en général et favorise la réalisation du marché commun.

2. Elle ne doit acquérir aucune participation à des entreprises, ni assumer aucune responsabilité dans la gestion, à moins que la protection de ses droits ne l'exige pour garantir le recouvrement de sa créance.

3. Elle peut céder ses créances sur le marché des capitaux et, à cet effet, exiger de ses emprunteurs l'émission d'obligations ou d'autres titres.

4. Ni elle ni les États membres ne doivent imposer de conditions selon lesquelles les sommes prêtées doivent être dépensées à l'intérieur d'un État membre déterminé.

5. Elle peut subordonner l'octroi de prêts à l'organisation d'adjudications internationales.

6. Elle ne finance, en tout ou en partie, aucun projet auquel s'oppose l'État membre sur le territoire duquel ce projet doit être exécuté.

Article 21

1. Les demandes de prêt ou de garantie peuvent être adressées à la Banque soit par l'intermédiaire de la Commission, soit par l'intermédiaire de l'État membre sur le territoire duquel le projet sera réalisé. La Banque peut aussi être saisie directement d'une demande de prêt ou de garantie par une entreprise.

2. Lorsque les demandes sont adressées par l'intermédiaire de la Commission, elles sont soumises pour avis à l'État membre sur le territoire duquel le projet sera réalisé. Lorsqu'elles sont adressées par l'intermédiaire de l'État, elles sont soumises pour avis à la Commission. Lorsqu'elles émanent directement d'une entreprise, elles sont soumises à l'État membre intéressé et à la Commission.

Les États membres intéressés et la Commission doivent donner leur avis dans un délai de deux mois au maximum. À défaut de réponse dans ce délai, la Banque peut considérer que le projet en cause ne soulève pas d'objections.

3. Le conseil d'administration statue sur les demandes de prêt ou de garantie qui lui sont soumises par le comité de direction.

4. Le comité de direction examine si les demandes de prêt ou de garantie qui lui sont soumises sont conformes aux dispositions des présents statuts, notamment à celles de l'article 20. Si le comité de direction se prononce en faveur de l'octroi du prêt ou de la garantie, il doit soumettre le projet de contrat au conseil d'administration; il peut subordonner son avis favorable aux conditions qu'il considère comme essentielles. Si le comité de direction se prononce contre l'octroi du prêt ou de la garantie, il doit soumettre au conseil d'administration les documents appropriés accompagnés de son avis.

5. En cas d'avis négatif du comité de direction, le conseil d'administration ne peut accorder le prêt ou la garantie en cause qu'à l'unanimité.

6. En cas d'avis négatif de la Commission, le conseil d'administration ne peut accorder le prêt ou la garantie en cause qu'à l'unanimité, l'administrateur nommé sur désignation de la Commission s'abstenant de prendre part au vote.

7. En cas d'avis négatif du comité de direction et de la Commission, le conseil d'administration ne peut pas accorder le prêt ou la garantie en cause.

Article 22

1. La Banque emprunte sur les marchés internationaux des capitaux les ressources nécessaires à l'accomplissement de ses tâches.

2. La Banque peut emprunter sur le marché des capitaux d'un État membre, dans le cadre des dispositions légales s'appliquant aux émissions intérieures, ou, à défaut de telles dispositions dans un État membre, quand cet État membre et la Banque se sont concertés et se sont mis d'accord sur l'emprunt envisagé par celle-ci.

L'assentiment des instances compétentes de l'État membre ne peut être refusé que si des troubles graves dans le marché des capitaux de cet État sont à craindre.

Article 23

1. La Banque peut employer, dans les conditions suivantes, les disponibilités dont elle n'a pas immédiatement besoin pour faire face à ses obligations:

a) elle peut effectuer des placements sur les marchés monétaires,

b) sous réserve des dispositions de l'article 20, paragraphe 2, elle peut acheter ou vendre des titres émis soit par elle-même, soit par ses emprunteurs,

c) elle peut effectuer toute autre opération financière en rapport avec son objet.

2. Sans préjudice des dispositions de l'article 25, la Banque n'effectue, dans la gestion de ses placements, aucun arbitrage de devises qui ne soit directement nécessité par la réalisation de ses prêts ou par l'accomplissement des engagements qu'elle a contractés du fait des emprunts émis par elle ou des garanties octroyées par elle.

3. Dans les domaines visés par le présent article, la Banque agira en accord avec les autorités compétentes des États membres ou avec leur banque d'émission.

Article 24

1. Il sera constitué progressivement un fonds de réserve à concurrence de 10 % du capital souscrit. Si la situation des engagements de la Banque le justifie, le conseil d'administration peut décider la constitution de réserves supplémentaires. Aussi longtemps que ce fonds de réserve n'aura pas été entièrement constitué, il y aura lieu de l'alimenter par:

a) les recettes d'intérêts provenant des prêts accordés par la Banque sur les sommes à verser par les États membres en vertu de l'article 5,
b) les recettes d'intérêts provenant des prêts accordés par la Banque sur les sommes constituées par le remboursement des prêts visés au point a),

pour autant que ces recettes d'intérêts ne sont pas nécessaires pour exécuter les obligations et pour couvrir les frais de la Banque.

2. Les ressources du fonds de réserve doivent être placées de façon à être à tout moment en état de répondre à l'objet de ce fonds.

Article 25

1. La Banque sera toujours autorisée à transférer dans l'une des monnaies des États membres les avoirs qu'elle détient dans la

monnaie d'un autre État membre pour réaliser les opérations financières conformes à son objet tel qu'il est défini à l'article 130 du traité et compte tenu des dispositions de l'article 23 des présents statuts. La Banque évite dans la mesure du possible de procéder à de tels transferts, si elle détient des avoirs disponibles ou mobilisables dans la monnaie dont elle a besoin.

2. La Banque ne peut convertir en devises des pays tiers les avoirs qu'elle détient dans la monnaie d'un des États membres, sans l'assentiment de cet État.

3. La Banque peut disposer librement de la fraction de son capital versé en or ou en devises convertibles, ainsi que des devises empruntées sur des marchés tiers.

4. Les États membres s'engagent à mettre à la disposition des débiteurs de la Banque les devises nécessaires au remboursement en capital et intérêts des prêts accordés ou garantis par la Banque pour des projets à réaliser sur leur territoire.

Article 26

Si un État membre méconnaît ses obligations de membre découlant des présents statuts, notamment l'obligation de verser sa quote-part ou ses prêts spéciaux ou d'assurer le service de ses emprunts, l'octroi de prêts ou de garanties à cet État membre ou à ses ressortissants peut être suspendu par décision du conseil des gouverneurs statuant à la majorité qualifiée.

Cette décision ne libère pas l'État ni ses ressortissants de leurs obligations vis-à-vis de la Banque.

Article 27

1. Si le conseil des gouverneurs décide de suspendre l'activité de la Banque, toutes les activités devront être arrêtées sans délai, à

l'exception des opérations nécessaires pour assurer dûment l'utilisation, la protection et la conservation des biens, ainsi que le règlement des engagements.

2. En cas de liquidation, le conseil des gouverneurs nomme les liquidateurs et leur donne des instructions pour effectuer la liquidation.

Article 28

1. La Banque jouit dans chacun des États membres de la capacité juridique la plus large reconnue aux personnes morales par les législations nationales; elle peut notamment acquérir et aliéner des biens immobiliers ou mobiliers et ester en justice.

(Deuxième alinéa abrogé par l'article 28, deuxième alinéa, du traité de fusion)

[*Voir article 28, premier alinéa, du traité de fusion, qui se lit comme suit:*

Les Communautés européennes jouissent sur le territoire des États membres des privilèges et immunités nécessaires à l'accomplissement de leur mission dans les conditions définies au protocole annexé au présent traité. Il en est de même de la Banque européenne d'investissement.]

2. Les biens de la Banque sont exemptés de toute réquisition ou expropriation sous n'importe quelle forme.

Article 29

Les litiges entre la Banque, d'une part, et, d'autre part, ses prêteurs, ses emprunteurs ou des tiers sont tranchés par les juridictions nationales compétentes, sous réserve des compétences attribuées à la Cour de justice.

La Banque doit élire domicile dans chacun des États membres. Toutefois, elle peut, dans un contrat, procéder à une élection spéciale de domicile ou prévoir une procédure d'arbitrage.

Les biens et avoirs de la Banque ne pourront être saisis ou soumis à exécution forcée que par décision de justice.

Article 30 (*)

1. Le conseil des gouverneurs, statuant à l'unanimité, peut décider de créer un Fonds européen d'investissement, doté de la personnalité juridique et de l'autonomie financière, et dont la Banque est un membre fondateur.

2. Le conseil des gouverneurs adopte les statuts du Fonds européen d'investissement à l'unanimité. Les statuts en définissent notamment les objectifs, la structure, le capital, les membres, les ressources financières, les instruments d'intervention, les règles de contrôle ainsi que la relation entre les organes de la Banque et ceux du Fonds.

3. Nonobstant les dispositions de l'article 20, paragraphe 2, la Banque a compétence pour participer à la gestion du Fonds et contribuer à son capital souscrit à concurrence du montant fixé par le conseil des gouverneurs, statuant à l'unanimité.

4. La Communauté européenne peut devenir membre du Fonds et contribuer à son capital souscrit. Les institutions financières intéressées à la réalisation des objectifs du Fonds peuvent être invitées à en devenir membres.

5. Le protocole sur les privilèges et immunités des Communautés européennes s'applique au Fonds, aux membres de ses organes dans l'exercice de leurs fonctions et à son personnel.

(*) Tel qu'inséré par l'acte du 25 mars 1993 modifiant le protocole sur les statuts de la Banque européenne d'investissement habilitant le conseil des gouverneurs à créer un Fonds européen d'investissement; cette modification n'était pas en vigueur à la date du 1er juillet 1993.

Le Fonds est, en outre, exonéré de toute imposition fiscale et parafiscale à l'occasion des augmentations de son capital ainsi que des formalités diverses que ces opérations pourront comporter dans l'État du siège. De même, sa dissolution et sa liquidation n'entraînent aucune perception. Enfin, l'activité du Fonds et de ses organes, s'exerçant dans les conditions statutaires, ne donne pas lieu à l'application des taxes sur le chiffre d'affaires.

Les dividendes, plus-values ou autres formes de revenus provenant du Fonds auxquels ont droit les membres autres que la Communauté européenne et la Banque demeurent, toutefois, soumis aux dispositions fiscales de la législation applicable.

6. La Cour de justice a compétence, dans les limites fixées ci-après, pour connaître des litiges concernant des mesures adoptées par les organes du Fonds. Les recours contre de telles mesures peuvent être formés par tout membre du Fonds, en cette qualité, ou par les États membres dans les conditions prévues à l'article 173 du traité.

Fait à Rome, le vingt-cinq mars mil neuf cent cinquante-sept.

P. H. SPAAK	J. Ch. SNOY ET D'OPPUERS
ADENAUER	HALLSTEIN
PINEAU	M. FAURE
Antonio SEGNI	Gaetano MARTINO
BECH	Lambert SCHAUS
J. LUNS	J. LINTHORST HOMAN

Protocole (nº B)

sur le statut de la Cour de justice de la Communauté européenne

LES HAUTES PARTIES CONTRACTANTES AU TRAITÉ INSTITUANT LA COMMUNAUTÉ EUROPÉENNE,

DÉSIRANT fixer le statut de la Cour prévu à l'article 188 de ce traité,

ONT DÉSIGNÉ, à cet effet, comme plénipotentiaires:

SA MAJESTÉ LE ROI DES BELGES:

Baron J. Ch. SNOY ET D'OPPUERS, secrétaire général du ministère des Affaires économiques, président de la délégation belge auprès de la conférence intergouvernementale,

LE PRÉSIDENT DE LA RÉPUBLIQUE FÉDÉRALE D'ALLEMAGNE:

M. le professeur docteur Carl Friedrich OPHÜLS, ambassadeur de la république fédérale d'Allemagne, président de la délégation allemande auprès de la conférence intergouvernementale,

LE PRÉSIDENT DE LA RÉPUBLIQUE FRANÇAISE:

M. Robert MARJOLIN, professeur agrégé des facultés de droit, vice-président de la délégation française auprès de la conférence intergouvernementale,

LE PRÉSIDENT DE LA RÉPUBLIQUE ITALIENNE:

M. V. BADINI CONFALONIERI, sous-secrétaire d'État aux Affaires étrangères, président de la délégation italienne auprès de la conférence intergouvernementale,

SON ALTESSE ROYALE LA GRANDE-DUCHESSE DE LUXEMBOURG:

M. Lambert SCHAUS, ambassadeur du grand-duché de Luxembourg, président de la délégation luxembourgeoise auprès de la conférence intergouvernementale,

SA MAJESTÉ LA REINE DES PAYS-BAS:

M. J. LINTHORST HOMAN, président de la délégation néerlandaise auprès de la conférence intergouvernementale,

LESQUELS, après avoir échangé leurs pleins pouvoirs, reconnus en bonne et due forme,

SONT CONVENUS des dispositions ci-après, qui sont annexées au traité instituant la Communauté européenne.

Article premier

La Cour instituée par l'article 4 du traité est constituée et exerce ses fonctions conformément aux dispositions du traité et du présent statut.

TITRE I

STATUT DES JUGES ET DES AVOCATS GÉNÉRAUX

Article 2

Tout juge doit, avant d'entrer en fonctions, en séance publique, prêter serment d'exercer ses fonctions en pleine impartialité et en toute conscience et de ne rien divulguer du secret des délibérations.

Article 3

Les juges jouissent de l'immunité de juridiction. En ce qui concerne les actes accomplis par eux, y compris leurs paroles et écrits, en leur qualité officielle, ils continuent à bénéficier de l'immunité après la cessation de leurs fonctions.

La Cour, siégeant en séance plénière, peut lever l'immunité.

Au cas où, l'immunité ayant été levée, une action pénale est engagée contre un juge, celui-ci n'est justiciable, dans chacun des États membres, que de l'instance compétente pour juger les magistrats appartenant à la plus haute juridiction nationale.

Article 4

Les juges ne peuvent exercer aucune fonction politique ou administrative.

Ils ne peuvent, sauf dérogation accordée à titre exceptionnel par le Conseil, exercer aucune activité professionnelle, rémunérée ou non.

Ils prennent, lors de leur installation, l'engagement solennel de respecter, pendant la durée de leurs fonctions et après la cessation de celles-ci, les obligations découlant de leur charge, notamment les devoirs d'honnêteté et de délicatesse quant à l'acceptation, après cette cessation, de certaines fonctions ou de certains avantages.

En cas de doute, la Cour décide.

Article 5

En dehors des renouvellements réguliers et des décès, les fonctions de juge prennent fin individuellement par démission.

En cas de démission d'un juge, la lettre de démission est adressée au président de la Cour pour être transmise au président du Conseil. Cette dernière notification emporte vacance de siège.

Sauf les cas où l'article 6 ci-après reçoit application, tout juge continue à siéger jusqu'à l'entrée en fonctions de son successeur.

Article 6

Les juges ne peuvent être relevés de leurs fonctions ni déclarés déchus de leur droit à pension ou d'autres avantages en tenant lieu que si, au jugement unanime des juges et des avocats généraux de la Cour, ils ont cessé de répondre aux conditions requises ou de satisfaire aux obligations découlant de leur charge. L'intéressé ne participe pas à ces délibérations.

Le greffier porte la décision de la Cour à la connaissance des présidents du Parlement européen et de la Commission et la notifie au président du Conseil.

En cas de décision relevant un juge de ses fonctions, cette dernière notification emporte vacance de siège.

Article 7

Les juges dont les fonctions prennent fin avant l'expiration de leur mandat sont remplacés pour la durée du mandat restant à courir.

Article 8

Les dispositions des articles 2 à 7 inclus sont applicables aux avocats généraux.

TITRE II

ORGANISATION

Article 9

Le greffier prête serment devant la Cour d'exercer ses fonctions en pleine impartialité et en toute conscience et de ne rien divulguer du secret des délibérations.

Article 10

La Cour organise la suppléance du greffier pour le cas d'empêchement de celui-ci.

Article 11

Des fonctionnaires et autres agents sont attachés à la Cour pour permettre d'en assurer le fonctionnement. Ils relèvent du greffier sous l'autorité du président.

Article 12

Sur proposition de la Cour, le Conseil statuant à l'unanimité peut prévoir la nomination de rapporteurs adjoints et en fixer le statut. Les rapporteurs adjoints peuvent être appelés, dans les conditions qui seront déterminées par le règlement de procédure, à participer à l'instruction des affaires dont la Cour est saisie et à collaborer avec le juge rapporteur.

Les rapporteurs adjoints, choisis parmi des personnes offrant toutes garanties d'indépendance et réunissant les titres juridiques nécessaires, sont nommés par le Conseil. Ils prêtent serment devant la

Cour d'exercer leurs fonctions en pleine impartialité et en toute conscience et de ne rien divulguer du secret des délibérations.

Article 13

Les juges, les avocats généraux et le greffier sont tenus de résider au siège de la Cour.

Article 14

La Cour demeure en fonctions d'une manière permanente. La durée des vacances judiciaires est fixée par la Cour, compte tenu des nécessités du service.

Article 15 (*)

La Cour ne peut valablement délibérer qu'en nombre impair. Les délibérations de la Cour siégeant en séance plénière sont valables si sept juges sont présents. Les délibérations des chambres ne sont valables que si elles sont prises par trois juges; en cas d'empêchement de l'un des juges composant une chambre, il peut être fait appel à un juge faisant partie d'une autre chambre dans les conditions déterminées par le règlement de procédure.

Article 16

Les juges et les avocats généraux ne peuvent participer au règlement d'aucune affaire dans laquelle ils sont antérieurement intervenus comme agent, conseil ou avocat de l'une des parties, ou sur laquelle ils ont été appelés à se prononcer comme membre d'un tribunal, d'une commission d'enquête ou à tout autre titre.

Si, pour une raison spéciale, un juge ou un avocat général estime ne pas pouvoir participer au jugement ou à l'examen d'une

---

(*) Tel que modifié par l'article 20 de l'AA DK/IRL/RU.

affaire déterminée, il en fait part au président. Au cas où le président estime qu'un juge ou un avocat général ne doit pas, pour une raison spéciale, siéger ou conclure dans une affaire déterminée, il en avertit l'intéressé.

En cas de difficulté sur l'application du présent article, la Cour statue.

Une partie ne peut invoquer soit la nationalité d'un juge, soit l'absence, au sein de la Cour ou d'une de ses chambres, d'un juge de sa nationalité pour demander la modification de la composition de la Cour ou d'une de ses chambres.

TITRE III

PROCÉDURE

Article 17

Les États ainsi que les institutions de la Communauté sont représentés devant la Cour par un agent nommé pour chaque affaire; l'agent peut être assisté d'un conseil ou d'un avocat inscrit à un barreau de l'un des États membres.

Les autres parties doivent être représentées par un avocat inscrit à un barreau de l'un des États membres.

Les agents, conseils et avocats comparaissant devant la Cour jouissent des droits et garanties nécessaires à l'exercice indépendant de leurs fonctions, dans les conditions qui seront déterminées par le règlement de procédure.

La Cour jouit à l'égard des conseils et avocats qui se présentent devant elle des pouvoirs normalement reconnus en la matière aux cours et tribunaux, dans les conditions qui seront déterminées par le même règlement.

Les professeurs ressortissants des États membres dont la législation leur reconnaît un droit de plaider jouissent devant la Cour des droits reconnus aux avocats par le présent article.

Article 18

La procédure devant la Cour comporte deux phases: l'une écrite, l'autre orale.

La procédure écrite comprend la communication aux parties, ainsi qu'aux institutions de la Communauté dont les décisions sont en cause, des requêtes, mémoires, défenses et observations et, éventuellement, des répliques, ainsi que de toutes pièces et documents à l'appui ou de leurs copies certifiées conformes.

Les communications sont faites par les soins du greffier dans l'ordre et les délais déterminés par le règlement de procédure.

La procédure orale comprend la lecture du rapport présenté par un juge rapporteur, l'audition par la Cour des agents, conseils et avocats et des conclusions de l'avocat général, ainsi que, s'il y a lieu, l'audition des témoins et experts.

Article 19

La Cour est saisie par une requête adressée au greffier. La requête doit contenir l'indication du nom et du domicile du requérant et de la qualité du signataire, l'indication de la partie contre laquelle la requête est formée, l'objet du litige, les conclusions et un exposé sommaire des moyens invoqués.

Elle doit être accompagnée, s'il y a lieu, de l'acte dont l'annulation est demandée ou, dans l'hypothèse visée à l'article 175 du traité, d'une pièce justifiant de la date de l'invitation prévue à cet article. Si ces pièces n'ont pas été jointes à la requête, le greffier invite l'intéressé à en effectuer la production dans un délai raisonnable, sans qu'aucune forclusion puisse être opposée au cas où la régularisation interviendrait après l'expiration du délai de recours.

Article 20

Dans les cas visés à l'article 177 du traité, la décision de la juridiction nationale qui suspend la procédure et saisit la Cour est notifiée à celle-ci à la diligence de cette juridiction nationale. Cette décision est ensuite notifiée par les soins du greffier de la Cour aux parties en cause, aux États membres et à la Commission, ainsi qu'au Conseil si l'acte dont la validité ou l'interprétation est contestée émane de celui-ci.

Dans un délai de deux mois à compter de cette dernière notification, les parties, les États membres, la Commission et, le cas échéant, le Conseil ont le droit de déposer devant la Cour des mémoires ou observations écrites.

Article 21

La Cour peut demander aux parties de produire tous documents et de fournir toutes informations qu'elle estime désirables. En cas de refus, elle en prend acte.

La Cour peut également demander aux États membres et aux institutions qui ne sont pas parties au procès tous renseignements qu'elle estime nécessaires aux fins du procès.

Article 22

À tout moment, la Cour peut confier une expertise à toute personne, corps, bureau, commission ou organe de son choix.

Article 23

Des témoins peuvent être entendus dans les conditions qui seront déterminées par le règlement de procédure.

Article 24

La Cour jouit à l'égard des témoins défaillants des pouvoirs généralement reconnus en la matière aux cours et tribunaux et peut infliger des sanctions pécuniaires, dans les conditions qui seront déterminées par le règlement de procédure.

Article 25

Les témoins et experts peuvent être entendus sous la foi du serment selon la formule déterminée par le règlement de procédure ou suivant les modalités prévues par la législation nationale du témoin ou de l'expert.

Article 26

La Cour peut ordonner qu'un témoin ou un expert soit entendu par l'autorité judiciaire de son domicile.

Cette ordonnance est adressée aux fins d'exécution à l'autorité judiciaire compétente dans les conditions fixées par le règlement de procédure. Les pièces résultant de l'exécution de la commission rogatoire sont renvoyées à la Cour dans les mêmes conditions.

La Cour assume les frais, sous réserve de les mettre, le cas échéant, à la charge des parties.

Article 27

Chaque État membre regarde toute violation des serments des témoins et des experts comme le délit correspondant commis devant un tribunal national statuant en matière civile. Sur dénonciation de la Cour, il poursuit les auteurs de ce délit devant la juridiction nationale compétente.

Article 28

L'audience est publique, à moins qu'il n'en soit décidé autrement par la Cour, d'office ou sur demande des parties, pour des motifs graves.

Article 29

Au cours des débats, la Cour peut interroger les experts, les témoins ainsi que les parties elles-mêmes. Toutefois, ces dernières ne peuvent plaider que par l'organe de leur représentant.

Article 30

Il est tenu de chaque audience un procès-verbal signé par le président et le greffier.

Article 31

Le rôle des audiences est arrêté par le président.

Article 32

Les délibérations de la Cour sont et restent secrètes.

Article 33

Les arrêts sont motivés. Ils mentionnent les noms des juges qui ont délibéré.

Article 34

Les arrêts sont signés par le président et le greffier. Ils sont lus en séance publique.

Article 35

La Cour statue sur les dépens.

Article 36

Le président de la Cour peut statuer selon une procédure sommaire dérogeant, en tant que de besoin, à certaines des règles contenues dans le présent statut et qui sera fixée par le règlement de procédure, sur des conclusions tendant soit à l'obtention du sursis prévu à l'article 185 du traité, soit à l'application de mesures provisoires en vertu de l'article 186, soit à la suspension de l'exécution forcée conformément à l'article 192, dernier alinéa.

En cas d'empêchement du président, celui-ci sera remplacé par un autre juge dans les conditions déterminées par le règlement de procédure.

L'ordonnance rendue par le président ou son remplaçant n'a qu'un caractère provisoire et ne préjuge en rien la décision de la Cour statuant au principal.

Article 37

Les États membres et les institutions de la Communauté peuvent intervenir aux litiges soumis à la Cour.

Le même droit appartient à toute autre personne justifiant d'un intérêt à la solution d'un litige soumis à la Cour, à l'exclusion des litiges entre États membres, entre institutions de la Communauté ou entre États membres, d'une part, et institutions de la Communauté, d'autre part.

Les conclusions de la requête en intervention ne peuvent avoir d'autre objet que le soutien des conclusions de l'une des parties.

Article 38

Lorsque la partie défenderesse, régulièrement mise en cause, s'abstient de déposer des conclusions écrites, l'arrêt est rendu par défaut à son égard. L'arrêt est susceptible d'opposition dans le délai d'un mois à compter de sa notification. Sauf décision contraire de la Cour, l'opposition ne suspend pas l'exécution de l'arrêt rendu par défaut.

Article 39

Les États membres, les institutions de la Communauté et toutes autres personnes physiques ou morales peuvent, dans les cas et dans les conditions qui seront déterminés par le règlement de procédure, former tierce opposition contre les arrêts rendus sans qu'ils aient été appelés, si ces arrêts préjudicient à leurs droits.

Article 40

En cas de difficulté sur le sens et la portée d'un arrêt, il appartient à la Cour de l'interpréter, sur la demande d'une partie ou d'une institution de la Communauté justifiant d'un intérêt à cette fin.

Article 41

La révision de l'arrêt ne peut être demandée à la Cour qu'en raison de la découverte d'un fait de nature à exercer une influence décisive et qui, avant le prononcé de l'arrêt, était inconnu de la Cour et de la partie qui demande la révision.

La procédure de révision s'ouvre par un arrêt de la Cour constatant expressément l'existence d'un fait nouveau, lui reconnaissant les caractères qui donnent ouverture à la révision et déclarant de ce chef la demande recevable.

Aucune demande de révision ne pourra être formée après l'expiration d'un délai de dix ans à dater de l'arrêt.

Article 42

Des délais de distance seront établis par le règlement de procédure.

Aucune déchéance tirée de l'expiration des délais ne peut être opposée lorsque l'intéressé établit l'existence d'un cas fortuit ou de force majeure.

Article 43

Les actions contre la Communauté en matière de responsabilité non contractuelle se prescrivent par cinq ans à compter de la survenance du fait qui y donne lieu. La prescription est interrompue soit par la requête formée devant la Cour, soit par la demande préalable que la victime peut adresser à l'institution compétente de la Communauté. Dans ce dernier cas, la requête doit être formée dans le délai de deux mois prévu à l'article 173; les dispositions de l'article 175, deuxième alinéa, sont, le cas échéant, applicables.

Article 44

Le règlement de procédure de la Cour prévu à l'article 188 du traité contient, outre les dispositions prévues par le présent statut, toutes autres dispositions nécessaires en vue de l'appliquer et de le compléter, en tant que de besoin.

Article 45

Le Conseil statuant à l'unanimité peut apporter aux dispositions du présent statut les adaptations complémentaires qui s'avéreraient nécessaires en raison des mesures qu'il aurait prises aux termes de l'article 165, dernier alinéa, du traité.

Article 46

Le président du Conseil procède, immédiatement après la prestation de serment, à la désignation, par tirage au sort, des juges et des avocats généraux dont les fonctions sont sujettes à renouvellement à la fin de la première période de trois ans, conformément à l'article 167, deuxième et troisième alinéas, du traité.

EN FOI DE QUOI, les plénipotentiaires soussignés ont apposé leurs signatures au bas du présent protocole.

Fait à Bruxelles, le dix-sept avril mil neuf cent cinquante-sept.

J. Ch. SNOY ET D'OPPUERS
C. F. OPHÜLS
Robert MARJOLIN
Vittorio BADINI
Lambert SCHAUS
J. LINTHORST HOMAN

Protocole (n° 1)

sur l'acquisition de biens immobiliers au Danemark

LES HAUTES PARTIES CONTRACTANTES,

DÉSIREUSES de régler certains problèmes particuliers présentant un intérêt pour le Danemark,

SONT CONVENUES de la disposition ci-après, qui est annexée au traité instituant la Communauté européenne:

Nonobstant les dispositions du traité, le Danemark peut maintenir sa législation en vigueur en matière d'acquisition de résidences secondaires.

Protocole (n° 2)

sur l'article 119 du traité instituant la Communauté européenne

LES HAUTES PARTIES CONTRACTANTES,

SONT CONVENUES de la disposition ci-après, qui est annexée au traité instituant la Communauté européenne:

Aux fins de l'application de l'article 119, des prestations en vertu d'un régime professionnel de sécurité sociale ne seront pas considérées comme rémunération si et dans la mesure où elles peuvent être attribuées aux périodes d'emploi antérieures au 17 mai 1990, exception faite pour les travailleurs ou leurs ayants droit qui ont, avant cette date, engagé une action en justice ou introduit une réclamation équivalente selon le droit national applicable.

Protocole (nº 3)

sur les statuts du Système européen de banques centrales et de la Banque centrale européenne

LES HAUTES PARTIES CONTRACTANTES,

DÉSIREUSES de fixer les statuts du Système européen de banques centrales et de la Banque centrale européenne visés à l'article 4 A du traité instituant la Communauté européenne,

SONT CONVENUES des dispositions ci-après, qui sont annexées au traité instituant la Communauté européenne.

CHAPITRE I

CONSTITUTION DU SEBC

Article premier

Le Système européen de banques centrales

1.1. Le Système européen de banques centrales (SEBC) et la Banque centrale européenne (BCE) sont institués en vertu de l'article 4 A du traité; ils remplissent leurs fonctions et exercent leurs activités conformément aux dispositions du traité et des présents statuts.

1.2. Conformément à l'article 106, paragraphe 1, du traité, le SEBC est composé de la Banque centrale européenne et des banques centrales des États membres (banques centrales nationales). L'Institut monétaire luxembourgeois est la banque centrale du Luxembourg.

CHAPITRE II

OBJECTIFS ET MISSIONS DU SEBC

Article 2

Objectifs

Conformément à l'article 105, paragraphe 1, du traité, l'objectif principal du SEBC est de maintenir la stabilité des prix. Sans préjudice de l'objectif de stabilité des prix, le SEBC apporte son soutien aux politiques économiques générales dans la Communauté, en vue de contribuer à la réalisation des objectifs de la Communauté, tels que définis à l'article 2 du traité. Le SEBC agit conformément au principe d'une économie de marché ouverte où la concurrence est libre, en favorisant une allocation efficace des ressources et en respectant les principes fixés à l'article 3 A du traité.

Article 3

Missions

3.1. Conformément à l'article 105, paragraphe 2, du traité, les missions fondamentales relevant du SEBC consistent à:

— définir et mettre en œuvre la politique monétaire de la Communauté;

— conduire les opérations de change conformément à l'article 109 du traité;

— détenir et gérer les réserves officielles de change des États membres;

— promouvoir le bon fonctionnement des systèmes de paiement.

3.2. Conformément à l'article 105, paragraphe 3, du traité, le troisième tiret de l'article 3.1 s'applique sans préjudice de la détention et de la gestion, par les gouvernements des États membres, de fonds de roulement en devises.

3.3. Conformément à l'article 105, paragraphe 5, du traité, le SEBC contribue à la bonne conduite des politiques menées par les autorités compétentes en ce qui concerne le contrôle prudentiel des établissements de crédit et la stabilité du système financier.

Article 4

Fonctions consultatives

Conformément à l'article 105, paragraphe 4, du traité:

a) la BCE est consultée:

— sur tout acte communautaire proposé dans les domaines relevant de sa compétence;

— par les autorités nationales sur tout projet de réglementation dans les domaines relevant de sa compétence, mais dans les limites et selon les conditions fixées par le Conseil conformément à la procédure prévue à l'article 42;

b) la BCE peut, dans les domaines relevant de sa compétence, soumettre des avis aux institutions ou organes communautaires appropriés ou aux autorités nationales.

Article 5

Collecte d'informations statistiques

5.1. Afin d'assurer les missions du SEBC, la BCE, assistée par les banques centrales nationales, collecte les informations statistiques nécessaires, soit auprès des autorités nationales compétentes, soit directement auprès des agents économiques. À ces fins, elle coopère avec les institutions ou organes communautaires et avec les autorités compétentes des États membres ou des pays tiers et avec les organisations internationales.

5.2. Les banques centrales nationales exécutent, dans la mesure du possible, les missions décrites à l'article 5.1.

5.3. La BCE est chargée de promouvoir l'harmonisation, en tant que de besoin, des règles et pratiques régissant la collecte, l'établissement et la diffusion des statistiques dans les domaines relevant de sa compétence.

5.4. Le Conseil définit, selon la procédure prévue à l'article 42, les personnes physiques et morales soumises aux obligations de déclaration, le régime de confidentialité et les dispositions adéquates d'exécution et de sanction.

Article 6

Coopération internationale

6.1. Dans le domaine de la coopération internationale concernant les missions confiées au SEBC, la BCE décide la manière dont le SEBC est représenté.

6.2. La BCE et, sous réserve de son accord, les banques centrales nationales sont habilitées à participer aux institutions monétaires internationales.

6.3. Les articles 6.1 et 6.2 s'appliquent sans préjudice de l'article 109, paragraphe 4, du traité.

CHAPITRE III

ORGANISATION DU SEBC

Article 7

Indépendance

Conformément à l'article 107 du traité, dans l'exercice des pouvoirs et dans l'accomplissement des missions et des devoirs qui leur ont été conférés par le traité et par les présents statuts, ni la BCE, ni une banque centrale nationale, ni un membre quelconque de leurs organes de décision ne peuvent solliciter ni accepter des instructions des institutions ou organes communautaires, des gouvernements des États membres ou de tout autre organisme. Les institutions et organes communautaires ainsi que les gouvernements des États membres s'engagent à respecter ce principe et à ne pas chercher à influencer les membres des organes de décision de la BCE ou des banques centrales nationales dans l'accomplissement de leurs missions.

Article 8

Principe général

Le SEBC est dirigé par les organes de décision de la BCE.

Article 9

La Banque centrale européenne

9.1. La BCE, qui, en vertu de l'article 106, paragraphe 2, du traité, est dotée de la personnalité juridique, jouit, dans chacun des États membres, de la capacité juridique la plus large reconnue aux personnes morales par la législation nationale; la BCE peut notamment acquérir ou aliéner des biens mobiliers et immobiliers et ester en justice.

9.2. La BCE veille à ce que les missions conférées au SEBC en vertu de l'article 105, paragraphes 2, 3 et 5, du traité soient exécutées par ses propres activités, conformément aux présents statuts, ou par les banques centrales nationales, conformément aux articles 12.1 et 14.

9.3. Conformément à l'article 106, paragraphe 3, du traité, les organes de décision de la BCE sont le conseil des gouverneurs et le directoire.

Article 10

Le conseil des gouverneurs

10.1. Conformément à l'article 109 A, paragraphe 1, du traité, le conseil des gouverneurs se compose des membres du directoire et des gouverneurs des banques centrales nationales.

10.2. Sous réserve de l'article 10.3, seuls les membres du conseil des gouverneurs présents aux séances ont le droit de vote. Par dérogation à cette règle, le règlement intérieur visé à l'article 12.3

peut prévoir que des membres du conseil des gouverneurs peuvent voter par téléconférence. Ce règlement peut également prévoir qu'un membre du conseil des gouverneurs empêché de voter pendant une période prolongée peut désigner un suppléant pour le remplacer en tant que membre du conseil des gouverneurs.

Sous réserve des articles 10.3 et 11.3, chaque membre du conseil des gouverneurs dispose d'une voix. Sauf disposition contraire figurant dans les présents statuts, les décisions du conseil des gouverneurs sont prises à la majorité simple. En cas de partage des voix, celle du président est prépondérante.

Pour que le conseil des gouverneurs puisse voter, le quorum fixé est de deux tiers des membres. Si le quorum n'est pas atteint, le président peut convoquer une réunion extraordinaire au cours de laquelle les décisions peuvent être prises sans ce quorum.

10.3. Pour toutes les décisions devant être prises en vertu des articles 28, 29, 30, 32, 33 et 51, les suffrages des membres du conseil des gouverneurs sont pondérés conformément à la répartition du capital souscrit de la BCE entre les banques centrales nationales. La pondération des suffrages des membres du directoire est égale à zéro. Une décision requérant la majorité qualifiée est adoptée si les suffrages exprimant un vote favorable représentent au moins deux tiers du capital souscrit de la BCE et au moins la moitié des actionnaires. Si un gouverneur ne peut être présent, il peut désigner un suppléant pour exercer son vote pondéré.

10.4. Les réunions sont confidentielles. Le conseil des gouverneurs peut décider de rendre public le résultat de ses délibérations.

10.5. Le conseil des gouverneurs se réunit au moins dix fois par an.

Article 11

Le directoire

11.1. Conformément à l'article 109 A, paragraphe 2, point a), du traité, le directoire se compose du président, du vice-président et de quatre autres membres.

Les membres assurent leurs fonctions à temps plein. Aucun membre ne peut exercer une profession, rémunérée ou non, à moins qu'une dérogation ne lui ait été accordée à titre exceptionnel par le conseil des gouverneurs.

11.2. Conformément à l'article 109 A, paragraphe 2, point b), du traité, le président, le vice-président et les autres membres du directoire sont nommés d'un commun accord par les gouvernements des États membres au niveau des chefs d'État ou de gouvernement, sur recommandation du Conseil et après consultation du Parlement européen et du conseil des gouverneurs, parmi des personnes dont l'autorité et l'expérience professionnelle dans le domaine monétaire ou bancaire sont reconnues.

Leur mandat a une durée de huit ans et n'est pas renouvelable.

Seuls les ressortissants des États membres peuvent être membres du directoire.

11.3. Les conditions d'emploi des membres du directoire, en particulier leurs émoluments, pensions et autres avantages de sécurité sociale, font l'objet de contrats conclus avec la BCE et sont fixées par le conseil des gouverneurs sur proposition d'un comité comprenant trois membres nommés par le conseil des gouverneurs et trois membres nommés par le Conseil. Les membres du directoire ne disposent pas du droit de vote sur les questions régies par le présent paragraphe.

11.4. Si un membre du directoire ne remplit plus les conditions nécessaires à l'exercice de ses fonctions ou s'il a commis une faute grave, la Cour de justice peut, à la requête du conseil des gouverneurs ou du directoire, le démettre d'office de ses fonctions.

11.5. Chaque membre du directoire présent aux séances a le droit de vote et dispose à cet effet d'une voix. Sauf disposition contraire, les décisions du directoire sont prises à la majorité simple des suffrages exprimés. En cas de partage des voix, celle du président est prépondérante. Les modalités de vote sont précisées dans le règlement intérieur visé à l'article 12.3.

11.6. Le directoire est responsable de la gestion courante de la BCE.

11.7. Il est pourvu à toute vacance au sein du directoire par la nomination d'un nouveau membre, conformément à l'article 11.2.

Article 12

Responsabilités des organes de décision

12.1. Le conseil des gouverneurs arrête les orientations et prend les décisions nécessaires à l'accomplissement des missions confiées au SEBC par le traité et les présents statuts. Le conseil des gouverneurs définit la politique monétaire de la Communauté, y compris, le cas échéant, les décisions concernant les objectifs monétaires intermédiaires, les taux directeurs et l'approvisionnement en réserves dans le SEBC, et arrête les orientations nécessaires à leur exécution.

Le directoire met en œuvre la politique monétaire conformément aux orientations et aux décisions arrêtées par le conseil des gouverneurs. Dans ce cadre, le directoire donne les instructions nécessaires aux banques centrales nationales. En outre, le directoire peut recevoir délégation de certains pouvoirs par décision du conseil des gouverneurs.

Dans la mesure jugée possible et adéquate et sans préjudice du présent article, la BCE recourt aux banques centrales nationales pour l'exécution des opérations faisant partie des missions du SEBC.

12.2. Le directoire est responsable de la préparation des réunions du conseil des gouverneurs.

12.3. Le conseil des gouverneurs adopte un règlement intérieur déterminant l'organisation interne de la BCE et de ses organes de décision.

12.4. Les fonctions consultatives visées à l'article 4 sont exercées par le conseil des gouverneurs.

12.5. Le conseil des gouverneurs prend les décisions visées à l'article 6.

Article 13

Le président

13.1. Le président ou, en son absence, le vice-président préside le conseil des gouverneurs et le directoire de la BCE.

13.2. Sans préjudice de l'article 39, le président ou la personne qu'il désigne à cet effet représente la BCE à l'extérieur.

Article 14

Les banques centrales nationales

14.1. Conformément à l'article 108 du traité, chaque État membre veille à la compatibilité de sa législation nationale, y compris les statuts de sa banque centrale nationale, avec le traité et les présents statuts, et ce au plus tard à la date de la mise en place du SEBC.

14.2. Les statuts des banques centrales nationales prévoient en particulier que la durée du mandat du gouverneur d'une banque centrale nationale n'est pas inférieure à cinq ans.

Un gouverneur ne peut être relevé de ses fonctions que s'il ne remplit plus les conditions nécessaires à l'exercice de ses fonctions ou s'il a commis une faute grave. Un recours contre la décision prise à cet effet peut être introduit auprès de la Cour de justice par le gouverneur concerné ou le conseil des gouverneurs pour violation du traité ou de toute règle de droit relative à son application. Ces recours doivent être formés dans un délai de deux mois à compter, suivant le cas, de la publication de l'acte, de sa notification au requérant ou, à défaut, du jour où celui-ci en a eu connaissance.

14.3. Les banques centrales nationales font partie intégrante du SEBC et agissent conformément aux orientations et aux instructions de la BCE. Le conseil des gouverneurs prend les mesures nécessaires pour assurer le respect des orientations et des instructions de la BCE, et exige que toutes les informations nécessaires lui soient fournies.

14.4. Les banques centrales nationales peuvent exercer d'autres fonctions que celles qui sont spécifiées dans les présents statuts, à moins que le conseil des gouverneurs ne décide, à la majorité des deux tiers des suffrages exprimés, que ces fonctions interfèrent avec les objectifs et les missions du SEBC. Ces fonctions, que les banques centrales nationales exercent sous leur propre responsabilité et à leurs propres risques, ne sont pas considérées comme faisant partie des fonctions du SEBC.

Article 15

Obligation de présenter des rapports

15.1. La BCE établit et publie des rapports sur les activités du SEBC au moins chaque trimestre.

15.2. Une situation financière consolidée du SEBC est publiée chaque semaine.

15.3. Conformément à l'article 109 B, paragraphe 3, du traité, la BCE adresse au Parlement européen, au Conseil et à la Commission, ainsi qu'au Conseil européen, un rapport annuel sur les activités du SEBC et sur la politique monétaire de l'année précédente et de l'année en cours.

15.4. Les rapports et situations visés au présent article sont mis gratuitement à la disposition des personnes intéressées.

Article 16

Billets

Conformément à l'article 105 A, paragraphe 1, du traité, le conseil des gouverneurs est seul habilité à autoriser l'émission de billets de banque dans la Communauté. La BCE et les banques centrales nationales peuvent émettre de tels billets. Les billets de banque émis par la BCE et les banques centrales nationales sont les seuls à avoir cours légal dans la Communauté.

La BCE respecte autant que possible les pratiques existantes en ce qui concerne l'émission et la présentation des billets de banque.

CHAPITRE IV

FONCTIONS MONÉTAIRES ET OPÉRATIONS ASSURÉES PAR LE SEBC

Article 17

Comptes auprès de la BCE et des banques centrales nationales

Afin d'effectuer leurs opérations, la BCE et les banques centrales nationales peuvent ouvrir des comptes aux établissements de crédit, aux organismes publics et aux autres intervenants du marché et accepter des actifs, y compris des titres en compte courant, comme garantie.

Article 18

Opérations d'open market et de crédit

18.1. Afin d'atteindre les objectifs du SEBC et d'accomplir ses missions, la BCE et les banques centrales nationales peuvent:

— intervenir sur les marchés de capitaux, soit en achetant et en vendant ferme (au comptant et à terme), soit en prenant et en mettant en pension, soit en prêtant ou en empruntant des créances et des titres négociables, libellés en monnaies communautaires ou non communautaires, ainsi que des métaux précieux;

— effectuer des opérations de crédit avec des établissements de crédit et d'autres intervenants du marché sur la base d'une sûreté appropriée pour les prêts.

18.2. La BCE définit les principes généraux des opérations d'open market et de crédit effectuées par elle-même ou par les banques centrales nationales, y compris de l'annonce des conditions dans lesquelles celles-ci sont disposées à pratiquer ces opérations.

Article 19

Réserves obligatoires

19.1. Sous réserve de l'article 2, la BCE est habilitée à imposer aux établissements de crédit établis dans les États membres la constitution de réserves obligatoires auprès de la BCE et des banques centrales nationales, conformément aux objectifs en matière de politique monétaire. Les modalités de calcul et la détermination du montant exigé peuvent être fixées par le conseil des gouverneurs. Tout manquement constaté à cet égard met la BCE en droit de percevoir des intérêts à titre de pénalité et d'infliger d'autres sanctions ayant un effet analogue.

19.2. Aux fins de l'application du présent article, le Conseil définit, conformément à la procédure prévue à l'article 42, la base des réserves obligatoires et les rapports maxima autorisés entre ces réserves et leur base, ainsi que les sanctions appropriées en cas de non-respect.

Article 20

Autres instruments de contrôle monétaire

Le conseil des gouverneurs peut décider, à la majorité des deux tiers des suffrages exprimés, de recourir aux autres méthodes opérationnelles de contrôle monétaire qu'il jugera opportunes, sous réserve de l'article 2.

Si ces méthodes entraînent des obligations pour des tiers, le Conseil en définit la portée conformément à la procédure prévue à l'article 42.

Article 21

Opérations avec les organismes publics

21.1. Conformément à l'article 104 du traité, il est interdit à la BCE et aux banques centrales nationales d'accorder des découverts ou tout autre type de crédit aux institutions ou organes de la Communauté, aux administrations centrales, aux autorités régionales ou locales, aux autres autorités publiques, aux autres organismes ou entreprises publics des États membres; l'acquisition directe, auprès d'eux, par la BCE ou les banques centrales nationales, des instruments de leur dette est également interdite.

21.2. La BCE et les banques centrales nationales peuvent agir en qualité d'agents fiscaux pour le compte des entités visées à l'article 21.1.

21.3. Le présent article ne s'applique pas aux établissements publics de crédit qui, dans le cadre de la mise à disposition de liquidités par les banques centrales, bénéficient, de la part des banques centrales nationales et de la BCE, du même traitement que les établissements privés de crédit.

Article 22

Systèmes de compensation et de paiements

La BCE et les banques centrales nationales peuvent accorder des facilités, et la BCE peut arrêter des règlements, en vue d'assurer l'efficacité et la solidité des systèmes de compensation et de paiements au sein de la Communauté et avec les pays tiers.

Article 23

Opérations extérieures

La BCE et les banques centrales nationales peuvent:

— entrer en relation avec les banques centrales et les établissements financiers des pays tiers et, en tant que de besoin, avec les organisations internationales;

— acquérir et vendre, au comptant et à terme, toutes catégories d'avoirs de réserves de change et des métaux précieux. Le terme «avoirs de change» comprend les titres et tous les autres avoirs libellés dans la devise de tout pays ou en unités de compte, quelle que soit la forme sous laquelle ils sont détenus;

— détenir et gérer les avoirs visés au présent article;

— effectuer tous les types d'opérations bancaires avec les pays tiers et les organisations internationales, y compris les opérations de prêt et d'emprunt.

Article 24

Autres opérations

Outre les opérations résultant de leurs missions, la BCE et les banques centrales nationales peuvent effectuer des opérations aux fins de leur infrastructure administrative ou au bénéfice de leur personnel.

CHAPITRE V

CONTRÔLE PRUDENTIEL

Article 25

Contrôle prudentiel

25.1. La BCE est habilitée à donner des avis et à être consultée par le Conseil, la Commission et les autorités compétentes des États membres sur la portée et l'application de la législation communautaire concernant le contrôle prudentiel des établissements de crédit et la stabilité du système financier.

25.2. Conformément à toute décision du Conseil prise en vertu de l'article 105, paragraphe 6, du traité, la BCE peut accomplir des missions spécifiques ayant trait aux politiques en matière de contrôle prudentiel des établissements de crédit et autres établissements financiers, à l'exception des entreprises d'assurances.

CHAPITRE VI

DISPOSITIONS FINANCIÈRES DU SEBC

Article 26

Comptes financiers

26.1. L'exercice de la BCE et des banques centrales nationales commence le premier jour du mois de janvier et se termine le dernier jour du mois de décembre.

26.2. Les comptes annuels de la BCE sont établis par le directoire conformément aux principes déterminés par le conseil des gouverneurs. Les comptes sont approuvés par le conseil des gouverneurs et sont ensuite publiés.

26.3. Pour les besoins de l'analyse et de la gestion, le directoire établit un bilan consolidé du SEBC comprenant les actifs et les passifs des banques centrales nationales, qui relèvent du SEBC.

26.4. Aux fins de l'application du présent article, le conseil des gouverneurs arrête les règles nécessaires à la normalisation des procédures comptables et d'information relatives aux opérations des banques centrales nationales.

Article 27

Vérification des comptes

27.1. Les comptes de la BCE et des banques centrales nationales sont vérifiés par des commissaires aux comptes extérieurs indépendants désignés sur recommandation du conseil des gouverneurs et agréés par le Conseil. Les commissaires aux comptes ont tout pouvoir pour examiner tous les livres et comptes de la BCE et des banques centrales nationales, et pour obtenir toutes informations sur leurs opérations.

27.2. Les dispositions de l'article 188 C du traité s'appliquent uniquement à un examen de l'efficience de la gestion de la BCE.

Article 28

Capital de la BCE

28.1. Le capital de la BCE, qui devient opérationnel dès l'établissement de celle-ci, s'élève à 5 milliards d'Écus. Le capital peut être augmenté, le cas échéant, par décision du conseil des gouverneurs statuant à la majorité qualifiée prévue à l'article 10.3, dans les limites et selon les conditions fixées par le Conseil conformément à la procédure prévue à l'article 42.

28.2. Les banques centrales nationales sont seules autorisées à souscrire et à détenir le capital de la BCE. La souscription du capital s'effectue selon la clé de répartition déterminée conformément à l'article 29.

28.3. Le conseil des gouverneurs, statuant à la majorité qualifiée prévue à l'article 10.3, détermine le montant exigible et les modalités de libération du capital.

28.4. Sous réserve de l'article 28.5, les parts des banques centrales nationales dans le capital souscrit de la BCE ne peuvent pas être cédées, nanties ou saisies.

28.5. Si la clé de répartition visée à l'article 29 est modifiée, les banques centrales nationales transfèrent entre elles les parts de capital correspondantes de sorte que la répartition de ces parts corresponde à la nouvelle clé. Le conseil des gouverneurs fixe les modalités de ces transferts.

Article 29

Clé de répartition pour la souscription au capital

29.1. La clé de répartition pour la souscription au capital de la BCE est déterminée lorsque le SEBC et la BCE ont été institués conformément à la procédure visée à l'article 109 L, paragraphe 1, du traité. Il est attribué à chaque banque centrale nationale une pondération dans cette clé, qui est égale à la somme de:

— 50 % de la part de l'État membre concerné dans la population de la Communauté l'avant-dernière année précédant la mise en place du SEBC;

— 50 % de la part de l'État membre concerné dans le produit intérieur brut de la Communauté aux prix du marché, telle qu'elle a été constatée au cours des cinq années précédant l'avant-dernière année avant la mise en place du SEBC.

Les pourcentages sont arrondis à la demi-décimale supérieure.

29.2. Les données statistiques nécessaires à l'application du présent article sont établies par la Commission conformément aux règles qui sont arrêtées par le Conseil conformément à la procédure prévue à l'article 42.

29.3. Les pondérations attribuées aux banques centrales nationales sont adaptées tous les cinq ans après la mise en place du SEBC, par analogie avec les dispositions de l'article 29.1. La clé adaptée prend effet le premier jour de l'année suivante.

29.4. Le conseil des gouverneurs prend toutes les autres mesures nécessaires à l'application du présent article.

Article 30

Transfert d'avoirs de réserve de change à la BCE

30.1. Sans préjudice de l'article 28, la BCE est dotée par les banques centrales nationales d'avoirs de réserve de change autres que les monnaies des États membres, d'Écus, de positions de réserve auprès du FMI et de DTS, jusqu'à concurrence d'un montant équivalant à 50 milliards d'Écus. Le conseil des gouverneurs décide des proportions à appeler par la BCE après l'établissement de celle-ci et des montants appelés ultérieurement. La BCE est pleinement habilitée à détenir et à gérer les avoirs de réserve qui lui ont été transférés et à les utiliser aux fins fixées dans les présents statuts.

30.2. La contribution de chaque banque centrale nationale est fixée proportionnellement à sa part dans le capital souscrit de la BCE.

30.3. Chaque banque centrale nationale reçoit de la BCE une créance équivalente à sa contribution. Le conseil des gouverneurs détermine la dénomination et la rémunération de ces créances.

30.4. Des avoirs de réserve supplémentaires peuvent être appelés par la BCE, conformément à l'article 30.2, au-delà de la limite fixée à l'article 30.1, dans les limites et selon les conditions fixées par le Conseil conformément à la procédure prévue à l'article 42.

30.5. La BCE peut détenir et gérer des positions de réserve auprès du FMI et des DTS, et accepter la mise en commun de ces avoirs.

30.6. Le conseil des gouverneurs prend toutes les autres mesures nécessaires à l'application du présent article.

Article 31

Avoirs de réserve de change détenus par les banques centrales nationales

31.1. Les banques centrales nationales sont autorisées à effectuer les opérations liées à l'accomplissement de leurs obligations envers les organisations internationales conformément à l'article 23.

31.2. Toutes les autres opérations sur les avoirs de réserve de change qui demeurent dans les banques centrales nationales après les transferts visés à l'article 30 et les transactions effectuées par les États membres avec leurs fonds de roulement en devises sont, au-delà d'une certaine limite à fixer dans le cadre de l'article 31.3, soumises à l'autorisation de la BCE afin d'assurer la cohérence avec la politique de change et la politique monétaire de la Communauté.

31.3. Le conseil des gouverneurs arrête des orientations afin de faciliter ces opérations.

Article 32

Répartition du revenu monétaire des banques centrales nationales

32.1. Le revenu dégagé par les banques centrales nationales dans l'exercice des missions de politique monétaire du SEBC, ci-après dénommé «revenu monétaire», est réparti à la fin de chaque exercice conformément au présent article.

32.2. Sous réserve de l'article 32.3, le montant du revenu monétaire de chaque banque centrale nationale est égal au revenu annuel qu'elle tire des actifs détenus en contrepartie des billets en circulation et des engagements résultant des dépôts constitués par les établissements de crédit. Ces actifs sont identifiés par les banques centrales nationales conformément aux orientations que le conseil des gouverneurs aura déterminées.

32.3. Si le conseil des gouverneurs estime, après le début de la troisième phase, que les structures du bilan des banques centrales nationales ne permettent pas l'application de l'article 32.2, il peut décider, à la majorité qualifiée, que, par dérogation à l'article 32.2, le revenu monétaire doit être calculé selon une autre méthode pendant une période ne dépassant pas cinq ans.

32.4. Le montant du revenu monétaire de chaque banque centrale nationale est réduit de toute charge d'intérêt payée par cette banque centrale sur les engagements résultant des dépôts constitués par les établissements de crédit conformément à l'article 19.

Le conseil des gouverneurs peut décider d'indemniser les banques centrales nationales pour les frais encourus à l'occasion de l'émission de billets ou, dans des circonstances exceptionnelles, pour des pertes particulières afférentes aux opérations de politique monétaire réalisées pour le compte du SEBC. L'indemnisation prend la forme que le conseil des gouverneurs juge appropriée; ces montants peuvent être compensés avec le revenu monétaire des banques centrales nationales.

32.5. La somme des revenus monétaires des banques centrales nationales est répartie entre elles proportionnellement à leurs parts libérées dans le capital de la BCE, sous réserve de toute décision prise par le conseil des gouverneurs conformément à l'article 33.2.

32.6. La compensation et le règlement des soldes provenant de la répartition du revenu monétaire sont réalisés par la BCE conformément aux orientations établies par le conseil des gouverneurs.

32.7. Le conseil des gouverneurs prend toutes les autres mesures nécessaires à l'application du présent article.

Article 33

Répartition des bénéfices et pertes nets de la BCE

33.1. Le bénéfice net de la BCE est transféré dans l'ordre suivant:

a) un montant à déterminer par le conseil des gouverneurs, qui ne peut dépasser 20 % du bénéfice net, est transféré au fonds de réserve générale dans la limite de 100 % du capital;

b) le bénéfice net restant est distribué aux détenteurs de parts de la BCE proportionnellement aux parts qu'ils ont libérées.

33.2. Si la BCE enregistre une perte, celle-ci est couverte par le fonds de réserve général de la BCE et, si nécessaire, après décision du conseil des gouverneurs, par les revenus monétaires de l'exercice financier concerné au prorata et jusqu'à concurrence des montants alloués aux banques centrales nationales conformément à l'article 32.5.

CHAPITRE VII

DISPOSITIONS GÉNÉRALES

Article 34

Actes juridiques

34.1. Conformément à l'article 108 A du traité, la BCE:

— arrête des règlements dans la mesure nécessaire à l'accomplissement des missions définies à l'article 3.1, premier tiret, aux articles 19.1, 22 ou 25.2 des statuts du SEBC, ainsi que dans les cas qui sont prévus dans les actes du Conseil visés à l'article 42;

— prend les décisions nécessaires à l'accomplissement des missions confiées au SEBC en vertu du traité et des statuts du SEBC;

— émet des recommandations et des avis.

34.2. Le règlement a une portée générale. Il est obligatoire dans tous ses éléments et il est directement applicable dans tout État membre.

Les recommandations et les avis ne lient pas.

La décision est obligatoire dans tous ses éléments pour les destinataires qu'elle désigne.

Les articles 190, 191 et 192 du traité sont applicables aux règlements et aux décisions adoptés par la BCE.

La BCE peut décider de publier ses décisions, recommandations et avis.

34.3. Dans les limites et selon les conditions arrêtées par le Conseil conformément à la procédure prévue à l'article 42 des statuts, la BCE est habilitée à infliger aux entreprises des amendes et des astreintes en cas de non-respect de ses règlements et de ses décisions.

Article 35

Contrôle juridictionnel et questions connexes

35.1. La Cour de justice peut connaître des actes ou omissions de la BCE ou être saisie de leur interprétation dans les cas et selon les conditions fixées par le traité. La BCE peut former des recours dans les cas et selon les conditions fixées par le traité.

35.2. Les litiges entre la BCE, d'une part, et ses créanciers, débiteurs ou toute autre personne, d'autre part, sont tranchés par les tribunaux nationaux compétents, à moins que la Cour de justice n'ait été déclarée compétente.

35.3. La BCE est soumise au régime de responsabilité prévu à l'article 215 du traité. La responsabilité des banques centrales nationales est déterminée en fonction de leur droit national respectif.

35.4. La Cour de justice est compétente pour statuer en vertu d'une clause compromissoire contenue dans un contrat de droit public ou de droit privé passé par la BCE ou pour le compte de celle-ci.

35.5. La décision de la BCE de saisir la Cour de justice est prise par le conseil des gouverneurs.

35.6. La Cour de justice est compétente pour statuer sur les litiges relatifs à l'accomplissement par les banques centrales nationales des obligations qui leur incombent au titre des présents statuts. Si la BCE considère qu'une banque centrale nationale a manqué à une des obligations qui lui incombent au titre des présents statuts, elle émet sur l'affaire un avis motivé après avoir donné à la banque centrale nationale concernée la possibilité de présenter ses observations. Si la banque centrale nationale concernée ne se conforme pas audit avis dans le délai fixé par la BCE, celle-ci peut saisir la Cour de justice.

Article 36

Personnel

36.1. Le conseil des gouverneurs arrête, sur proposition du directoire, le régime applicable au personnel de la BCE.

36.2. La Cour de justice est compétente pour connaître de tout litige entre la BCE et ses agents dans les limites et selon les conditions prévues par le régime qui leur est applicable.

Article 37

Siège

La décision relative au siège de la BCE est prise, avant la fin de 1992, d'un commun accord par les gouvernements des États membres au niveau des chefs d'État ou de gouvernement.

Article 38

Secret professionnel

38.1. Les membres des organes de décision et du personnel de la BCE et des banques centrales nationales sont tenus, même après la cessation de leurs fonctions, de ne pas divulguer les informations qui, par leur nature, sont couvertes par le secret professionnel.

38.2. Les personnes ayant accès à des données soumises à une législation communautaire imposant l'obligation du secret sont assujetties à cette législation.

Article 39

Signataires

La BCE est juridiquement engagée vis-à-vis des tiers par le président ou deux membres du directoire, ou par la signature de deux membres de son personnel dûment autorisés par le président à signer au nom de la BCE.

Article 40

Privilèges et immunités

La BCE jouit sur le territoire des États membres des privilèges et immunités nécessaires à l'accomplissement de ses missions, selon les conditions définies au protocole sur les privilèges et immunités des Communautés européennes annexé au traité instituant un Conseil unique et une Commission unique des Communautés européennes.

CHAPITRE VIII

RÉVISION DES STATUTS ET LÉGISLATION COMPLÉMENTAIRE

Article 41

Procédure de révision simplifiée

41.1. Conformément à l'article 106, paragraphe 5, du traité, les articles 5.1, 5.2, 5.3, 17, 18, 19.1, 22, 23, 24, 26, 32.2, 32.3, 32.4

et 32.6, l'article 33.1, point a), et l'article 36 des présents statuts peuvent être révisés par le Conseil, statuant soit à la majorité qualifiée sur recommandation de la BCE, après consultation de la Commission, soit à l'unanimité sur proposition de la Commission et après consultation de la BCE. Dans les deux cas, l'avis conforme du Parlement européen est requis.

41.2. Une recommandation faite par la BCE en vertu du présent article requiert une décision unanime du conseil des gouverneurs.

Article 42

Législation complémentaire

Conformément à l'article 106, paragraphe 6, du traité, et aussitôt après la décision quant à la date du début de la troisième phase, le Conseil, statuant à la majorité qualifiée, soit sur proposition de la Commission et après consultation du Parlement européen et de la BCE, soit sur recommandation de la BCE et après consultation du Parlement européen et de la Commission, adopte les dispositions visées aux articles 4, 5.4, 19.2, 20, 28.1, 29.2, 30.4 et 34.3 des présents statuts.

CHAPITRE IX

DISPOSITIONS TRANSITOIRES ET AUTRES DISPOSITIONS CONCERNANT LE SEBC

Article 43

Dispositions générales

43.1. La dérogation visée à l'article 109 K, paragraphe 1, du traité a pour effet que les articles suivants des présents statuts ne confèrent aucun droit et n'imposent aucune obligation à l'État membre concerné: 3, 6, 9.2, 12.1, 14.3, 16, 18, 19, 20, 22, 23, 26.2, 27, 30, 31, 32, 33, 34, 50 et 52.

43.2. Les banques centrales des États membres faisant l'objet d'une dérogation, tels que définis à l'article 109 K, paragraphe 1, du traité, conservent leurs compétences dans le domaine de la politique monétaire, conformément au droit national.

43.3. Conformément à l'article 109 K, paragraphe 4, du traité, on entend par «États membres» les États membres ne faisant pas l'objet d'une dérogation aux articles suivants des présents statuts: 3, 11.2, 19, 34.2 et 50.

43.4. Par «banques centrales nationales», on entend les banques centrales des États membres ne faisant pas l'objet d'une dérogation aux articles suivants des présents statuts: 9.2, 10.1, 10.3, 12.1, 16, 17, 18, 22, 23, 27, 30, 31, 32, 33.2 et 52.

43.5. Aux articles 10.3 et 33.1, on entend par «actionnaires» les banques centrales des États membres ne faisant pas l'objet d'une dérogation.

43.6. Aux articles 10.3 et 30.2, on entend par «capital souscrit» le capital de la BCE souscrit par les banques centrales des États membres ne faisant pas l'objet d'une dérogation.

Article 44

Missions transitoires de la BCE

La BCE assure les tâches de l'IME qui, en raison des dérogations dont un ou plusieurs États membres font l'objet, doivent encore être exécutées pendant la troisième phase.

La BCE donne des avis au cours des préparatifs concernant l'abrogation des dérogations visées à l'article 109 K du traité.

Article 45

Le conseil général de la BCE

45.1. Sans préjudice de l'article 106, paragraphe 3, du traité, le conseil général est constitué comme troisième organe de décision de la BCE.

45.2. Le conseil général se compose du président et du vice-président de la BCE ainsi que des gouverneurs des banques centrales nationales. Les autres membres du directoire peuvent participer, sans droit de vote, aux réunions du conseil général.

45.3. Les responsabilités du conseil général sont énumérées de manière exhaustive à l'article 47 des présents statuts.

Article 46

Règlement intérieur du conseil général

46.1. Le président ou, en son absence, le vice-président de la BCE préside le conseil général de la BCE.

46.2. Le président du Conseil et un membre de la Commission peuvent participer, sans droit de vote, aux réunions du conseil général.

46.3. Le président prépare les réunions du conseil général.

46.4. Par dérogation à l'article 12.3, le conseil général adopte son règlement intérieur.

46.5. Le secrétariat du conseil général est assuré par la BCE.

Article 47

Responsabilités du conseil général

47.1. Le conseil général:

— exécute les missions visées à l'article 44;

— contribue aux fonctions consultatives visées aux articles 4 et 25.1.

47.2. Le conseil général contribue:

— à collecter les informations statistiques visées à l'article 5;

— à établir les rapports d'activités de la BCE visés à l'article 15;

— à établir les règles, prévues à l'article 26.4, nécessaires à l'application de l'article 26;

— à prendre toutes les autres mesures, prévues à l'article 29.4, nécessaires à l'application de l'article 29;

— à définir les conditions d'emploi du personnel de la BCE, prévues à l'article 36.

47.3. Le conseil général contribue aux préparatifs nécessaires à la fixation irrévocable des taux de change des monnaies des États membres faisant l'objet d'une dérogation par rapport aux monnaies, ou à la monnaie unique, des États membres ne faisant pas l'objet d'une dérogation, telle que prévue à l'article 109 L, paragraphe 5, du traité.

47.4. Le conseil général est informé des décisions du conseil des gouverneurs par le président de la BCE.

Article 48

Dispositions transitoires concernant le capital de la BCE

Conformément à l'article 29.1, chaque banque centrale nationale se voit attribuer une pondération dans la clé de répartition pour la souscription au capital de la BCE. Par dérogation à l'article 28.3, les banques centrales des États membres faisant l'objet d'une dérogation ne libèrent pas leur capital souscrit, sauf si le conseil général, statuant à une majorité représentant au moins deux tiers du capital souscrit de la BCE et au moins la moitié des actionnaires, décide qu'un pourcentage minimum doit être libéré à titre de participation aux coûts de fonctionnement de la BCE.

Article 49

Paiement différé du capital, des réserves et des provisions de la BCE

49.1. La banque centrale d'un État membre dont la dérogation a pris fin libère sa part souscrite au capital de la BCE dans les mêmes proportions que les autres banques centrales des États membres ne faisant pas l'objet d'une dérogation et transfère à la BCE ses avoirs de réserve de change, conformément à l'article 30.1. Le montant à transférer est déterminé en multipliant la valeur en Écus, aux taux de change en vigueur, des avoirs de réserve susmentionnés qui ont déjà été transférés à la BCE, conformément à l'article 30.1, par le rapport entre le nombre de parts souscrites par la banque centrale nationale concernée et le nombre de parts déjà libérées par les autres banques centrales nationales.

49.2. Outre le paiement prévu à l'article 49.1, la banque centrale concernée contribue aux réserves de la BCE, aux provisions équivalant à des réserves et au montant qui doit encore être affecté aux réserves et aux provisions, qui correspond au solde du compte de pertes et profits au 31 décembre de l'année précédant l'abrogation de la dérogation. La somme à verser est calculée en multipliant le montant des réserves, telles que définies ci-dessus et telles qu'elles apparaissent au bilan approuvé de la BCE, par le rapport entre le nombre de parts souscrites par la banque centrale concernée et le nombre de parts déjà libérées par les autres banques centrales.

Article 50

Nomination initiale des membres du directoire

Lorsque le directoire de la BCE est mis en place, son président, son vice-président et ses autres membres sont nommés d'un commun accord par les gouvernements des États membres au niveau des chefs d'État ou de gouvernement, sur recommandation du Conseil et après consultation du Parlement européen et du conseil de l'IME. Le président du directoire est nommé pour huit ans. Par dérogation à l'article 11.2, le vice-président est nommé pour quatre ans et les autres membres du directoire pour un mandat d'une durée comprise entre cinq et huit ans. Aucun mandat n'est renouvelable. Le nombre de membres du directoire peut être inférieur à celui qui est prévu à l'article 11.1, mais en aucun cas inférieur à quatre.

Article 51

Dérogation à l'article 32

51.1. Si, après le début de la troisième phase, le conseil des gouverneurs décide que l'application de l'article 32 modifie de manière significative la position relative des banques centrales nationales en matière de revenu, le montant du revenu à répartir conformément à l'article 32 est abaissé d'un pourcentage uniforme qui ne dépasse pas 60 % lors du premier exercice suivant le début de la troisième phase et qui diminuera d'au moins 12 points de pourcentage au cours de chacun des exercices suivants.

51.2. L'article 51.1 s'applique au maximum pendant cinq exercices complets après le début de la troisième phase.

Article 52

Échange des billets libellés en monnaies communautaires

Après la fixation irrévocable des taux de change, le conseil des gouverneurs prend les mesures nécessaires pour assurer que les billets libellés en monnaies ayant des taux de change irrévocablement fixés sont échangés au pair par les banques centrales nationales.

Article 53

Applicabilité des mesures transitoires

Les articles 43 à 48 sont applicables aussi longtemps que des États membres font l'objet d'une dérogation.

Protocole (nº 4)

sur les statuts de l'Institut monétaire européen

LES HAUTES PARTIES CONTRACTANTES,

DÉSIREUSES de fixer les statuts de l'Institut monétaire européen,

SONT CONVENUES des dispositions ci-après, qui sont annexées au traité instituant la Communauté européenne.

Article premier

Constitution et nom

1.1. L'Institut monétaire européen (IME) est institué conformément à l'article 109 F du traité; il remplit ses fonctions et exerce ses activités conformément aux dispositions du traité et des présents statuts.

1.2. Sont membres de l'IME les banques centrales des États membres (banques centrales nationales). Aux fins de l'application des présents statuts, l'Institut monétaire luxembourgeois est considéré comme la banque centrale du Luxembourg.

1.3. En vertu de l'article 109 F du traité, le comité des gouverneurs et le Fonds européen de coopération monétaire (FECOM) sont dissous. Tous les actifs et les passifs du FECOM sont transférés automatiquement et intégralement à l'IME.

Article 2

Objectifs

L'IME contribue à réaliser les conditions nécessaires au passage à la troisième phase de l'Union économique et monétaire, notamment en:

— renforçant la coordination des politiques monétaires en vue d'assurer la stabilité des prix;

— assurant la préparation nécessaire à l'instauration du Système européen de banques centrales (SEBC), à la conduite de la politique monétaire unique et à la création d'une monnaie unique, lors de la troisième phase;

— supervisant le développement de l'Écu.

Article 3

Principes généraux

3.1. L'IME exécute les tâches et les fonctions qui lui sont conférées par le traité et les présents statuts, sans préjudice de la responsabilité des autorités compétentes pour la conduite de la politique monétaire dans les États membres respectifs.

3.2. L'IME agit conformément aux objectifs et aux principes énoncés à l'article 2 des statuts du SEBC.

Article 4

Tâches principales

4.1. Conformément à l'article 109 F, paragraphe 2, du traité, l'IME:

— renforce la coopération entre les banques centrales nationales;

— renforce la coordination des politiques monétaires des États membres en vue d'assurer la stabilité des prix;

— supervise le fonctionnement du système monétaire européen (SME);

— procède à des consultations sur des questions qui relèvent de la compétence des banques centrales nationales et affectent la stabilité des établissements et marchés financiers;

— reprend les fonctions du FECOM; il exerce notamment les fonctions visées aux articles 6.1, 6.2 et 6.3;

— facilite l'utilisation de l'Écu et surveille son développement, y compris le bon fonctionnement du système de compensation en Écus.

En outre, l'IME:

— tient des consultations régulières concernant l'orientation des politiques monétaires et l'utilisation des instruments de politique monétaire;

— est normalement consulté par les autorités monétaires nationales avant que celles-ci ne prennent des décisions sur l'orientation de la politique monétaire dans le contexte du cadre commun de coordination ex ante.

4.2. Pour le 31 décembre 1996 au plus tard, l'IME précise le cadre réglementaire, organisationnel et logistique dont le SEBC a besoin pour accomplir ses tâches lors de la troisième phase, conformément au principe d'une économie de marché ouverte où la concurrence est libre. Ce cadre est soumis par le conseil de l'IME pour décision à la BCE à la date de son établissement.

En particulier, conformément à l'article 109 F, paragraphe 3, du traité, l'IME:

— prépare les instruments et les procédures nécessaires à l'application de la politique monétaire unique au cours de la troisième phase;

— encourage l'harmonisation, si besoin est, des règles et pratiques régissant la collecte, l'établissement et la diffusion des statistiques dans le domaine relevant de sa compétence;

— élabore les règles des opérations à entreprendre par les banques centrales nationales dans le cadre du SEBC;

— encourage l'efficience des paiements transfrontaliers;

— supervise la préparation technique des billets de banque libellés en Écus.

Article 5

Fonctions consultatives

5.1. Conformément à l'article 109 F, paragraphe 4, du traité, l'IME peut formuler des avis ou des recommandations sur l'orientation générale de la politique monétaire et de la politique de change ainsi que sur les mesures y afférentes prises dans chaque État membre. Il peut soumettre aux gouvernements et au Conseil des avis ou des recommandations sur les politiques susceptibles d'affecter la situation monétaire interne ou externe dans la Communauté et notamment le fonctionnement du SME.

5.2. Le conseil de l'IME peut également adresser des recommandations aux autorités monétaires des États membres concernant la conduite de leur politique monétaire.

5.3. Conformément à l'article 109 F, paragraphe 6, du traité, l'IME est consulté par le Conseil sur tout acte communautaire proposé dans le domaine relevant de sa compétence.

Dans les limites et selon les conditions fixées par le Conseil, statuant à la majorité qualifiée sur proposition de la Commission et après consultation du Parlement européen et de l'IME, celui-ci est consulté par les autorités des États membres sur tout projet de disposition réglementaire dans le domaine relevant de sa compétence, notamment en ce qui concerne l'article 4.2.

5.4. Conformément à l'article 109 F, paragraphe 5, du traité, l'IME peut décider de rendre publics ses avis et ses recommandations.

Article 6

Fonctions opérationnelles et techniques

6.1. L'IME:

— assure la multilatéralisation des positions résultant des interventions des banques centrales nationales en monnaies communautaires et la multilatéralisation des règlements intracommunautaires;

— administre le mécanisme de financement à très court terme prévu par l'accord fixant entre les banques centrales des États membres de la Communauté économique européenne les modalités de fonctionnement du système monétaire européen, ci-après dénommé «accord du SME», du 13 mars 1979, et le système de soutien monétaire à court terme prévu par l'accord entre les banques centrales des États membres de la Communauté économique européenne, du 9 février 1970, tel qu'il a été modifié;

— assume les fonctions visées à l'article 11 du règlement (CEE) n° 1969/88 du Conseil, du 24 juin 1988, portant mise en place d'un mécanisme unique de soutien financier à moyen terme des balances des paiements des États membres.

6.2. L'IME peut recevoir des réserves monétaires des banques centrales nationales et émettre des Écus en contrepartie de ces avoirs en vue de mettre en œuvre l'accord du SME. Ces Écus peuvent être utilisés par l'IME et les banques centrales nationales comme moyen de règlement et pour les opérations entre elles et l'IME. L'IME prend les mesures administratives nécessaires à la mise en œuvre du présent paragraphe.

6.3. L'IME peut octroyer aux autorités monétaires de pays tiers et aux institutions monétaires internationales le statut de «tiers détenteurs» d'Écus et fixer les clauses et conditions régissant l'acquisition, la détention ou l'utilisation de ces Écus par d'autres détenteurs.

6.4. L'IME est autorisé à détenir et à gérer des réserves en devises en tant qu'agent et à la demande des banques centrales nationales. Les pertes et profits afférents à ces réserves sont imputables au compte des banques centrales nationales déposant les réserves. L'IME exerce cette fonction sur la base de contrats bilatéraux, conformément aux règles fixées dans une décision de l'IME. Ces règles ont pour but d'assurer que les opérations réalisées avec ces réserves n'affectent pas la politique monétaire et la politique de change menées par l'autorité monétaire d'un État membre et qu'elles respectent les objectifs de l'IME et le bon fonctionnement du mécanisme de change du SME.

Article 7

Autres tâches

7.1. Une fois par an, l'IME adresse un rapport au Conseil sur l'état des préparations en vue de la troisième phase. Ces rapports comprennent une évaluation des progrès accomplis sur la voie de la convergence dans la Communauté et traitent notamment de l'adaptation des instruments de politique monétaire et de la préparation des mesures nécessaires à la conduite d'une politique monétaire unique au cours de la troisième phase ainsi que des prescriptions réglementaires auxquelles les banques centrales nationales doivent satisfaire pour faire partie intégrante du SEBC.

7.2. Conformément aux décisions du Conseil visées à l'article 109 F, paragraphe 7, du traité, l'IME peut accomplir d'autres tâches pour la préparation de la troisième phase.

Article 8

Indépendance

Les membres du conseil de l'IME qui sont les représentants de leurs institutions agissent sous leur propre responsabilité dans le cadre de leurs activités. Dans l'exercice des pouvoirs et dans l'accomplissement des missions et des devoirs qui lui ont été conférés par le traité et par les présents statuts, le conseil de l'IME ne peut solliciter ni accepter des instructions des institutions ou organes communautaires ou des gouvernements des États membres. Les institutions et organes communautaires ainsi que les gouvernements des États membres s'engagent à respecter ce principe et à ne pas chercher à influencer le conseil de l'IME dans l'accomplissement de ses missions.

Article 9

Administration

9.1. Conformément à l'article 109 F, paragraphe 1, du traité, l'IME est dirigé et géré par le conseil de l'IME.

9.2. Le conseil de l'IME se compose du président et des gouverneurs des banques centrales nationales, dont l'un est vice-président. Si un gouverneur est empêché d'assister à une réunion, il peut désigner un autre représentant de son institution.

9.3. Le président est nommé d'un commun accord par les gouvernements des États membres au niveau des chefs d'État ou de gouvernement, sur recommandation du comité des gouverneurs ou du conseil de l'IME, selon le cas, et après consultation du Parlement européen et du Conseil. Le président est choisi parmi des personnes dont l'autorité et l'expérience professionnelle dans le domaine monétaire ou bancaire sont reconnues. Seuls les ressortissants d'un État membre peuvent être président de l'IME. Le conseil de l'IME nomme un vice-président. Le président et le vice-président sont nommés pour une période de trois ans.

9.4. Le président exerce ses fonctions à temps plein. À moins d'avoir obtenu une exemption exceptionnelle du conseil de l'IME, il s'engage à n'exercer aucune autre activité professionnelle, rémunérée ou non.

9.5. Le président:

— prépare et préside les réunions du conseil de l'IME;

— sans préjudice de l'article 22, présente le point de vue de l'IME à l'extérieur;

— est responsable de la gestion courante de l'IME.

En l'absence du président, les fonctions de ce dernier sont exercées par le vice-président.

9.6. Les conditions d'emploi du président, notamment ses émoluments, sa pension et ses autres avantages de sécurité sociale, font l'objet d'un contrat conclu avec l'IME et sont fixés par le conseil de l'IME sur proposition d'un comité comprenant trois membres nommés par le comité des gouverneurs ou, le cas échéant, par le conseil de l'IME et trois membres nommés par le Conseil. Le président ne dispose pas du droit de vote sur les questions régies par le présent paragraphe.

9.7. Si le président ne remplit plus les conditions nécessaires à l'exercice de ses fonctions ou s'il a commis une faute grave, la Cour de justice peut, à la requête du conseil de l'IME, le démettre d'office de ses fonctions.

9.8. Le conseil de l'IME arrête le règlement intérieur de l'IME.

Article 10

Réunions du conseil de l'IME et procédures de vote

10.1. Le conseil de l'IME se réunit au moins dix fois par an. Ses réunions sont confidentielles. Le conseil de l'IME, statuant à l'unanimité, peut décider de rendre public le résultat de ses délibérations.

10.2. Chaque membre du conseil de l'IME ou son représentant dispose d'une voix.

10.3. Sauf disposition contraire des présents statuts, le conseil de l'IME se prononce à la majorité simple de ses membres.

10.4. Les décisions à prendre dans le cadre des articles 4.2, 5.4, 6.2 et 6.3 exigent l'unanimité des membres du conseil de l'IME.

L'adoption d'avis et de recommandations en vertu des articles 5.1 et 5.2, l'adoption de décisions en vertu des articles 6.4, 16 et 23.6 et l'adoption de directives en vertu de l'article 15.3 requièrent la majorité qualifiée des deux tiers des membres du conseil de l'IME.

Article 11

Coopération interinstitutionnelle et obligation de présenter des rapports

11.1. Le président du Conseil et un membre de la Commission peuvent participer aux réunions du conseil de l'IME, sans avoir le droit de vote.

11.2. Le président de l'IME est invité à participer aux réunions du Conseil lorsque celui-ci discute des questions relatives aux objectifs et aux missions de l'IME.

11.3. À une date fixée par le règlement intérieur, l'IME établit un rapport annuel sur ses activités et sur la situation monétaire et financière dans la Communauté. Le rapport annuel ainsi que les comptes annuels de l'IME sont adressés au Parlement européen, au Conseil et à la Commission, ainsi qu'au Conseil européen.

Le président de l'IME peut, à la demande du Parlement européen ou de sa propre initiative, être entendu par les commissions compétentes du Parlement européen.

11.4. Les rapports publiés par l'IME sont mis gratuitement à la disposition des personnes intéressées.

Article 12

Monnaie utilisée

Les opérations de l'IME sont libellées en Écus.

Article 13

Siège

La décision relative au siège de l'IME sera prise, avant la fin de 1992, d'un commun accord par les gouvernements des États membres au niveau des chefs d'État ou de gouvernement.

Article 14

Personnalité juridique

L'IME, qui est doté de la personnalité juridique en vertu de l'article 109 F, paragraphe 1, du traité, jouit, dans chacun des États membres, de la capacité juridique la plus large reconnue aux personnes morales par la législation nationale; il peut notamment acquérir ou aliéner des biens mobiliers ou immobiliers et ester en justice.

Article 15

Actes juridiques

15.1. Dans l'exercice de ses fonctions et selon les conditions prévues au présent statut, l'IME:

— formule des avis,

— fait des recommandations,

— adopte des directives et prend des décisions qui sont adressées aux banques centrales nationales.

15.2. Les avis et recommandations de l'IME ne lient pas.

15.3. Le conseil de l'IME peut adopter des directives fixant les méthodes de mise en œuvre des conditions nécessaires au SEBC pour accomplir ses tâches lors de la troisième phase. Les directives de l'IME ne lient pas; elles sont soumises à la BCE pour décision.

15.4. Sans préjudice de l'article 3.1, une décision de l'IME est obligatoire dans tous ses éléments pour les destinataires qu'elle désigne. Les articles 190 et 191 du traité sont applicables à ces décisions.

Article 16

Ressources financières

16.1. L'IME est doté de ses propres ressources. Le montant de celles-ci est déterminé par le conseil de l'IME, en vue d'assurer le revenu estimé nécessaire pour couvrir les dépenses administratives résultant de l'accomplissement des tâches et des fonctions de l'IME.

16.2. Les ressources de l'IME, déterminées conformément à l'article 16.1, sont constituées par des contributions des banques centrales nationales conformément à la clé de répartition visée à l'article 29.1 des statuts du SEBC et libérées lors de la création de l'IME. À cette fin, les données statistiques utilisées pour la détermination de la clé sont fournies par la Commission, conformément aux règles adoptées par le Conseil, statuant à la majorité qualifiée sur proposition de la Commission et après consultation du Parlement européen, du comité des gouverneurs et du comité visé à l'article 109 C du traité.

16.3. Le conseil de l'IME détermine les modalités de la libération des contributions.

Article 17

Comptes annuels et vérification des comptes

17.1. L'exercice de l'IME commence le premier jour du mois de janvier et se termine le dernier jour du mois de décembre.

17.2. Le conseil de l'IME adopte un budget annuel avant le début de chaque exercice.

17.3. Les comptes annuels sont établis conformément aux principes fixés par le conseil de l'IME. Les comptes annuels sont approuvés par le conseil de l'IME et sont ensuite publiés.

17.4. Les comptes annuels sont vérifiés par des commissaires aux comptes extérieurs indépendants agréés par le conseil de l'IME. Les commissaires aux comptes ont tout pouvoir pour examiner tous les livres et comptes de l'IME et pour obtenir toutes informations sur ses opérations.

Les dispositions de l'article 188 C du traité s'appliquent uniquement à un examen de l'efficience de la gestion de l'IME.

17.5. Tout excédent de l'IME est transféré dans l'ordre suivant:

a) un montant à déterminer par le conseil de l'IME est transféré au fonds de réserve général de l'IME;

b) le solde est distribué aux banques centrales nationales selon la clé visée à l'article 16.2.

17.6. Si l'exercice de l'IME se solde par une perte, celle-ci est compensée par un prélèvement sur le fonds de réserve général de l'IME. Le solde de la perte est compensé par des contributions des banques centrales nationales selon la clé visée à l'article 16.2.

Article 18

Personnel

18.1. Le conseil de l'IME arrête le régime applicable au personnel de l'IME.

18.2. La Cour de justice est compétente pour connaître de tout litige entre l'IME et ses agents dans les limites et selon les conditions prévues par le régime qui leur est applicable.

Article 19

Contrôle juridictionnel et questions connexes

19.1. La Cour de justice peut connaître des actes ou omissions de l'IME ou être saisie de leur interprétation dans les cas et selon les conditions fixés par le traité. L'IME peut former des recours dans les cas et selon les conditions fixés par le traité.

19.2. Les litiges entre l'IME, d'une part, et ses créanciers, débiteurs ou toute autre personne, d'autre part, relèvent de la juridiction des tribunaux nationaux compétents, sauf si la Cour de justice a été déclarée compétente.

19.3. L'IME est soumis au régime de responsabilité prévu à l'article 215 du traité.

19.4. La Cour de justice est compétente pour statuer en vertu d'une clause compromissoire contenue dans un contrat de droit public ou de droit privé passé par l'IME ou pour le compte de celui-ci.

19.5. La décision de l'IME de saisir la Cour de justice est prise par le conseil de l'IME.

Article 20

Secret professionnel

20.1. Les membres du conseil de l'IME et le personnel de cette institution sont tenus, même après la cessation de leurs fonctions, de ne pas divulguer les informations qui, par leur nature, sont couvertes par le secret professionnel.

20.2. Les personnes ayant accès à des données soumises à une législation communautaire imposant l'obligation du secret sont assujetties à cette législation.

Article 21

Privilèges et immunités

L'IME jouit, sur le territoire des États membres, des privilèges et immunités dans la mesure nécessaire à l'accomplissement de ses missions, dans les conditions prévues par le protocole sur les privilèges et immunités des Communautés européennes annexé au traité instituant un Conseil unique et une Commission unique des Communautés européennes.

Article 22

Signataires

L'IME est juridiquement engagé vis-à-vis des tiers par son président ou son vice-président ou par la signature de deux membres du personnel de l'IME dûment autorisés par le président à signer au nom de l'IME.

Article 23

Liquidation de l'IME

23.1. Conformément à l'article 109 L du traité, l'IME est liquidé dès la création de la BCE. Tous les actifs et les passifs de l'IME sont alors automatiquement transférés à la BCE. Celle-ci liquide l'IME conformément au présent article. La liquidation est terminée au début de la troisième phase.

23.2. Le mécanisme de création d'Écus en contrepartie d'or et de dollars US, tel qu'il est prévu à l'article 17 de l'accord du SME, est abrogé dès le premier jour de la troisième phase selon l'article 20 dudit accord.

23.3. Toutes les créances et dettes résultant du mécanisme de financement à très court terme et du mécanisme de soutien monétaire à court terme sont réglées dès le premier jour de la mise en route de la troisième phase dans le cadre des accords visés à l'article 6.1.

23.4. Tous les avoirs restants de l'IME sont liquidés et toutes les dettes en souffrance de cette institution sont réglées.

23.5. Le produit de la liquidation décrite à l'article 23.4 est distribué aux banques centrales nationales selon la clé visée à l'article 16.2.

23.6. Le conseil de l'IME peut prendre les mesures nécessaires à l'application des articles 23.4 et 23.5.

23.7. Dès que la BCE est instituée, le président de l'IME quitte sa fonction.

Protocole (n° 5)

sur la procédure concernant les déficits excessifs

LES HAUTES PARTIES CONTRACTANTES,

DÉSIREUSES de fixer les modalités de la procédure concernant les déficits excessifs visés à l'article 104 C du traité instituant la Communauté européenne,

SONT CONVENUES des dispositions ci-après, qui sont annexées au traité instituant la Communauté européenne.

Article premier

Les valeurs de référence visées à l'article 104 C, paragraphe 2, du traité sont les suivantes:

— 3 % pour le rapport entre le déficit public prévu ou effectif et le produit intérieur brut aux prix du marché;

— 60 % pour le rapport entre la dette publique et le produit intérieur brut aux prix du marché.

Article 2

À l'article 104 C du traité et dans le présent protocole, on entend par:

— public: ce qui est relatif au gouvernement général, c'est-à-dire les administrations centrales, les autorités régionales ou locales et les fonds de sécurité sociale, à l'exclusion des opérations commerciales, telles que définies dans le système européen de comptes économiques intégrés;

— déficit: le besoin net de financement, tel que défini dans le système européen de comptes économiques intégrés;

— investissement: la formation brute de capital fixe, telle que définie dans le système européen de comptes économiques intégrés;

— dette: le total des dettes brutes, à leur valeur nominale, en cours à la fin de l'année et consolidées à l'intérieur des secteurs du gouvernement général tel qu'il est défini au premier tiret.

Article 3

En vue d'assurer l'efficacité de la procédure concernant les déficits excessifs, les gouvernements des États membres sont responsables, aux termes de la présente procédure, des déficits du gouvernement général tel qu'il est défini à l'article 2, premier tiret. Les États membres veillent à ce que les procédures nationales en matière budgétaire leur permettent de remplir les obligations qui leur incombent dans ce domaine en vertu du traité. Les États membres notifient rapidement et régulièrement à la Commission leurs déficits prévus et effectifs ainsi que le niveau de leur dette.

Article 4

Les données statistiques utilisées pour l'application du présent protocole sont fournies par la Commission.

Protocole (n° 6)

sur les critères de convergence visés à l'article 109 J du traité instituant la Communauté européenne

LES HAUTES PARTIES CONTRACTANTES,

DÉSIREUSES de fixer les modalités des critères de convergence qui doivent guider la Communauté dans les décisions qu'elle prendra lors du passage à la troisième phase de l'Union économique et monétaire visée à l'article 109 J, paragraphe 1, du traité instituant la Communauté européenne,

SONT CONVENUES des dispositions ci-après, qui sont annexées au traité instituant la Communauté européenne.

Article premier

Le critère de stabilité des prix, visé à l'article 109 J, paragraphe 1, premier tiret, du traité, signifie qu'un État membre a un degré de stabilité des prix durable et un taux d'inflation moyen, observé au cours d'une période d'un an avant l'examen, qui ne dépasse pas de plus de 1,5 % celui des trois États membres, au plus, présentant les meilleurs résultats en matière de stabilité des prix. L'inflation est calculée au moyen de l'indice des prix à la consommation sur une base comparable, compte tenu des différences dans les définitions nationales.

Article 2

Le critère de situation des finances publiques, visé à l'article 109 J, paragraphe 1, deuxième tiret, du traité, signifie qu'un État membre ne fait pas l'objet, au moment de l'examen, d'une décision du Conseil visée à l'article 104 C, paragraphe 6, du traité concernant l'existence d'un déficit excessif dans l'État membre concerné.

Article 3

Le critère de participation au mécanisme de change du système monétaire européen, visé à l'article 109 J, paragraphe 1, troisième tiret, du traité, signifie qu'un État membre a respecté les marges normales de fluctuation prévues par le mécanisme de change du système monétaire européen sans connaître de tensions graves pendant au moins les deux dernières années précédant l'examen. Notamment, l'État membre n'a, de sa propre initiative, pas dévalué le taux central bilatéral de sa monnaie par rapport à la monnaie d'un autre État membre pendant la même période.

Article 4

Le critère de convergence des taux d'intérêt, visé à l'article 109 J, paragraphe 1, quatrième tiret, du traité, au cours d'une période d'un an précédant l'examen, signifie qu'un État membre a eu un taux d'intérêt nominal moyen à long terme qui n'excède pas de plus de 2 % celui des trois États membres, au plus, présentant les meilleurs résultats en matière de stabilité des prix. Les taux d'intérêt sont calculés sur la base d'obligations d'État à long terme ou de titres comparables, compte tenu des différences dans les définitions nationales.

Article 5

Les données statistiques utilisées pour l'application du présent protocole sont fournies par la Commission.

Article 6

Le Conseil, statuant à l'unanimité, sur proposition de la Commission et après consultation du Parlement européen, de l'IME ou de la BCE selon le cas, ainsi que du comité visé à l'article 109 C du traité, adopte les dispositions appropriées pour préciser de manière détaillée les critères de convergence visés à l'article 109 J du traité, qui remplacent alors le présent protocole.

Protocole (nº 7)

modifiant le protocole sur les privilèges et immunités des Communautés européennes

LES HAUTES PARTIES CONTRACTANTES,

CONSIDÉRANT que, aux termes de l'article 40 des statuts du Système européen de banques centrales et de la Banque centrale européenne et de l'article 21 des statuts de l'Institut monétaire européen, la Banque centrale européenne et l'Institut monétaire européen jouissent, sur le territoire des États membres, des privilèges et immunités dans la mesure nécessaire à l'accomplissement de leurs missions,

SONT CONVENUES des dispositions ci-après, qui sont annexées au traité instituant la Communauté européenne.

Article unique

Le protocole sur les privilèges et immunités des Communautés européennes, annexé au traité instituant un Conseil unique et une Commission unique des Communautés européennes, est complété par les dispositions suivantes:

«Article 23

Le présent protocole s'applique également à la Banque centrale européenne, aux membres de ses organes et à son personnel, sans préjudice des dispositions du protocole sur les statuts du Système européen de banques centrales et de la Banque centrale européenne.

La Banque centrale européenne sera, en outre, exonérée de toute imposition fiscale et parafiscale à l'occasion des augmentations de son capital ainsi que des formalités diverses que ces opérations pour-

ront comporter dans l'État du siège. L'activité de la Banque et de ses organes, s'exerçant dans les conditions prévues par les statuts du Système européen de banques centrales et de la Banque centrale européenne, ne donnera pas lieu à l'application des taxes sur le chiffre d'affaires.

Les dispositions ci-dessus s'appliquent également à l'Institut monétaire européen. Sa dissolution et sa liquidation n'entraîneront aucune perception.»

Protocole (n° 8)

sur le Danemark

LES HAUTES PARTIES CONTRACTANTES,

DÉSIREUSES de régler certains problèmes particuliers relatifs au Danemark,

SONT CONVENUES des dispositions ci-après, qui sont annexées au traité instituant la Communauté européenne:

Les dispositions de l'article 14 du protocole sur les statuts du Système européen de banques centrales n'affectent pas le droit de la Banque nationale du Danemark d'exercer les tâches qu'elle assume actuellement à l'égard des territoires du royaume de Danemark qui ne font pas partie de la Communauté.

Protocole (n° 9)

sur le Portugal

LES HAUTES PARTIES CONTRACTANTES,

DÉSIREUSES de régler certains problèmes particuliers relatifs au Portugal,

SONT CONVENUES des dispositions ci-après, qui sont annexées au traité instituant la Communauté européenne:

1. Le Portugal est autorisé à maintenir la faculté conférée aux régions autonomes des Açores et de Madère de bénéficier de crédits sans intérêt auprès du Banco de Portugal selon les conditions fixées par la loi portugaise en vigueur.

2. Le Portugal s'engage à mettre tout en œuvre pour mettre fin dans les meilleurs délais au régime susmentionné.

Protocole (n° 10)

sur le passage à la troisième phase de l'Union économique et monétaire

Les Hautes Parties Contractantes

Affirment que la signature des nouvelles dispositions du traité relatives à l'Union économique et monétaire confère à la marche de la Communauté vers la troisième phase de l'Union économique et monétaire un caractère irréversible.

Par conséquent, tous les États membres, qu'ils remplissent ou non les conditions nécessaires à l'adoption d'une monnaie unique, respectent la volonté que la Communauté entre rapidement dans la troisième phase; aussi aucun État membre n'empêchera-t-il l'entrée dans la troisième phase.

Si, à la fin de 1997, la date du début de la troisième phase n'a pas été fixée, les États membres concernés, les institutions de la Communauté et les autres organismes concernés effectuent avec diligence tous les travaux préparatoires au cours de l'année 1998, afin de permettre à la Communauté d'entrer irrévocablement dans la troisième phase le 1er janvier 1999 et de permettre à la BCE et au SEBC de commencer à exercer pleinement leurs fonctions à compter de cette date.

Le présent protocole est annexé au traité instituant la Communauté européenne.

Protocole (nº 11)

sur certaines dispositions relatives au Royaume-Uni de Grande-Bretagne et d'Irlande du Nord

LES HAUTES PARTIES CONTRACTANTES,

RECONNAISSANT que le Royaume-Uni n'est pas tenu et n'a pas pris l'engagement de passer à la troisième phase de l'Union économique et monétaire sans décision distincte en ce sens de son gouvernement et de son parlement,

PRENANT ACTE que le gouvernement du Royaume-Uni a coutume de financer ses emprunts par la vente de titres de créance au secteur privé,

SONT CONVENUES des dispositions ci-après, qui sont annexées au traité instituant la Communauté européenne:

1. Le Royaume-Uni notifie au Conseil s'il a l'intention de passer à la troisième phase avant que le Conseil ne procède à l'évaluation prévue à l'article 109 J, paragraphe 2, du traité.

Le Royaume-Uni n'est pas tenu de passer à la troisième phase, sauf s'il notifie au Conseil son intention de le faire.

Si aucune date n'est fixée pour le début de la troisième phase conformément à l'article 109 J, paragraphe 3, du traité, le Royaume-Uni peut notifier son intention de passer à la troisième phase avant le 1er janvier 1998.

2. Les paragraphes 3 à 9 sont applicables si le Royaume-Uni notifie au Conseil qu'il n'a pas l'intention de passer à la troisième phase.

3. Le Royaume-Uni n'est pas inclus dans la majorité des États membres qui remplissent les conditions nécessaires visées à l'article 109 J, paragraphe 2, deuxième tiret, et paragraphe 3, premier tiret, du traité.

4. Le Royaume-Uni conserve ses pouvoirs dans le domaine de la politique monétaire conformément à son droit national.

5. L'article 3 A, paragraphe 2, l'article 104 C, paragraphes 1, 9 et 11, l'article 105, paragraphes 1 à 5, l'article 105 A, les articles 107, 108, 108 A et 109, l'article 109 A, paragraphes 1 et 2, point b), et l'article 109 L, paragraphes 4 et 5, du traité ne s'appliquent pas au Royaume-Uni. Dans ces dispositions, les références à la Communauté et aux États membres n'incluent pas le Royaume-Uni et les références aux banques centrales nationales n'incluent pas la Banque d'Angleterre.

6. L'article 109 E, paragraphe 4, et les articles 109 H et 109 I du traité continuent à s'appliquer au Royaume-Uni. L'article 109 C, paragraphe 4, et l'article 109 M s'appliquent au Royaume-Uni comme s'il faisait l'objet d'une dérogation.

7. Les droits de vote du Royaume-Uni sont suspendus pour les actes du Conseil visés aux articles énumérés au point 5. À cet effet, les voix pondérées du Royaume-Uni sont exclues de tout calcul d'une majorité qualifiée au sens de l'article 109 K, paragraphe 5, du traité.

Le Royaume-Uni n'a pas non plus le droit de participer à la nomination du président, du vice-président et des autres membres du directoire de la BCE prévue à l'article 109 A, paragraphe 2, point b), et à l'article 109 L, paragraphe 1, du traité.

8. Les articles 3, 4, 6, 7, 9.2, 10.1, 10.3, 11.2, 12.1, 14, 16, 18, 19, 20, 22, 23, 26, 27, 30, 31, 32, 33, 34, 50 et 52 du protocole sur les statuts du Système européen de banques centrales et de la Banque centrale européenne («les statuts») ne s'appliquent pas au Royaume-Uni.

Dans ces articles, les références à la Communauté ou aux États membres ne concernent pas le Royaume-Uni et les références aux banques centrales nationales ou aux actionnaires ne concernent pas la Banque d'Angleterre.

Les références aux articles 10.3 et 30.2 des statuts au «capital souscrit de la BCE» n'incluent pas le capital souscrit par la Banque d'Angleterre.

9. L'article 109 L, paragraphe 3, du traité et les articles 44 à 48 des statuts sont applicables, qu'un État membre fasse ou non l'objet d'une dérogation, sous réserve des modifications suivantes:

a) à l'article 44, les références aux missions de la BCE et de l'IME comprennent les missions qui doivent encore être menées à bien pendant la troisième phase en raison d'une éventuelle décision du Royaume-Uni de ne pas passer à cette phase;

b) en plus des missions visées à l'article 47, la BCE remplit une fonction de conseil et d'assistance dans la préparation de toute décision que le Conseil pourrait être amené à prendre à l'égard du Royaume-Uni conformément aux dispositions du paragraphe 10, points a) et c);

c) la Banque d'Angleterre verse sa contribution au capital de la BCE à titre de participation à ses frais de fonctionnement sur la même base que les banques centrales nationales des États membres faisant l'objet d'une dérogation.

10. Si le Royaume-Uni ne passe pas à la troisième phase, il peut modifier sa notification à tout moment après le début de cette phase. Dans ce cas:

a) le Royaume-Uni a le droit de passer à la troisième phase pour autant qu'il remplisse les conditions nécessaires. Le Conseil, statuant à la demande du Royaume-Uni, dans les conditions et selon la procédure fixées à l'article 109 K, paragraphe 2, du traité, décide s'il remplit les conditions nécessaires;

b) la Banque d'Angleterre verse sa part de capital souscrit et transfère à la BCE des avoirs de réserve en devises et contribue à ses réserves sur la même base que la banque centrale nationale d'un État membre dont la dérogation a pris fin;

c) le Conseil, statuant dans les conditions et selon la procédure fixées à l'article 109 L, paragraphe 5, du traité, prend toute autre décision nécessaire pour permettre au Royaume-Uni de passer à la troisième phase.

Si le Royaume-Uni passe à la troisième phase conformément aux dispositions du présent paragraphe, les paragraphes 3 à 9 cessent d'être applicables.

11. Par dérogation à l'article 104 et à l'article 109 E, paragraphe 3, du traité et à l'article 21.1 des statuts, le gouvernement du Royaume-Uni peut conserver la ligne de crédit «Ways and Means» dont il dispose auprès de la Banque d'Angleterre si et aussi longtemps que le Royaume-Uni ne passe pas à la troisième phase.

Protocole (n° 12)

sur certaines dispositions relatives au Danemark

LES HAUTES PARTIES CONTRACTANTES,

DÉSIREUSES de régler, conformément aux objectifs généraux du traité instituant la Communauté européenne, certains problèmes particuliers qui se posent actuellement,

VU que la Constitution du Danemark contient des dispositions susceptibles de rendre nécessaire l'organisation au Danemark d'un référendum avant que ce pays ne s'engage dans la troisième phase de l'Union économique et monétaire,

SONT CONVENUES des dispositions ci-après, qui sont annexées au traité instituant la Communauté européenne:

1. Le gouvernement danois notifie au Conseil sa position sur sa participation à la troisième phase avant que le Conseil ne procède à son évaluation selon l'article 109 J, paragraphe 2, du traité.

2. Au cas où le Danemark notifie qu'il ne participera pas à la troisième phase, il bénéficie d'une dérogation. Cette dérogation a pour effet de rendre applicables au Danemark tous les articles et toutes les dispositions du traité et des statuts du SEBC faisant référence à une dérogation.

3. Dans ce cas, le Danemark n'est pas inclus dans la majorité des États membres qui remplissent les conditions nécessaires mentionnées à l'article 109 J, paragraphe 2, deuxième tiret, et paragraphe 3, premier tiret, du traité.

4. La procédure prévue à l'article 109 K, paragraphe 2, pour mettre fin à la dérogation n'est entamée qu'à la demande du Danemark.

5. Au cas où il est mis fin à la dérogation, les dispositions du présent protocole cessent d'être applicables.

Protocole (nº 13)

sur la France

LES HAUTES PARTIES CONTRACTANTES,

DÉSIREUSES de tenir compte d'un élément particulier concernant la France,

SONT CONVENUES des dispositions ci-après, qui sont annexées au traité instituant la Communauté européenne:

La France conservera le privilège d'émettre des monnaies dans ses territoires d'outre-mer selon les modalités établies par sa législation nationale, et elle sera seule habilitée à déterminer la parité du franc CFP.

Protocole (n° 14)

sur la politique sociale

LES HAUTES PARTIES CONTRACTANTES,

CONSTATANT que onze États membres, à savoir le Royaume de Belgique, le Royaume de Danemark, la République fédérale d'Allemagne, la République hellénique, le Royaume d'Espagne, la République française, l'Irlande, la République italienne, le Grand-Duché de Luxembourg, le Royaume des Pays-Bas et la République portugaise, sont désireux de poursuivre dans la voie tracée par la Charte sociale de 1989; qu'ils ont arrêté entre eux un accord à cette fin; que ledit accord est annexé au présent protocole; que le présent protocole et ledit accord ne portent pas atteinte aux dispositions du traité, notamment à celles relatives à la politique sociale qui font partie intégrante de l'acquis communautaire:

1) Conviennent d'autoriser ces onze États membres à faire recours aux institutions, procédures et mécanismes du traité aux fins de prendre entre eux et d'appliquer, dans la mesure où ils sont concernés, les actes et décisions nécessaires à la mise en œuvre de l'accord visé ci-dessus.

2) Le Royaume-Uni de Grande-Bretagne et d'Irlande du Nord ne participe pas aux délibérations et à l'adoption par le Conseil des propositions de la Commission faites sur la base du présent protocole et de l'accord susmentionné.

Par dérogation à l'article 148 paragraphe 2 du traité, les actes du Conseil pris en vertu du présent protocole qui doivent être adoptés à la majorité qualifiée le sont s'ils ont recueilli au moins quarante-quatre voix. L'unanimité des membres du Conseil, à l'exception du Royaume-Uni de Grande-Bretagne et d'Irlande du Nord, est nécessaire pour les actes du Conseil qui doivent être adoptés à l'unanimité, ainsi que pour ceux constituant amendement de la proposition de la Commission.

Les actes adoptés par le Conseil et toutes les conséquences financières autres que les coûts administratifs encourus par les institutions ne s'appliquent pas au Royaume-Uni de Grande-Bretagne et d'Irlande du Nord.

3) Le présent protocole est annexé au traité instituant la Communauté européenne.

ACCORD

sur la politique sociale conclu entre les États membres de la Communauté européenne à l'exception du Royaume-Uni de Grande-Bretagne et d'Irlande du Nord

Les onze HAUTES PARTIES CONTRACTANTES soussignées, à savoir le Royaume de Belgique, le Royaume de Danemark, la République fédérale d'Allemagne, la République hellénique, le Royaume d'Espagne, la République française, l'Irlande, la République italienne, le Grand-Duché de Luxembourg, le Royaume des Pays-Bas et la République portugaise, ci-après dénommés «États membres»,

DÉSIREUSES de mettre en œuvre, à partir de l'acquis communautaire, la Charte sociale de 1989,

VU le Protocole relatif à la politique sociale,

SONT CONVENUES des dispositions suivantes.

Article premier

La Communauté et les États membres ont pour objectifs la promotion de l'emploi, l'amélioration des conditions de vie et de travail, une protection sociale adéquate, le dialogue social, le développement des ressources humaines permettant un niveau d'emploi élevé et durable et la lutte contre les exclusions. À cette fin, la Communauté et les États membres mettent en œuvre des mesures qui tiennent compte de la diversité des pratiques nationales, en particulier dans le domaine des relations conventionnelles, ainsi que de la nécessité de maintenir la compétitivité de l'économie de la Communauté.

Article 2

1. En vue de réaliser les objectifs visés à l'article 1er, la Communauté soutient et complète l'action des États membres dans les domaines suivants:

— l'amélioration, en particulier, du milieu de travail pour protéger la santé et la sécurité des travailleurs,

— les conditions de travail,

— l'information et la consultation des travailleurs,

— l'égalité entre hommes et femmes en ce qui concerne leurs chances sur le marché du travail et le traitement dans le travail,

— l'intégration des personnes exclues du marché du travail, sans préjudice des dispositions de l'article 127 du traité instituant la Communauté européenne, ci-après dénommé «traité».

2. À cette fin, le Conseil peut arrêter, par voie de directive, des prescriptions minimales applicables progressivement, compte tenu des conditions et des réglementations techniques existant dans chacun des États membres. Ces directives évitent d'imposer des contraintes administratives, financières et juridiques telles qu'elles contrarieraient la création et le développement de petites et moyennes entreprises.

Le Conseil statue selon la procédure visée à l'article 189 C du traité et après consultation du Comité économique et social.

3. Toutefois, le Conseil statue à l'unanimité sur proposition de la Commission, après consultation du Parlement européen et du Comité économique et social dans les domaines suivants:

— la sécurité sociale et la protection sociale des travailleurs,

— la protection des travailleurs en cas de résiliation du contrat de travail,

— la représentation et la défense collective des intérêts des travailleurs et des employeurs, y compris la cogestion, sous réserve du paragraphe 6,

— les conditions d'emploi des ressortissants des pays tiers se trouvant en séjour régulier sur le territoire de la Communauté,

— les contributions financières visant la promotion de l'emploi et la création d'emplois, sans préjudice des dispositions relatives au Fonds social.

4. Un État membre peut confier aux partenaires sociaux, à leur demande conjointe, la mise en œuvre des directives prises en application des paragraphes 2 et 3.

Dans ce cas, il s'assure que, au plus tard à la date à laquelle une directive doit être transposée conformément à l'article 189, les partenaires sociaux ont mis en place les dispositions nécessaires par voie d'accord, l'État membre concerné devant prendre toute disposition nécessaire lui permettant d'être à tout moment en mesure de garantir les résultats imposés par ladite directive.

5. Les dispositions arrêtées en vertu du présent article ne peuvent empêcher un État membre de maintenir ou d'établir des mesures de protection plus strictes compatibles avec le traité.

6. Les dispositions du présent article ne s'appliquent ni aux rémunérations, ni au droit d'association, ni au droit de grève, ni au droit de lock-out.

Article 3

1. La Commission a pour tâche de promouvoir la consultation des partenaires sociaux au niveau communautaire et prend toute mesure utile pour faciliter leur dialogue en veillant à un soutien équilibré des parties.

2. À cet effet, la Commission, avant de présenter des propositions dans le domaine de la politique sociale, consulte les partenaires sociaux sur l'orientation possible d'une action communautaire.

3. Si la Commission, après cette consultation, estime qu'une action communautaire est souhaitable, elle consulte les partenaires sociaux sur le contenu de la proposition envisagée. Les partenaires sociaux remettent à la Commission un avis ou, le cas échéant, une recommandation.

4. À l'occasion de cette consultation, les partenaires sociaux peuvent informer la Commission de leur volonté d'engager le processus prévu à l'article 4. La durée de la procédure ne peut pas dépasser neuf mois, sauf prolongation décidée en commun par les partenaires sociaux concernés et la Commission.

Article 4

1. Le dialogue entre partenaires sociaux au niveau communautaire peut conduire, si ces derniers le souhaitent, à des relations conventionnelles, y compris des accords.

2. La mise en œuvre des accords conclus au niveau communautaire intervient soit selon les procédures et pratiques propres aux partenaires sociaux et aux États membres, soit, dans les matières relevant de l'article 2, à la demande conjointe des parties signataires, par une décision du Conseil sur proposition de la Commission.

Le Conseil statue à la majorité qualifiée, sauf lorsque l'accord en question contient une ou plusieurs dispositions relatives à l'un des domaines visés à l'article 2 paragraphe 3, auquel cas il statue à l'unanimité.

Article 5

En vue de réaliser les objectifs visés à l'article 1er et sans préjudice des autres dispositions du traité, la Commission encourage la coopération entre les États membres et facilite la coordination de leur action dans les domaines de la politique sociale relevant du présent accord.

Article 6

1. Chaque État membre assure l'application du principe de l'égalité des rémunérations entre travailleurs masculins et travailleurs féminins pour un même travail.

2. Aux fins du présent article, on entend par rémunération: le salaire ou traitement ordinaire de base ou minimum, et tous autres avantages payés directement ou indirectement, en espèces ou en

nature, par l'employeur au travailleur en raison de l'emploi de ce dernier.

L'égalité de rémunération, sans discrimination fondée sur le sexe, implique:

a) que la rémunération accordée pour un même travail payé à la tâche soit établie sur la base d'une même unité de mesure,

b) que la rémunération accordée pour un travail payé au temps soit la même pour un même poste de travail.

3. Le présent article ne peut empêcher un État membre de maintenir ou d'adopter des mesures prévoyant des avantages spécifiques destinés à faciliter l'exercice d'une activité professionnelle par les femmes ou à prévenir ou compenser des désavantages dans leur carrière professionnelle.

Article 7

La Commission établit chaque année un rapport sur l'évolution de la réalisation des objectifs visés à l'article 1er, y compris la situation démographique dans la Communauté. Elle transmet ce rapport au Parlement européen, au Conseil et au Comité économique et social.

Le Parlement européen peut inviter la Commission à établir des rapports sur des problèmes particuliers concernant la situation sociale.

Déclarations

1. *Déclaration relative à l'article 2 paragraphe 2*

Les onze Hautes Parties Contractantes notent que, lors des discussions sur l'article 2 paragraphe 2 du présent accord, il a été convenu que la Communauté n'a pas l'intention, en établissant des obligations minimales pour la protection de la sécurité et de la santé des employés, d'opérer à l'égard des employés des petites et moyennes entreprises une discrimination non justifiée par les circonstances.

2. *Déclaration relative à l'article 4 paragraphe 2*

Les onze Hautes Parties Contractantes déclarent que la première modalité d'application des accords entre les partenaires sociaux au niveau communautaire — à laquelle il est fait référence à l'article 4 paragraphe 2 — consistera dans le développement, par la négociation collective et selon les normes de chaque État membre, du contenu de ces accords et que, en conséquence, cette modalité n'implique pas, pour les États membres, l'obligation d'appliquer de façon directe ces accords ou d'élaborer des normes de transposition de ceux-ci, ni l'obligation de modifier les dispositions internes en vigueur pour faciliter leur mise en œuvre.

Protocole (n° 15)

sur la cohésion économique et sociale

LES HAUTES PARTIES CONTRACTANTES,

RAPPELANT que l'Union s'est fixé pour objectif de promouvoir le progrès économique et social, entre autres par le renforcement de la cohésion économique et sociale,

RAPPELANT que l'article 2 du traité instituant la Communauté européenne mentionne, entre autres missions, la promotion de la cohésion économique et sociale et de la solidarité entre les États membres et que le renforcement de la cohésion économique et sociale figure parmi les actions de la Communauté énumérées à l'article 3 du traité,

RAPPELANT que les dispositions de l'ensemble de la troisième partie, titre XIV, consacré à la cohésion économique et sociale, fournissent la base juridique permettant de consolider et de développer davantage l'action de la Communauté dans le domaine de la cohésion économique et sociale, notamment de créer un nouveau Fonds,

RAPPELANT que les dispositions de la troisième partie, titres XII, concernant les réseaux transeuropéens, et XVI, relatif à l'environnement, prévoient la création d'un Fonds de cohésion avant le 31 décembre 1993,

SE DÉCLARANT convaincues que la marche vers l'Union économique et monétaire contribuera à la croissance économique de tous les États membres,

NOTANT que les fonds structurels de la Communauté auront été doublés en termes réels entre 1987 et 1993, entraînant d'importants transferts, notamment en termes de part du PIB des États membres les moins prospères,

NOTANT que la Banque européenne d'investissement (BEI) prête des sommes considérables et de plus en plus importantes au bénéfice des régions les plus pauvres,

NOTANT le souhait d'une plus grande souplesse dans les modalités d'octroi des ressources provenant des fonds structurels,

NOTANT le souhait d'une modulation des niveaux de la participation communautaire aux programmes et aux projets dans certains pays,

NOTANT la proposition de prendre davantage en compte, dans le système des ressources propres, la prospérité relative des États membres,

RÉAFFIRMENT que la promotion de la cohésion économique et sociale est vitale pour le développement intégral et le succès durable de la Communauté et soulignent qu'il importe de faire figurer la cohésion économique et sociale aux articles 2 et 3 du traité;

RÉAFFIRMENT leur conviction que les fonds structurels doivent continuer à jouer un rôle considérable dans la réalisation des objectifs de la Communauté dans le domaine de la cohésion;

RÉAFFIRMENT leur conviction que la BEI doit continuer à consacrer la majorité de ses ressources à la promotion de la cohésion économique et sociale et se déclarent disposées à réexaminer le capital dont la BEI a besoin, dès que cela sera nécessaire à cet effet;

RÉAFFIRMENT la nécessité de procéder à une évaluation complète du fonctionnement et de l'efficacité des fonds structurels en 1992 et de réexaminer à cette occasion la taille que devraient avoir ces fonds, compte tenu des missions de la Communauté dans le domaine de la cohésion économique et sociale;

CONVIENNENT que le Fonds de cohésion, qui doit être créé avant le 31 décembre 1993, attribuera des contributions financières de la Communauté à des projets relatifs à l'environnement et aux réseaux transeuropéens dans des États membres dont le PNB par habitant est inférieur à 90 % de la moyenne communautaire et qui ont mis en place un programme visant à satisfaire aux conditions de convergence économique visées à l'article 104 C du traité;

DÉCLARENT qu'elles ont l'intention de permettre une plus grande flexibilité dans l'octroi de crédits en provenance des fonds structurels afin de tenir compte des besoins spécifiques qui ne sont pas satisfaits dans le cadre de la réglementation actuelle des fonds structurels;

SE DÉCLARENT disposées à moduler les niveaux de la participation communautaire dans le cadre des programmes et des projets des fonds structurels, afin d'éviter des augmentations excessives des dépenses budgétaires dans les États membres les moins prospères;

RECONNAISSENT la nécessité de suivre de près les progrès accomplis sur la voie de la cohésion économique et sociale et se déclarent prêtes à étudier toutes les mesures nécessaires à cet égard;

AFFIRMENT leur intention de tenir davantage compte de la capacité contributive des différents États membres au système des ressources propres et d'étudier des moyens permettant de corriger, pour les États membres les moins prospères, les éléments régressifs du système actuel de ressources propres;

CONVIENNENT d'annexer le présent protocole au traité instituant la Communauté européenne.

Protocole (nº 16)

sur le Comité économique et social et sur le Comité des régions

LES HAUTES PARTIES CONTRACTANTES

SONT CONVENUES des dispositions suivantes, qui sont annexées au traité instituant la Communauté européenne:

Le Comité économique et social et le Comité des régions disposent d'une structure organisationnelle commune.

Protocole (nº 17) (*)

annexé au traité sur l'Union européenne et aux traités instituant les Communautés européennes

(*) Voir la déclaration du 1er mai 1992, p. 65.

LES HAUTES PARTIES CONTRACTANTES

SONT CONVENUES des dispositions suivantes, qui sont annexées au traité sur l'Union européenne et aux traités instituant les Communautés européennes:

Aucune disposition du traité sur l'Union européenne, des traités instituant les Communautés européennes ni des traités et actes modifiant ou complétant lesdits traités n'affecte l'application en Irlande de l'article 40.3.3 de la Constitution de l'Irlande.

III — Déclarations (*)

(*) NOTE DES ÉDITEURS

Sont reprises ici les déclarations annexées à l'acte final du traité sur l'Union européenne qui se réfèrent au traité instituant la Communauté européenne; pour les autres déclarations annexées à l'acte final du traité sur l'Union européenne, voir point 1 III, p. 77 à 89; pour l'acte final du traité instituant la Communauté européenne, voir le tome I, volume II.

DÉCLARATION (nº 1)

relative à la protection civile, à l'énergie et au tourisme

La conférence déclare que la question de l'introduction dans le traité instituant la Communauté européenne de titres relatifs aux domaines visés à l'article 3, point t), dudit traité sera examinée, conformément à la procédure prévue à l'article N, paragraphe 2, du traité sur l'Union européenne, sur la base d'un rapport que la Commission soumettra au Conseil au plus tard en 1996.

La Commission déclare que l'action de la Communauté dans ces domaines sera poursuivie sur la base des dispositions actuelles des traités instituant les Communautés européennes.

DÉCLARATION (n° 2)

relative à la nationalité d'un État membre

La conférence déclare que, chaque fois que le traité instituant la Communauté européenne fait référence aux ressortissants des États membres, la question de savoir si une personne a la nationalité de tel ou tel État membre est réglée uniquement par référence au droit national de l'État concerné. Les États membres peuvent préciser, pour information, quelles sont les personnes qui doivent être considérées comme leurs ressortissants aux fins poursuivies par la Communauté en déposant une déclaration auprès de la présidence; ils peuvent, le cas échéant, modifier leur déclaration.

DÉCLARATION (nº 3)

relative à la troisième partie, titres III et VI, du traité instituant la Communauté européenne

La conférence affirme que, aux fins de l'application des dispositions visées dans la troisième partie, au titre III, chapitre 4, sur les capitaux et les paiements, et au titre VI, sur la politique économique et monétaire, du traité instituant la Communauté européenne, la pratique habituelle, selon laquelle le Conseil se réunit dans sa composition des ministres chargés des affaires économiques et des finances, sera poursuivie, sans préjudice des dispositions de l'article 109 J, paragraphes 2 à 4, et de l'article 109 K, paragraphe 2.

DÉCLARATION (nº 4)

relative à la troisième partie, titre VI, du traité instituant la Communauté européenne

La conférence affirme que le président du Conseil européen invite les ministres des Affaires économiques et des Finances à participer aux sessions du Conseil européen lorsque ce dernier examine les questions relatives à l'Union économique et monétaire.

DÉCLARATION (nº 5)

relative à la coopération monétaire avec les pays tiers

La conférence affirme que la Communauté cherche à contribuer à la stabilité des relations monétaires internationales. À cet effet, la Communauté est disposée à coopérer avec d'autres pays européens ainsi qu'avec les pays non européens avec lesquels elle entretient des relations économiques étroites.

DÉCLARATION (nº 6)

relative aux relations monétaires avec la république de Saint-Marin, la Cité du Vatican et la principauté de Monaco

La conférence convient que les relations monétaires existant entre l'Italie et Saint-Marin, entre l'Italie et la Cité du Vatican, et entre la France et Monaco ne seront pas affectées par le présent traité aussi longtemps que l'Écu n'aura pas été introduit comme monnaie unique de la Communauté.

La Communauté s'engage à faciliter la renégociation des arrangements existants dans la mesure nécessaire par suite de l'introduction de l'Écu comme monnaie unique.

DÉCLARATION (n° 7)

relative à l'article 73 D du traité instituant la Communauté européenne

La conférence affirme que le droit des États membres d'appliquer les dispositions pertinentes de leur législation fiscale visées à l'article 73 D, paragraphe 1, point a), du traité instituant la Communauté européenne porte uniquement sur les dispositions qui existent à la fin de 1993. Toutefois, la présente déclaration n'est applicable qu'aux mouvements de capitaux et aux paiements entre les États membres.

DÉCLARATION (nº 8)

relative à l'article 109 du traité instituant la Communauté européenne

La conférence souligne que les termes «accord formel» utilisés à l'article 109, paragraphe 1, n'ont pas pour but de créer une nouvelle catégorie d'accords internationaux au sens du droit communautaire.

DÉCLARATION (n° 9)

relative à la troisième partie, titre XVI, du traité instituant la Communauté européenne

La conférence estime que, vu l'intérêt croissant que revêt la protection de la nature aux niveaux national, communautaire et international, la Communauté devrait, dans l'exercice de ses compétences en vertu des dispositions figurant à la troisième partie, titre XVI, du traité, tenir compte des exigences spécifiques de ce domaine.

DÉCLARATION (nº 10)

relative aux articles 109, 130 R et 130 Y du traité instituant la Communauté européenne

La conférence considère que les dispositions de l'article 109, paragraphe 5, de l'article 130 R, paragraphe 4, deuxième alinéa, et de l'article 130 Y n'affectent pas les principes résultant de l'arrêt rendu par la Cour de justice dans l'affaire AETR.

DÉCLARATION (nº 11)

relative à la directive du 24 novembre 1988 («émissions»)

La conférence déclare que les modifications apportées à la législation communautaire ne peuvent porter atteinte aux dérogations accordées à l'Espagne et au Portugal jusqu'au 31 décembre 1999 en vertu de la directive du Conseil du 24 novembre 1988 relative à la limitation des émissions de certains polluants dans l'atmosphère en provenance des grandes installations de combustion.

DÉCLARATION (nº 12)

relative au Fonds européen de développement

La conférence convient que le Fonds européen de développement continuera à être financé par des contributions nationales conformément aux dispositions actuelles.

DÉCLARATION (nº 13)

relative au rôle des parlements nationaux dans l'Union européenne

La conférence estime qu'il est important d'encourager une plus grande participation des parlements nationaux aux activités de l'Union européenne.

Il convient à cet effet d'intensifier l'échange d'informations entre les parlements nationaux et le Parlement européen. Dans ce contexte, les gouvernements des États membres veillent, entre autres, à ce que les parlements nationaux puissent disposer des propositions législatives de la Commission en temps utile pour leur information ou pour un éventuel examen.

De même, la conférence considère qu'il est important que les contacts entre les parlements nationaux et le Parlement européen soient intensifiés, notamment grâce à l'octroi de facilités réciproques appropriées et à des rencontres régulières entre parlementaires intéressés aux mêmes questions.

DÉCLARATION (nº 14)

relative à la Conférence des parlements

La conférence invite le Parlement européen et les parlements nationaux à se réunir en tant que de besoin en formation de Conférence des parlements (ou Assises).

La Conférence des parlements est consultée sur les grandes orientations de l'Union européenne, sans préjudice des compétences du Parlement européen et des droits des parlements nationaux. Le président du Conseil européen et le président de la Commission font rapport à chaque session de la Conférence des parlements sur l'état de l'Union.

DÉCLARATION (nº 15)

relative au nombre des membres de la Commission et du Parlement européen

La conférence convient d'examiner les questions relatives au nombre des membres de la Commission et au nombre des membres du Parlement européen à la fin de 1992 au plus tard, en vue d'aboutir à un accord qui permettra d'établir la base juridique nécessaire à la fixation du nombre des membres du Parlement européen en temps voulu pour les élections de 1994. Les décisions seront prises notamment compte tenu de la nécessité de fixer le nombre total des membres du Parlement européen dans une Communauté élargie.

DÉCLARATION (nº 16)

relative à la hiérarchie des actes communautaires

La conférence convient que la conférence intergouvernementale qui sera convoquée en 1996 examinera dans quelle mesure il serait possible de revoir la classification des actes communautaires en vue d'établir une hiérarchie appropriée entre les différentes catégories de normes.

DÉCLARATION (nº 17)

relative au droit d'accès à l'information

La conférence estime que la transparence du processus décisionnel renforce le caractère démocratique des institutions ainsi que la confiance du public envers l'administration. En conséquence, la conférence recommande que la Commission soumette au Conseil, au plus tard en 1993, un rapport sur des mesures visant à accroître l'accès du public à l'information dont disposent les institutions.

DÉCLARATION (nº 18)

relative aux coûts estimés résultant des propositions de la Commission

La conférence note que la Commission s'engage, en se basant, le cas échéant, sur les consultations qu'elle estime nécessaires et en renforçant son système d'évaluation de la législation communautaire, à tenir compte, en ce qui concerne ses propositions législatives, des coûts et des bénéfices pour les autorités publiques des États membres et pour l'ensemble des intéressés.

DÉCLARATION (nº 19)

relative à l'application du droit communautaire

1. La conférence souligne qu'il est essentiel, pour la cohérence et l'unité du processus de construction européenne, que chaque État membre transpose intégralement et fidèlement dans son droit national les directives communautaires dont il est destinataire, dans les délais impartis par celles-ci.

De plus, la conférence — tout en reconnaissant qu'il appartient à chaque État membre de déterminer la meilleure façon d'appliquer les dispositions du droit communautaire, eu égard aux institutions, au système juridique et aux autres conditions qui lui sont propres, mais, en tout état de cause, dans le respect des dispositions de l'article 189 du traité instituant la Communauté européenne — estime qu'il est essentiel, pour le bon fonctionnement de la Communauté, que les mesures prises dans les différents États membres aboutissent à ce que le droit communautaire y soit appliqué avec une efficacité et une rigueur équivalentes à celles déployées dans l'application de leur droit national.

2. La conférence invite la Commission à veiller, dans l'exercice des compétences que lui confère l'article 155 du traité instituant la Communauté européenne, au respect par les États membres de leurs obligations. Elle invite la Commission à publier périodiquement un rapport complet à l'intention des États membres et du Parlement européen.

DÉCLARATION (nº 20)

relative à l'évaluation de l'impact environnemental des mesures communautaires

La conférence note l'engagement de la Commission dans le cadre de ses propositions, et celui des États membres dans le cadre de la mise en œuvre, de tenir pleinement compte des effets sur l'environnement ainsi que du principe de la croissance durable.

DÉCLARATION (n° 21)

relative à la Cour des comptes

La conférence souligne l'importance particulière qu'elle attache à la mission que les articles 188 A, 188 B, 188 C et 206 du traité instituant la Communauté européenne confèrent à la Cour des comptes.

Elle demande aux autres institutions communautaires d'examiner avec la Cour des comptes tous les moyens appropriés pour renforcer l'efficacité de son travail.

DÉCLARATION (nº 22)

relative au Comité économique et social

La conférence convient que le Comité économique et social jouit de la même indépendance que celle dont la Cour des comptes bénéficiait jusqu'à présent en ce qui concerne son budget et la gestion du personnel.

DÉCLARATION (n° 23)

relative à la coopération avec les associations de solidarité

La conférence souligne l'importance que revêt, dans la poursuite des objectifs de l'article 117 du traité instituant la Communauté européenne, une coopération entre celle-ci et les associations de solidarité et les fondations en tant qu'institutions responsables d'établissements et de services sociaux.

DÉCLARATION (nº 24)

relative à la protection des animaux

La conférence invite le Parlement européen, le Conseil et la Commission, ainsi que les États membres, à tenir pleinement compte, lors de l'élaboration et de la mise en œuvre de la législation communautaire dans les domaines de la politique agricole commune, des transports, du marché intérieur et de la recherche, des exigences en matière de bien-être des animaux.

DÉCLARATION (nº 25)

relative à la représentation des intérêts des pays et territoires d'outre-mer visés à l'article 227, paragraphes 3 et 5, points a) et b), du traité instituant la Communauté européenne

La conférence, notant que, dans des circonstances exceptionnelles, il peut y avoir des divergences entre les intérêts de l'Union et ceux des pays et territoires d'outre-mer visés à l'article 227, paragraphes 3 et 5, points a) et b), du traité instituant la Communauté européenne, convient que le Conseil s'efforcera de trouver une solution conforme à la position de l'Union. Cependant, au cas où cela s'avérerait impossible, la conférence convient que l'État membre concerné peut agir séparément dans l'intérêt desdits pays et territoires d'outre-mer sans que cela porte atteinte à l'intérêt de la Communauté. Cet État membre informera le Conseil et la Commission lorsqu'une telle divergence d'intérêts risque de se produire et, si une action séparée est inévitable, indiquera clairement qu'il agit dans l'intérêt d'un territoire d'outre-mer mentionné ci-dessus.

La présente déclaration s'applique également à Macao et au Timor oriental.

DÉCLARATION (n° 26)

relative aux régions ultrapériphériques de la Communauté

La conférence reconnaît que les régions ultrapériphériques de la Communauté (départements français d'outre-mer, Açores et Madère, et îles Canaries) subissent un retard structurel important aggravé par plusieurs phénomènes (grand éloignement, insularité, faible superficie, relief et climat difficile, dépendance économique vis-à-vis de quelques produits) dont la constance et le cumul portent lourdement préjudice à leur développement économique et social.

Elle estime que, si les dispositions du traité instituant la Communauté européenne et du droit dérivé s'appliquent de plein droit aux régions ultrapériphériques, il reste possible d'adopter des mesures spécifiques en leur faveur, dans la mesure et aussi longtemps qu'il existe un besoin objectif de prendre de telles mesures en vue d'un développement économique et social de ces régions. Ces mesures doivent viser à la fois l'objectif de l'achèvement du marché intérieur et celui d'une reconnaissance de la réalité régionale en vue de permettre à ces régions de rattraper le niveau économique et social moyen de la Communauté.

DÉCLARATION (nº 33)

relative aux litiges entre la BCE et l'IME, d'une part, et leurs agents, de l'autre

La conférence estime que le Tribunal de première instance devrait connaître de cette catégorie de recours conformément à l'article 168 A du présent traité. La conférence invite donc les institutions à adapter en conséquence les dispositions pertinentes.

3. AUTRES TRAITÉS ET ACTES

Sommaire

(*) NOTE DES ÉDITEURS

Par dérogation aux dispositions de l'article 3 de l'AUE, et pour des raisons historiques, le terme «Assemblée» n'a pas été remplacé par les termes «Parlement européen».

A — Convention relative à certaines institutions communes aux Communautés européennes

SA MAJESTÉ LE ROI DES BELGES, LE PRÉSIDENT DE LA RÉPUBLIQUE FÉDÉRALE D'ALLEMAGNE, LE PRÉSIDENT DE LA RÉPUBLIQUE FRANÇAISE, LE PRÉSIDENT DE LA RÉPUBLIQUE ITALIENNE, SON ALTESSE ROYALE LA GRANDE-DUCHESSE DE LUXEMBOURG, SA MAJESTÉ LA REINE DES PAYS-BAS,

SOUCIEUX d'éviter la multiplicité des institutions appelées à accomplir des missions analogues dans les Communautés européennes qu'ils ont constituées,

ONT DÉCIDÉ de créer pour ces Communautés certaines institutions uniques et ont désigné, à cet effet, comme plénipotentiaires:

SA MAJESTÉ LE ROI DES BELGES:

M. Paul Henri SPAAK, ministre des Affaires étrangères,

Baron J. Ch. SNOY ET D'OPPUERS, secrétaire général du ministère des Affaires économiques, président de la délégation belge auprès de la conférence intergouvernementale,

LE PRÉSIDENT DE LA RÉPUBLIQUE FÉDÉRALE D'ALLEMAGNE:

M. le docteur Konrad ADENAUER, chancelier fédéral,

M. le professeur docteur Walter HALLSTEIN, secrétaire d'État aux Affaires étrangères,

LE PRÉSIDENT DE LA RÉPUBLIQUE FRANÇAISE:

M. Christian PINEAU, ministre des Affaires étrangères,

M. Maurice FAURE, secrétaire d'État aux Affaires étrangères,

LE PRÉSIDENT DE LA RÉPUBLIQUE ITALIENNE:

M. Antonio SEGNI, président du Conseil des ministres,

M. le professeur Gaetano MARTINO, ministre des Affaires étrangères,

SON ALTESSE ROYALE LA GRANDE-DUCHESSE DE LUXEMBOURG:

M. Joseph BECH, président du gouvernement, ministre des Affaires étrangères,

M. Lambert SCHAUS, ambassadeur, président de la délégation luxembourgeoise auprès de la conférence intergouvernementale,

SA MAJESTÉ LA REINE DES PAYS-BAS:

M. Joseph LUNS, ministre des Affaires étrangères,

M. J. LINTHORST HOMAN, président de la délégation néerlandaise auprès de la conférence intergouvernementale,

LESQUELS, après avoir échangé leurs pleins pouvoirs, reconnus en bonne et due forme, sont convenus des dispositions qui suivent.

SECTION I

DE L'ASSEMBLÉE (*)

Article premier

Les pouvoirs et les compétences que le traité instituant la Communauté européenne, d'une part, et le traité instituant la Communauté

(*) NOTE DES ÉDITEURS

Par dérogation aux dispositions de l'article 3 de l'AUE, et pour des raisons historiques, le terme «Assemblée» n'a pas été remplacé par les termes «Parlement européen».

européenne de l'énergie atomique, d'autre part, attribuent à l'Assemblée sont exercés, dans les conditions respectivement prévues à ces traités, par une Assemblée unique composée et désignée comme il est prévu tant à l'article 138 du traité instituant la Communauté économique européenne qu'à l'article 108 du traité instituant la Communauté européenne de l'énergie atomique.

Article 2

1. Dès son entrée en fonctions, l'Assemblée unique visée à l'article précédent remplace l'Assemblée commune prévue à l'article 21 du traité instituant la Communauté européenne du charbon et de l'acier. Elle exerce les pouvoirs et les compétences dévolus à l'Assemblée commune par ce traité, conformément aux dispositions de celui-ci.

2. À cet effet, l'article 21 du traité instituant la Communauté européenne du charbon et de l'acier est, à la date d'entrée en fonctions de l'Assemblée unique visée à l'article précédent, abrogé et remplacé par les dispositions suivantes:

«Article 21

1. Le Parlement européen est formé de délégués que les parlements sont appelés à désigner en leur sein selon la procédure fixée par chaque État membre.

2. Le nombre de ces délégués est fixé ainsi qu'il suit:

Allemagne	*36*
Belgique	*14*
France	*36*
Italie	*36*
Luxembourg	*6*
Pays-Bas	*14*

3. Le Parlement européen élaborera des projets en vue de permettre l'élection au suffrage universel direct selon une procédure uniforme dans tous les États membres.

Le Conseil, statuant à l'unanimité, arrêtera les dispositions dont il recommandera l'adoption par les États membres, conformément à leurs règles constitutionnelles respectives.»

SECTION II

DE LA COUR DE JUSTICE

Article 3

Les compétences que le traité instituant la Communauté économique européenne, d'une part, et le traité instituant la Communauté européenne de l'énergie atomique, d'autre part, attribuent à la Cour de justice sont exercées, dans les conditions respectivement prévues à ces traités, par une Cour de justice unique composée et désignée comme il est prévu tant aux articles 165 à 167 inclus du traité instituant la Communauté économique européenne qu'aux articles 137 à 139 inclus du traité instituant la Communauté européenne de l'énergie atomique.

Article 4

1. Dès son entrée en fonctions, la Cour de justice unique visée à l'article précédent remplace la Cour prévue à l'article 32 du traité instituant la Communauté européenne du charbon et de l'acier. Elle exerce les compétences attribuées à cette Cour par ce traité, conformément aux dispositions de celui-ci.

Le président de la Cour de justice unique visée à l'article précédent exerce les attributions dévolues par le traité instituant la Communauté européenne du charbon et de l'acier au président de la Cour prévue par ce traité.

2. À cet effet, à la date de l'entrée en fonctions de la Cour de justice unique visée à l'article précédent:

a) l'article 32 du traité instituant la Communauté européenne du charbon et de l'acier est abrogé et remplacé par les dispositions suivantes:

«Article 32

La Cour est formée de sept juges.

La Cour siège en séance plénière. Toutefois, elle peut créer en son sein des chambres composées chacune de trois ou cinq juges en vue soit de procéder à certaines mesures d'instruction, soit de juger certaines catégories d'affaires, dans les conditions prévues par un règlement établi à cet effet.

Dans tous les cas, la Cour siège en séance plénière pour statuer dans les affaires dont elle est saisie par un État membre ou une institution de la Communauté, ainsi que sur les questions préjudicielles qui lui sont soumises en vertu de l'article 41.

Si la Cour le demande, le Conseil statuant à l'unanimité peut augmenter le nombre des juges et apporter les adaptations nécessaires aux deuxième et troisième alinéas et à l'article 32 ter, deuxième alinéa.»

«Article 32 bis

La Cour est assistée de deux avocats généraux.

L'avocat général a pour rôle de présenter publiquement, en toute impartialité et en toute indépendance, des conclusions motivées sur les affaires soumises à la Cour, en vue d'assister celle-ci dans l'accomplissement de sa mission, telle qu'elle est définie à l'article 31.

Si la Cour le demande, le Conseil statuant à l'unanimité peut augmenter le nombre des avocats généraux et apporter les adaptations nécessaires à l'article 32 ter, troisième alinéa.»

«Article 32 ter

Les juges et les avocats généraux, choisis parmi des personnalités offrant toutes garanties d'indépendance, et qui réunissent les conditions requises pour l'exercice, dans leurs pays respectifs, des plus hautes fonctions juridictionnelles, ou qui sont des jurisconsultes possédant des compétences notoires, sont nommés d'un commun accord pour six ans par les gouvernements des États membres.

Un renouvellement partiel des juges a lieu tous les trois ans. Il porte alternativement sur trois et quatre juges. Les trois juges dont la désignation est sujette à renouvellement à la fin de la première période de trois ans sont désignés par le sort.

Un renouvellement partiel des avocats généraux a lieu tous les trois ans. L'avocat général dont la désignation est sujette à renouvellement à la fin de la première période de trois ans est désigné par le sort.

Les juges et les avocats généraux sortants peuvent être nommés de nouveau.

Les juges désignent parmi eux, pour trois ans, le président de la Cour. Son mandat est renouvelable.»

«Article 32 quater

La Cour nomme son greffier, dont elle fixe le statut.»;

b) les dispositions du protocole sur le statut de la Cour de justice annexé au traité instituant la Communauté européenne du charbon et de l'acier sont abrogées en ce qu'elles ont de contraire aux articles 32 à 32 quater inclus de ce traité.

SECTION III

DU COMITÉ ÉCONOMIQUE ET SOCIAL

Article 5

1. Les fonctions que le traité instituant la Communauté économique européenne, d'une part, et le traité instituant la Communauté européenne de l'énergie atomique, d'autre part, attribuent au Comité économique et social sont exercées, dans les conditions respectivement prévues à ces traités, par un Comité économique et social unique, composé et désigné comme il est prévu tant à l'article 194 du traité instituant la Communauté économique européenne qu'à l'article 166 du traité instituant la Communauté européenne de l'énergie atomique.

2. Le Comité économique et social unique visé au paragraphe précédent doit comprendre une section spécialisée et peut comporter des sous-comités compétents, dans les domaines ou pour les questions relevant du traité instituant la Communauté européenne de l'énergie atomique.

3. Les dispositions des articles 193 et 197 du traité instituant la Communauté économique européenne sont applicables au Comité économique et social unique visé au paragraphe 1.

SECTION IV

DU FINANCEMENT DE CES INSTITUTIONS

Article 6

(Article abrogé par l'article 23 du traité de fusion)

[*Voir article 20 du traité de fusion, qui se lit comme suit:*

1. Les dépenses administratives de la Communauté européenne du charbon et de l'acier et les recettes y afférentes, les recettes et les dépenses de la Communauté économique européenne, les recettes et les dépenses de la Communauté européenne de l'énergie atomique, à l'exception de celles de l'Agence d'approvisionnement et des Entreprises communes, sont inscrites au budget des Communautés européennes, dans les conditions respectivement prévues aux traités instituant ces trois Communautés. Ce budget, qui doit être équilibré en recettes et en dépenses, se substitue au budget administratif de la Communauté européenne du charbon et de

l'acier, au budget de la Communauté économique européenne ainsi qu'au budget de fonctionnement et au budget de recherches et d'investissement de la Communauté européenne de l'énergie atomique (*).

2. La part de ces dépenses couverte par les prélèvements prévus à l'article 49 du traité instituant la Communauté européenne du charbon et de l'acier est fixée au chiffre de 18 millions d'unités de compte.

À partir de l'exercice budgétaire commençant le 1er janvier 1967, la Commission présente chaque année au Conseil un rapport sur la base duquel le Conseil examine s'il y a lieu d'adapter ce chiffre à l'évolution du budget des Communautés. Le Conseil statue à la majorité prévue à l'article 28, quatrième alinéa, première phrase, du traité instituant la Communauté européenne du charbon et de l'acier. Cette adaptation se fait sur la base d'une appréciation de l'évolution des dépenses résultant de l'application du traité instituant la Communauté européenne du charbon et de l'acier.

3. La part des prélèvements consacrée à la couverture des dépenses du budget des Communautés est affectée par la Commission à l'exécution de ce budget selon le rythme déterminé par les règlements financiers arrêtés en vertu des articles 209, point b), du traité instituant la Communauté économique européenne et 183, point b), du traité instituant la Communauté européenne de l'énergie atomique pour la mise à disposition par les États membres de leurs contributions.]

(*) Paragraphe 1 tel que modifié par l'article 10 du traité modifiant certaines dispositions budgétaires.

Dispositions finales

Article 7

La présente convention sera ratifiée par les Hautes Parties Contractantes en conformité de leurs règles constitutionnelles respectives. Les instruments de ratification seront déposés auprès du gouvernement de la République italienne.

La présente convention entrera en vigueur à la date à laquelle seront en vigueur le traité instituant la Communauté économique européenne et le traité instituant la Communauté européenne de l'énergie atomique.

Article 8

La présente convention rédigée en un exemplaire unique, en langue allemande, en langue française, en langue italienne et en langue néerlandaise, les quatre textes faisant également foi, sera déposée dans les archives du gouvernement de la République italienne, qui remettra une copie certifiée conforme à chacun des gouvernements des autres États signataires.

EN FOI DE QUOI, les plénipotentiaires soussignés ont apposé leurs signatures au bas de la présente convention.

Fait à Rome, le vingt-cinq mars mil neuf cent cinquante-sept.

P. H. SPAAK	J. Ch. SNOY ET D'OPPUERS
ADENAUER	HALLSTEIN
PINEAU	M. FAURE
Antonio SEGNI	Gaetano MARTINO
BECH	Lambert SCHAUS
J. LUNS	J. LINTHORST HOMAN

B — Traité instituant un Conseil unique et une Commission unique des Communautés européennes

JO 152 du 13.7.1967.

1. TEXTE DU TRAITÉ

SA MAJESTÉ LE ROI DES BELGES, LE PRÉSIDENT DE LA RÉPUBLIQUE FÉDÉRALE D'ALLEMAGNE, LE PRÉSIDENT DE LA RÉPUBLIQUE FRANÇAISE, LE PRÉSIDENT DE LA RÉPUBLIQUE ITALIENNE, SON ALTESSE ROYALE LE GRAND-DUC DE LUXEMBOURG, SA MAJESTÉ LA REINE DES PAYS-BAS,

VU l'article 96 du traité instituant la Communauté européenne du charbon et de l'acier,

VU l'article 236 du traité instituant la Communauté économique européenne,

VU l'article 204 du traité instituant la Communauté européenne de l'énergie atomique,

RÉSOLUS à progresser dans la voie de l'unité européenne,

DÉCIDÉS à procéder à l'unification des trois Communautés,

CONSCIENTS de la contribution que constitue pour cette unification la création d'institutions communautaires uniques,

ONT DÉCIDÉ de créer un Conseil unique et une Commission unique des Communautés européennes et ont désigné à cet effet comme plénipotentiaires:

SA MAJESTÉ LE ROI DES BELGES:

M. Paul Henri SPAAK, vice-Premier ministre et ministre des Affaires étrangères,

LE PRÉSIDENT DE LA RÉPUBLIQUE FÉDÉRALE D'ALLEMAGNE:

M. Kurt SCHMÜCKER, ministre des Affaires économiques,

LE PRÉSIDENT DE LA RÉPUBLIQUE FRANÇAISE:

M. Maurice COUVE DE MURVILLE, ministre des Affaires étrangères,

LE PRÉSIDENT DE LA RÉPUBLIQUE ITALIENNE:

M. Amintore FANFANI, ministre des Affaires étrangères,

SON ALTESSE ROYALE LE GRAND-DUC DE LUXEMBOURG:

M. Pierre WERNER, président du gouvernement et ministre des Affaires étrangères,

SA MAJESTÉ LA REINE DES PAYS-BAS:

M. J. M. A. H. LUNS, ministre des Affaires étrangères,

LESQUELS, après avoir échangé leurs pleins pouvoirs, reconnus en bonne et due forme, sont convenus des dispositions qui suivent.

CHAPITRE I

LE CONSEIL DES COMMUNAUTÉS EUROPÉENNES

Article premier

Il est institué un Conseil des Communautés européennes, ci-après dénommé «Conseil». Ce Conseil se substitue au Conseil spécial de ministres de la Communauté européenne du charbon et de l'acier, au Conseil de la Communauté économique européenne et au Conseil de la Communauté européenne de l'énergie atomique.

Il exerce les pouvoirs et les compétences dévolus à ces institutions dans les conditions prévues aux traités instituant respectivement la Communauté européenne du charbon et de l'acier, la Communauté économique européenne et la Communauté européenne de l'énergie atomique ainsi qu'au présent traité.

Articles 2 à 7

(Abrogés) (*)

Article 8

(p.m.) (**)

CHAPITRE II

LA COMMISSION DES COMMUNAUTÉS EUROPÉENNES

Article 9

Il est institué une Commission des Communautés européennes, ci-après dénommée «Commission». Cette Commission se substitue

(*) Voir article P, paragraphe 1, du TUE.

(**) Les modifications introduites par cet article sont incorporées dans le traité instituant la Communauté européenne du charbon et de l'acier.

à la Haute Autorité de la Communauté européenne du charbon et de l'acier ainsi qu'à la Commission de la Communauté économique européenne et à la Commission de la Communauté européenne de l'énergie atomique.

Elle exerce les pouvoirs et les compétences dévolus à ces institutions dans les conditions prévues aux traités instituant respectivement la Communauté européenne du charbon et de l'acier, la Communauté économique européenne et la Communauté européenne de l'énergie atomique ainsi qu'au présent traité.

Articles 10 à 19

(Abrogés) (*)

CHAPITRE III

DISPOSITIONS FINANCIÈRES

Article 20

1. Les dépenses administratives de la Communauté européenne du charbon et de l'acier et les recettes y afférentes, les recettes et les dépenses de la Communauté économique européenne, les recettes et les dépenses de la Communauté européenne de l'énergie atomique, à l'exception de celles de l'Agence d'approvisionnement et des Entreprises communes, sont inscrites au budget des Communautés européennes, dans les conditions respectivement prévues aux

---

(*) Voir article P, paragraphe 1, du TUE.

traités instituant ces trois Communautés. Ce budget, qui doit être équilibré en recettes et en dépenses, se substitue au budget administratif de la Communauté européenne du charbon et de l'acier, au budget de la Communauté économique européenne ainsi qu'au budget de fonctionnement et au budget de recherches et d'investissement de la Communauté européenne de l'énergie atomique (*).

2. La part de ces dépenses couverte par les prélèvements prévus à l'article 49 du traité instituant la Communauté européenne du charbon et de l'acier est fixée au chiffre de 18 millions d'unités de compte.

À partir de l'exercice budgétaire commençant le 1er janvier 1967, la Commission présente chaque année au Conseil un rapport sur la base duquel le Conseil examine s'il y a lieu d'adapter ce chiffre à l'évolution du budget des Communautés. Le Conseil statue à la majorité prévue à l'article 28, quatrième alinéa, première phrase, du traité instituant la Communauté européenne du charbon et de l'acier. Cette adaptation se fait sur la base d'une appréciation de l'évolution des dépenses résultant de l'application du traité instituant la Communauté européenne du charbon et de l'acier.

3. La part des prélèvements consacrée à la couverture des dépenses du budget des Communautés est affectée par la Commission à l'exécution de ce budget selon le rythme déterminé par les règlements financiers arrêtés en vertu des articles 209, point b), du traité instituant la Communauté économique européenne et 183, point b), du traité instituant la Communauté européenne de l'énergie atomique pour la mise à disposition par les États membres de leurs contributions.

(*) Paragraphe 1 tel que modifié par l'article 10 du traité modifiant certaines dispositions budgétaires.

Article 21

(p.m.) (*)

Article 22 (**)

1. Les pouvoirs et compétences attribués à la Cour des comptes instituée par l'article 78 sexto du traité instituant la Communauté européenne du charbon et de l'acier, par l'article 206 du traité instituant la Communauté économique européenne et par l'article 180 du traité instituant la Communauté européenne de l'énergie atomique sont exercés, dans les conditions respectivement prévues dans ces traités, par une Cour des comptes unique des Communautés européennes, constituée comme il est prévu auxdits articles.

2. Sans préjudice des pouvoirs et compétences mentionnés au paragraphe 1, la Cour des comptes des Communautés européennes exerce les pouvoirs et compétences attribués, antérieurement à l'entrée en vigueur du présent traité, à la commission de contrôle des Communautés européennes et au commissaire aux comptes de la Communauté européenne du charbon et de l'acier dans les conditions prévues par les différents textes faisant référence à la commission de contrôle et au commissaire aux comptes. Dans tous ces textes, les mots «commission de contrôle» et «commissaire aux comptes» sont remplacés par les mots «Cour des comptes».

Article 23

L'article 6 de la convention relative à certaines institutions communes aux Communautés européennes est abrogé.

(*) Les modifications introduites par cet article sont incorporées dans le traité instituant la Communauté européenne du charbon et de l'acier.

(**) Tel que modifié par l'article 27 du traité modifiant certaines dispositions financières.

CHAPITRE IV

LES FONCTIONNAIRES ET AUTRES AGENTS DES COMMUNAUTÉS EUROPÉENNES

Article 24

1. Les fonctionnaires et autres agents de la Communauté européenne du charbon et de l'acier, de la Communauté économique européenne et de la Communauté européenne de l'énergie atomique deviennent, à la date de l'entrée en vigueur du présent traité, fonctionnaires et autres agents des Communautés européennes et font partie de l'administration unique de ces Communautés.

Le Conseil, statuant à la majorité qualifiée, arrête, sur proposition de la Commission et après consultation des autres institutions intéressées, le statut des fonctionnaires des Communautés européennes et le régime applicable aux autres agents de ces Communautés.

2. Le paragraphe 7, troisième alinéa, de la convention relative aux dispositions transitoires annexée au traité instituant la Communauté européenne du charbon et de l'acier, l'article 212 du traité instituant la Communauté économique européenne et l'article 186 du traité instituant la Communauté européenne de l'énergie atomique sont abrogés.

Article 25

Jusqu'à l'entrée en vigueur du statut et du régime uniques prévus à l'article 24 ainsi que de la réglementation à prendre en application de l'article 13 du protocole annexé au présent traité, les fonctionnaires et autres agents recrutés avant la date d'entrée en vigueur du présent traité demeurent régis par les dispositions qui leur étaient jusqu'alors applicables.

Les fonctionnaires et autres agents recrutés à compter de la date d'entrée en vigueur du présent traité sont, dans l'attente du statut et du régime uniques prévus à l'article 24 ainsi que de la réglementation à prendre en application de l'article 13 du protocole annexé au présent traité, régis par les dispositions applicables aux fonctionnaires et agents de la Communauté économique européenne et de la Communauté européenne de l'énergie atomique.

Article 26

L'article 40, deuxième alinéa, du traité instituant la Communauté européenne du charbon et de l'acier est abrogé et remplacé par les dispositions suivantes:

«Elle est également compétente pour accorder une réparation à la charge de la Communauté en cas de préjudice causé par une faute personnelle d'un agent de celle-ci dans l'exercice de ses fonctions. La responsabilité personnelle des agents envers la Communauté est réglée dans les dispositions fixant leur statut ou le régime qui leur est applicable.»

CHAPITRE V

DISPOSITIONS GÉNÉRALES ET FINALES

Article 27

1. Les articles 22, premier alinéa, du traité instituant la Communauté européenne du charbon et de l'acier, 139, premier alinéa, du traité instituant la Communauté économique européenne et 109,

premier alinéa, du traité instituant la Communauté européenne de l'énergie atomique sont abrogés et remplacés par les dispositions suivantes:

«Le Parlement européen tient une session annuelle. Il se réunit de plein droit le deuxième mardi de mars.»

2. L'article 24, deuxième alinéa, du traité instituant la Communauté européenne du charbon et de l'acier est abrogé et remplacé par les dispositions suivantes:

«Le Parlement européen, saisi d'une motion de censure sur la gestion de la Haute Autorité, ne peut se prononcer sur cette motion que trois jours au moins après son dépôt et par un scrutin public.»

Article 28

Les Communautés européennes jouissent sur le territoire des États membres des privilèges et immunités nécessaires à l'accomplissement de leur mission dans les conditions définies au protocole annexé au présent traité. Il en est de même de la Banque européenne d'investissement.

Sont abrogés les articles 76 du traité instituant la Communauté européenne du charbon et de l'acier, 218 du traité instituant la Communauté économique européenne et 191 du traité instituant la Communauté européenne de l'énergie atomique ainsi que les protocoles sur les privilèges et immunités annexés à ces trois traités, les articles 3, quatrième alinéa, et 14, deuxième alinéa, du protocole sur le statut de la Cour de justice annexé au traité instituant la Communauté européenne du charbon et de l'acier et l'article 28, paragraphe 1, deuxième alinéa, du protocole sur les statuts de la Banque européenne d'investissement annexé au traité instituant la Communauté économique européenne.

Article 29

Les compétences conférées au Conseil par les articles 5, 6, 10, 12, 13, 24, 34 et 35 du présent traité et par ceux du protocole y annexé sont exercées selon les règles fixées par les articles 148, 149 et 150 du traité instituant la Communauté économique européenne et 118, 119 et 120 du traité instituant la Communauté européenne de l'énergie atomique.

Article 30

Les dispositions des traités instituant la Communauté économique européenne et la Communauté européenne de l'énergie atomique relatives à la compétence de la Cour de justice et à l'exercice de cette compétence sont applicables aux dispositions du présent traité et du protocole y annexé, à l'exception de celles qui revêtent la forme de modifications d'articles du traité instituant la Communauté européenne du charbon et de l'acier, pour lesquelles demeurent applicables les dispositions du traité instituant la Communauté européenne du charbon et de l'acier.

Article 31

Le Conseil entre en fonctions à dater du jour de l'entrée en vigueur du présent traité.

À cette date, la présidence du Conseil est exercée par le membre du Conseil qui, en conformité avec les règles fixées par les traités instituant la Communauté économique européenne et la Communauté européenne de l'énergie atomique, devrait assumer la présidence au Conseil de la Communauté économique européenne et de la Communauté européenne de l'énergie atomique, et pour la durée de son mandat restant à courir. À l'expiration de ce mandat, la présidence est assurée à la suite dans l'ordre des États membres fixé par l'article 2 du présent traité.

Article 32

1. Jusqu'à la date d'entrée en vigueur du traité instituant une Communauté européenne unique et au plus pendant une durée de trois années à compter de la nomination de ses membres, la Commission est composée de quatorze membres.

Pendant cette période, le nombre des membres ayant la nationalité d'un même État ne peut être supérieur à trois.

2. Le président, les vice-présidents et les membres de la Commission sont nommés dès l'entrée en vigueur du présent traité. La Commission entre en fonctions le cinquième jour après la nomination de ses membres. Simultanément, le mandat des membres de la Haute Autorité et des Commissions de la Communauté économique européenne et de la Communauté européenne de l'énergie atomique prend fin.

Article 33

Le mandat des membres de la Commission prévue à l'article 32 prend fin à la date déterminée par l'article 32, paragraphe 1. Les membres de la Commission prévue à l'article 10 sont nommés au plus tard un mois avant cette date.

Dans la mesure où l'ensemble de ces nominations ou certaines d'entre elles n'interviendraient pas en temps voulu, les dispositions de l'article 12, troisième alinéa, ne sont pas applicables à celui des membres qui, parmi les ressortissants de chaque État, a la plus faible ancienneté dans les fonctions de membre d'une Commission ou de la Haute Autorité et, en cas d'ancienneté égale, a l'âge le moins élevé. Toutefois, les dispositions de l'article 12, troisième alinéa, demeurent applicables à tous les membres de la même nationalité lorsque, avant la date déterminée par l'article 32, paragraphe 1, un membre de cette nationalité a cessé d'exercer ses fonctions sans être remplacé.

Article 34

Le Conseil, statuant à l'unanimité, fixe le régime pécuniaire des anciens membres de la Haute Autorité et des Commissions de la Communauté économique européenne et de la Communauté européenne de l'énergie atomique qui, ayant cessé leurs fonctions en vertu de l'article 32, n'ont pas été nommés membres de la Commission.

Article 35

1. Le premier budget des Communautés est établi et arrêté pour l'exercice courant à compter du 1er janvier suivant l'entrée en vigueur du présent traité.

2. Si le présent traité entre en vigueur avant le 1er juillet 1965, l'état prévisionnel général des dépenses administratives de la Communauté européenne du charbon et de l'acier qui vient à expiration au 1er juillet sera prorogé jusqu'au 31 décembre de la même année; les crédits ouverts au titre dudit état prévisionnel seront majorés en proportion, sauf décision contraire du Conseil statuant à la majorité qualifiée.

Au cas où le présent traité entrerait en vigueur après le 30 juin 1965, le Conseil, statuant à l'unanimité sur proposition de la Commission, prend les décisions appropriées en s'inspirant du souci, d'une part, d'assurer le fonctionnement régulier des Communautés et, d'autre part, d'arrêter à une date aussi proche que possible le premier budget des Communautés.

Article 36

Le président et les membres de la commission de contrôle de la Communauté économique européenne et de la Communauté européenne de l'énergie atomique assument les fonctions de président et de membres de la commission de contrôle des Communautés européennes dès l'entrée en vigueur du présent traité et pour la durée de leur ancien mandat qui restait à courir.

Le commissaire aux comptes exerçant jusqu'à l'entrée en vigueur du présent traité ses fonctions, en exécution de l'article 78 du traité instituant la Communauté européenne du charbon et de l'acier, assume les fonctions du commissaire aux comptes prévu à l'article 78 sexto de ce traité pour la durée de son ancien mandat qui restait à courir (*).

Article 37

Sans préjudice de l'application des articles 77 du traité instituant la Communauté européenne du charbon et de l'acier, 216 du traité instituant la Communauté économique européenne, 189 du traité instituant la Communauté européenne de l'énergie atomique et de l'article 1er, deuxième alinéa, du protocole sur les statuts de la Banque européenne d'investissement, les représentants des gouvernements des États membres arrêtent d'un commun accord les dispositions nécessaires en vue de régler certains problèmes particuliers au grand-duché de Luxembourg et qui résultent de la création d'un Conseil unique et d'une Commission unique des Communautés européennes.

La décision des représentants des gouvernements des États membres entrera en vigueur à la même date que le présent traité.

(*) Voir ci-dessus, article 22.

Article 38

Le présent traité sera ratifié par les Hautes Parties Contractantes en conformité de leurs règles constitutionnelles respectives. Les instruments de ratification seront déposés auprès du gouvernement de la République italienne.

Le présent traité entrera en vigueur le premier jour du mois suivant le dépôt de l'instrument de ratification de l'État signataire qui procédera le dernier à cette formalité.

Article 39

Le présent traité, rédigé en un exemplaire unique, en langue allemande, en langue française, en langue italienne et en langue néerlandaise, les quatre textes faisant également foi, sera déposé dans les archives du gouvernement de la République italienne, qui remettra une copie certifiée conforme à chacun des gouvernements des autres États signataires.

EN FOI DE QUOI, les plénipotentiaires soussignés ont apposé leurs signatures au bas du présent traité.

Fait à Bruxelles, le huit avril mil neuf cent soixante-cinq.

Pour Sa Majesté le roi des Belges
Voor Zijne Majesteit de Koning der Belgen
Paul Henri SPAAK

Für den Präsidenten der Bundesrepublik Deutschland
Kurt SCHMÜCKER

Pour le président de la République française
Maurice Couve de Murville

Per il Presidente della Repubblica italiana
Amintore Fanfani

Pour Son Altesse Royale le grand-duc de Luxembourg
Pierre Werner

Voor Hare Majesteit de Koningin der Nederlanden
J. M. A. H. Luns

2. PROTOCOLE SUR LES PRIVILÈGES ET IMMUNITÉS DES COMMUNAUTÉS EUROPÉENNES

LES HAUTES PARTIES CONTRACTANTES,

CONSIDÉRANT que, aux termes de l'article 28 du traité instituant un Conseil unique et une Commission unique des Communautés européennes, ces Communautés et la Banque européenne d'investissement jouissent sur le territoire des États membres des immunités et privilèges nécessaires à l'accomplissement de leur mission,

SONT CONVENUES des dispositions ci-après, qui sont annexées à ce traité.

CHAPITRE I

BIENS, FONDS, AVOIRS ET OPÉRATIONS DES COMMUNAUTÉS EUROPÉENNES

Article premier

Les locaux et les bâtiments des Communautés sont inviolables. Ils sont exempts de perquisition, réquisition, confiscation ou expropriation. Les biens et avoirs des Communautés ne peuvent être l'objet d'aucune mesure de contrainte administrative ou judiciaire sans une autorisation de la Cour de justice.

Article 2

Les archives des Communautés sont inviolables.

Article 3

Les Communautés, leurs avoirs, revenus et autres biens sont exonérés de tous impôts directs.

Les gouvernements des États membres prennent, chaque fois qu'il leur est possible, les dispositions appropriées en vue de la remise ou du remboursement du montant des droits indirects et des taxes à la vente entrant dans les prix des biens immobiliers ou mobiliers lorsque les Communautés effectuent pour leur usage officiel des achats importants dont le prix comprend des droits et taxes de cette nature. Toutefois, l'application de ces dispositions ne doit pas avoir pour effet de fausser la concurrence à l'intérieur des Communautés.

Aucune exonération n'est accordée en ce qui concerne les impôts, taxes et droits qui ne constituent que la simple rémunération de services d'utilité générale.

Article 4

Les Communautés sont exonérées de tous droits de douane, prohibitions et restrictions d'importation et d'exportation à l'égard des articles destinés à leur usage officiel; les articles ainsi importés ne seront pas cédés à titre onéreux ou gratuit sur le territoire du pays dans lequel ils auront été introduits, à moins que ce ne soit à des conditions agréées par le gouvernement de ce pays.

Elles sont également exonérées de tout droit de douane et de toute prohibition et restriction d'importation et d'exportation à l'égard de leurs publications.

Article 5

La Communauté européenne du charbon et de l'acier peut détenir des devises quelconques et avoir des comptes en n'importe quelle monnaie.

CHAPITRE II

COMMUNICATIONS ET LAISSEZ-PASSER

Article 6

Pour leurs communications officielles et le transfert de tous leurs documents, les institutions des Communautés bénéficient sur le territoire de chaque État membre du traitement accordé par cet État aux missions diplomatiques.

La correspondance officielle et les autres communications officielles des institutions des Communautés ne peuvent être censurées.

Article 7

1. Des laissez-passer dont la forme est arrêtée par le Conseil et qui sont reconnus comme titres valables de circulation par les autorités des États membres peuvent être délivrés aux membres et aux agents des institutions des Communautés par les présidents de celles-ci. Ces laissez-passer sont délivrés aux fonctionnaires et autres agents dans les conditions fixées par le statut des fonctionnaires et le régime des autres agents des Communautés.

La Commission peut conclure des accords en vue de faire reconnaître ces laissez-passer comme titres valables de circulation sur le territoire des États tiers.

2. Toutefois, les dispositions de l'article 6 du protocole sur les privilèges et immunités de la Communauté européenne du charbon et de l'acier demeurent applicables aux membres et agents des institutions qui sont, à l'entrée en vigueur du présent traité, en possession du laissez-passer prévu à cet article et ce jusqu'à l'application des dispositions du paragraphe 1 ci-dessus.

CHAPITRE III

MEMBRES DU PARLEMENT EUROPÉEN

Article 8

Aucune restriction d'ordre administratif ou autre n'est apportée au libre déplacement des membres du Parlement européen se rendant au lieu de réunion du Parlement européen ou en revenant.

Les membres du Parlement européen se voient accorder en matière de douane et de contrôle des changes:

a) par leur propre gouvernement, les mêmes facilités que celles reconnues aux hauts fonctionnaires se rendant à l'étranger en mission officielle temporaire,

b) par les gouvernements des autres États membres, les mêmes facilités que celles reconnues aux représentants de gouvernements étrangers en mission officielle temporaire.

Article 9

Les membres du Parlement européen ne peuvent être recherchés, détenus ou poursuivis en raison des opinions ou votes émis par eux dans l'exercice de leurs fonctions.

Article 10

Pendant la durée des sessions du Parlement européen, les membres de celui-ci bénéficient:

a) sur leur territoire national, des immunités reconnues aux membres du parlement de leur pays,

b) sur le territoire de tout autre État membre, de l'exemption de toute mesure de détention et de toute poursuite judiciaire.

L'immunité les couvre également lorsqu'ils se rendent au lieu de réunion du Parlement européen ou en reviennent.

L'immunité ne peut être invoquée dans le cas de flagrant délit et ne peut non plus mettre obstacle au droit du Parlement européen de lever l'immunité d'un de ses membres.

CHAPITRE IV

REPRÉSENTANTS DES ÉTATS MEMBRES PARTICIPANT AUX TRAVAUX DES INSTITUTIONS DES COMMUNAUTÉS EUROPÉENNES

Article 11

Les représentants des États membres participant aux travaux des institutions des Communautés ainsi que leurs conseillers et experts techniques jouissent, pendant l'exercice de leurs fonctions et au cours de leurs voyages à destination ou en provenance du lieu de la réunion, des privilèges, immunités ou facilités d'usage.

Le présent article s'applique également aux membres des organes consultatifs des Communautés.

CHAPITRE V

FONCTIONNAIRES ET AGENTS DES COMMUNAUTÉS EUROPÉENNES

Article 12

Sur le territoire de chacun des États membres et quelle que soit leur nationalité, les fonctionnaires et autres agents des Communautés:

a) jouissent de l'immunité de juridiction pour les actes accomplis par eux, y compris leurs paroles et écrits, en leur qualité officielle, sous réserve de l'application des dispositions des traités relatives, d'une part, aux règles de la responsabilité des fonctionnaires et agents envers les Communautés et, d'autre part, à la compétence de la Cour pour statuer sur les litiges entre les Communautés et leurs fonctionnaires et autres agents. Ils continueront à bénéficier de cette immunité après la cessation de leurs fonctions,

b) ne sont pas soumis, non plus que leurs conjoints et les membres de leur famille vivant à leur charge, aux dispositions limitant l'immigration et aux formalités d'enregistrement des étrangers,

c) jouissent, en ce qui concerne les réglementations monétaires ou de change, des facilités reconnues par l'usage aux fonctionnaires des organisations internationales,

d) jouissent du droit d'importer en franchise leur mobilier et leurs effets à l'occasion de leur première prise de fonctions dans le pays intéressé, et du droit, à la cessation de leurs fonctions dans ledit pays, de réexporter en franchise leur mobilier et leurs effets sous réserve, dans l'un et l'autre cas, des conditions jugées nécessaires par le gouvernement du pays où le droit est exercé,

e) jouissent du droit d'importer en franchise leur automobile affectée à leur usage personnel acquise dans le pays de leur dernière résidence ou dans le pays dont ils sont ressortissants aux conditions du marché intérieur de celui-ci et de la réexporter en franchise, sous réserve, dans l'un et l'autre cas, des conditions jugées nécessaires par le gouvernement du pays intéressé.

Article 13

Dans les conditions et suivant la procédure fixée par le Conseil statuant sur proposition de la Commission, les fonctionnaires et autres agents des Communautés sont soumis au profit de celles-ci à un impôt sur les traitements, salaires et émoluments versés par elles.

Ils sont exempts d'impôts nationaux sur les traitements, salaires et émoluments versés par les Communautés.

Article 14

Pour l'application des impôts sur les revenus et sur la fortune, des droits de succession ainsi que des conventions tendant à éviter les doubles impositions conclues entre les pays membres des Communautés, les fonctionnaires et autres agents des Communautés qui, en raison uniquement de l'exercice de leurs fonctions au service des Communautés, établissent leur résidence sur le territoire d'un pays membre autre que le pays du domicile fiscal qu'ils possèdent au moment de leur entrée au service des Communautés sont considérés, tant dans le pays de leur résidence que dans le pays du domicile fiscal, comme ayant conservé leur domicile dans ce dernier pays si celui-ci est membre des Communautés. Cette disposition s'applique également au conjoint dans la mesure où celui-ci n'exerce pas d'activité professionnelle propre ainsi qu'aux enfants à charge et sous la garde des personnes visées au présent article.

Les biens meubles appartenant aux personnes visées à l'alinéa précédent et situés sur le territoire de l'État de séjour sont exonérés de l'impôt sur les successions dans cet État; pour l'établissement de cet impôt, ils sont considérés comme se trouvant dans l'État du domicile fiscal, sous réserve des droits des États tiers et de l'application éventuelle des dispositions des conventions internationales relatives aux doubles impositions.

Les domiciles acquis en raison uniquement de l'exercice de fonctions au service d'autres organisations internationales ne sont pas pris en considération dans l'application des dispositions du présent article.

Article 15

Le Conseil, statuant à l'unanimité sur proposition de la Commission, fixe le régime des prestations sociales applicables aux fonctionnaires et autres agents des Communautés.

Article 16

Le Conseil, statuant sur proposition de la Commission et après consultation des autres institutions intéressées, détermine les catégories de fonctionnaires et autres agents des Communautés auxquels s'appliquent, en tout ou partie, les dispositions des articles 12, 13, deuxième alinéa, et 14.

Les noms, qualités et adresses des fonctionnaires et autres agents compris dans ces catégories sont communiqués périodiquement aux gouvernements des États membres.

CHAPITRE VI

PRIVILÈGES ET IMMUNITÉS DES MISSIONS D'ÉTATS TIERS ACCRÉDITÉES AUPRÈS DES COMMUNAUTÉS EUROPÉENNES

Article 17

L'État membre sur le territoire duquel est situé le siège des Communautés accorde aux missions des États tiers accréditées auprès des Communautés les immunités et privilèges diplomatiques d'usage.

CHAPITRE VII

DISPOSITIONS GÉNÉRALES

Article 18

Les privilèges, immunités et facilités sont accordés aux fonctionnaires et autres agents des Communautés exclusivement dans l'intérêt de ces dernières.

Chaque institution des Communautés est tenue de lever l'immunité accordée à un fonctionnaire ou autre agent dans tous les cas où elle estime que la levée de cette immunité n'est pas contraire aux intérêts des Communautés.

Article 19

Pour l'application du présent protocole, les institutions des Communautés agissent de concert avec les autorités responsables des États membres intéressés.

Article 20

Les articles 12 à 15 inclus et 18 sont applicables aux membres de la Commission.

Article 21

Les articles 12 à 15 inclus et 18 sont applicables aux juges, aux avocats généraux, au greffier et aux rapporteurs adjoints de la Cour de justice, sans préjudice des dispositions de l'article 3 des protocoles sur le statut de la Cour de justice relatives à l'immunité de juridiction des juges et des avocats généraux.

Article 22

Le présent protocole s'applique également à la Banque européenne d'investissement, aux membres de ses organes, à son personnel et aux représentants des États membres qui participent à ses travaux, sans préjudice des dispositions du protocole sur les statuts de celle-ci.

La Banque européenne d'investissement sera, en outre, exonérée de toute imposition fiscale et parafiscale à l'occasion des augmentations de son capital ainsi que des formalités diverses que ces opérations pourront comporter dans l'État du siège. De même, sa dissolution et sa liquidation n'entraîneront aucune perception. Enfin, l'activité de la Banque et de ses organes, s'exerçant dans les conditions statutaires, ne donnera pas lieu à l'application des taxes sur le chiffre d'affaires.

EN FOI DE QUOI, les plénipotentiaires soussignés ont apposé leurs signatures au bas du présent protocole.

Fait à Bruxelles, le huit avril mil neuf cent soixante-cinq.

Paul Henri SPAAK
Kurt SCHMÜCKER
Maurice COUVE DE MURVILLE
Amintore FANFANI
Pierre WERNER
J. M. A. H. LUNS

3. ACTE FINAL

Les plénipotentiaires

de Sa Majesté le roi des Belges, du président de la république fédérale d'Allemagne, du président de la République française, du président de la République italienne, de Son Altesse Royale le grand-duc de Luxembourg, de Sa Majesté la reine des Pays-Bas,

réunis à Bruxelles le 8 avril 1965 pour la signature du traité instituant un Conseil unique et une Commission unique des Communautés européennes,

Ont arrêté les textes ci-après:

Traité instituant un Conseil unique et une Commission unique des Communautés européennes

Protocole sur les privilèges et immunités des Communautés européennes

Au moment de signer ces textes, les plénipotentiaires ont:

- conféré à la Commission des Communautés européennes le mandat figurant à l'annexe I
- et pris acte de la déclaration du gouvernement de la république fédérale d'Allemagne figurant à l'annexe II.

En foi de quoi, les plénipotentiaires soussignés ont apposé leurs signatures au bas du présent acte final.

Fait à Bruxelles, le huit avril mil neuf cent soixante-cinq.

Paul Henri SPAAK
Kurt SCHMÜCKER
Maurice COUVE DE MURVILLE
Amintore FANFANI
Pierre WERNER
J. M. A. H. LUNS

Annexes

ANNEXE I

MANDAT CONFÉRÉ À LA COMMISSION DES COMMUNAUTÉS EUROPÉENNES

La Commission des Communautés européennes reçoit le mandat de prendre dans le cadre de ses responsabilités toutes les dispositions nécessaires pour mener à bien la rationalisation de ses services dans un délai raisonnable et relativement bref ne devant pas excéder un an. À cet effet, la Commission pourra s'entourer de tous les avis appropriés. Afin de permettre au Conseil de suivre la réalisation de cette opération, la Commission est invitée à faire rapport périodiquement devant le Conseil.

ANNEXE II

DÉCLARATION DU GOUVERNEMENT DE LA RÉPUBLIQUE FÉDÉRALE D'ALLEMAGNE

concernant l'application à Berlin du traité instituant un Conseil unique et une Commission unique des Communautés européennes ainsi que du traité instituant la Communauté européenne du charbon et de l'acier

Le gouvernement de la république fédérale d'Allemagne se réserve le droit de déclarer lors du dépôt de ses instruments de ratification que le traité instituant un Conseil unique et une Commission unique des Communautés européennes ainsi que le traité instituant la Communauté européenne du charbon et de l'acier s'appliquent également au Land de Berlin.

C — Acte unique européen

JO L 169 du 29.6.1987.

1. TEXTE DU TRAITÉ

Sa Majesté le roi des Belges, Sa Majesté la reine de Danemark, le président de la République fédérale d'Allemagne, le président de la République hellénique, Sa Majesté le roi d'Espagne, le président de la République française, le président d'Irlande, le président de la République italienne, Son Altesse Royale le grand-duc de Luxembourg, Sa Majesté la reine des Pays-Bas, le président de la République portugaise, Sa Majesté la reine du Royaume-Uni de Grande-Bretagne et d'Irlande du Nord,

Animés de la volonté de poursuivre l'œuvre entreprise à partir des traités instituant les Communautés européennes et de transformer l'ensemble des relations entre leurs États en une Union européenne conformément à la déclaration solennelle de Stuttgart du 19 juin 1983,

Résolus à mettre en œuvre cette Union européenne sur la base, d'une part, des Communautés fonctionnant selon leurs règles propres et, d'autre part, de la coopération européenne entre les États signataires en matière de politique étrangère et à doter cette Union des moyens d'action nécessaires,

Décidés à promouvoir ensemble la démocratie en se fondant sur les droits fondamentaux reconnus dans les Constitutions et lois des États membres, dans la convention de sauvegarde des droits de l'homme et des libertés fondamentales et dans la charte sociale européenne, notamment la liberté, l'égalité et la justice sociale,

Convaincus que l'idée européenne, les résultats acquis dans les domaines de l'intégration économique et de la coopération politique ainsi que la nécessité de nouveaux développements répondent aux vœux des peuples démocratiques européens pour qui le Parlement européen, élu au suffrage universel, est un moyen d'expression indispensable,

CONSCIENTS de la responsabilité qui incombe à l'Europe de s'efforcer de parler toujours davantage d'une seule voix et d'agir avec cohésion et solidarité afin de défendre plus efficacement ses intérêts communs et son indépendance, ainsi que de faire tout particulièrement valoir les principes de la démocratie et le respect du droit et des droits de l'homme, auxquels ils sont attachés, afin d'apporter ensemble leur contribution propre au maintien de la paix et de la sécurité internationales conformément à l'engagement qu'ils ont pris dans le cadre de la charte des Nations unies,

DÉTERMINÉS à améliorer la situation économique et sociale par l'approfondissement des politiques communes et par la poursuite d'objectifs nouveaux et à assurer un meilleur fonctionnement des Communautés, en permettant aux institutions d'exercer leurs pouvoirs dans les conditions les plus conformes à l'intérêt communautaire,

CONSIDÉRANT que les chefs d'État ou de gouvernement, lors de leur conférence de Paris du 19 au 21 octobre 1972, ont approuvé l'objectif de réalisation progressive de l'union économique et monétaire,

CONSIDÉRANT l'annexe aux conclusions de la présidence du Conseil européen de Brême des 6 et 7 juillet 1978 ainsi que la résolution du Conseil européen de Bruxelles du 5 décembre 1978 concernant l'instauration du système monétaire européen (SME) et des questions connexes et notant que, conformément à cette résolution, la Communauté et les banques centrales des États membres ont pris un certain nombre de mesures destinées à mettre en œuvre la coopération monétaire,

ONT DÉCIDÉ d'établir le présent acte et ont désigné à cet effet comme plénipotentiaires:

SA MAJESTÉ LE ROI DES BELGES:

M. Leo TINDEMANS, ministre des Relations extérieures,

SA MAJESTÉ LA REINE DE DANEMARK:

M. Uffe ELLEMANN-JENSEN, ministre des Affaires étrangères,

LE PRÉSIDENT DE LA RÉPUBLIQUE FÉDÉRALE D'ALLEMAGNE:

M. Hans-Dietrich GENSCHER, ministre fédéral des Affaires étrangères,

LE PRÉSIDENT DE LA RÉPUBLIQUE HELLÉNIQUE:

M. Karolos PAPOULIAS, ministre des Affaires étrangères,

SA MAJESTÉ LE ROI D'ESPAGNE:

M. Francisco FERNÁNDEZ ORDÓÑEZ, ministre des Affaires étrangères,

LE PRÉSIDENT DE LA RÉPUBLIQUE FRANÇAISE:

M. Roland DUMAS, ministre des Relations extérieures,

LE PRÉSIDENT D'IRLANDE:

M. Peter BARRY, TD, ministre des Affaires étrangères,

LE PRÉSIDENT DE LA RÉPUBLIQUE ITALIENNE:

M. Giulio ANDREOTTI, ministre des Affaires étrangères,

SON ALTESSE ROYALE LE GRAND-DUC DE LUXEMBOURG:

M. Robert GOEBBELS, secrétaire d'État, ministère des Affaires étrangères,

SA MAJESTÉ LA REINE DES PAYS-BAS:

M. Hans VAN DEN BROEK, ministre des Affaires étrangères,

LE PRÉSIDENT DE LA RÉPUBLIQUE PORTUGAISE:

M. Pedro PIRES DE MIRANDA, ministre des Affaires étrangères,

SA MAJESTÉ LA REINE DU ROYAUME-UNI DE GRANDE-BRETAGNE ET D'IRLANDE DU NORD:

Mme Lynda CHALKER, secrétaire d'État, ministère des Affaires étrangères et du Commonwealth,

LESQUELS, après avoir échangé leurs pleins pouvoirs reconnus en bonne et due forme, sont convenus des dispositions qui suivent.

TITRE I

Dispositions communes

Article premier

Les Communautés européennes et la coopération politique européenne ont pour objectif de contribuer ensemble à faire progresser concrètement l'Union européenne.

Les Communautés européennes sont fondées sur les traités instituant la Communauté européenne du charbon et de l'acier, la Communauté économique européenne et la Communauté européenne de l'énergie atomique, ainsi que sur les traités et actes subséquents qui les ont modifiés ou complétés.

La coopération politique est régie par le titre III. Les dispositions de ce titre confirment et complètent les procédures convenues dans les rapports de Luxembourg (1970), Copenhague (1973) et Londres (1981) ainsi que dans la déclaration solennelle sur l'Union européenne (1983), et les pratiques progressivement établies entre les États membres.

Article 2

(Abrogé) (*)

Article 3

1. Les institutions des Communautés européennes, désormais dénommées comme ci-après, exercent leurs pouvoirs et compé-

(*) Voir article P, paragraphe 2, du TUE.

tences dans les conditions et aux fins prévues par les traités instituant les Communautés et par les traités et actes subséquents qui les ont modifiés ou complétés, ainsi que par les dispositions du titre II.

2. *(Abrogé)* (*)

(*) Voir article P, paragraphe 2, du TUE.

TITRE II

Dispositions portant modification des traités instituant les Communautés européennes (*)

(*) p.m.
Les modifications introduites par ce titre sont incorporées dans les traités instituant les Communautés européennes.

TITRE III

Dispositions sur la coopération européenne en matière de politique étrangère

(Abrogé) (*)

(*) Voir article P, paragraphe 2, du TUE.

TITRE IV

Dispositions générales et finales

Article 31

Les dispositions du traité instituant la Communauté européenne du charbon et de l'acier, du traité instituant la Communauté économique européenne et du traité instituant la Communauté européenne de l'énergie atomique qui sont relatives à la compétence de la Cour de justice des Communautés européennes et à l'exercice de cette compétence ne sont applicables qu'aux dispositions du titre II et à l'article 32; elles s'appliquent à ces dispositions dans les mêmes conditions qu'aux dispositions desdits traités.

Article 32

Sous réserve de l'article 3, paragraphe 1, du titre II et de l'article 31, aucune disposition du présent acte n'affecte les traités instituant les Communautés européennes ni les traités et actes subséquents qui les ont modifiés ou complétés.

Article 33

1. Le présent acte sera ratifié par les Hautes Parties Contractantes, en conformité avec leurs règles constitutionnelles respectives. Les instruments de ratification seront déposés auprès du gouvernement de la République italienne.

2. Le présent acte entrera en vigueur le premier jour du mois suivant le dépôt de l'instrument de ratification de l'État signataire qui procédera le dernier à cette formalité.

Article 34

Le présent acte, rédigé en un exemplaire unique, en langues allemande, anglaise, danoise, espagnole, française, grecque, irlandaise, italienne, néerlandaise et portugaise, les textes établis dans chacune de ces langues faisant également foi, sera déposé dans les archives du gouvernement de la République italienne, qui remettra une copie certifiée conforme à chacun des gouvernements des autres États signataires.

EN FOI DE QUOI, les plénipotentiaires soussignés ont apposé leurs signatures au bas du présent Acte unique européen.

Fait à Luxembourg le dix-sept février mil neuf cent quatre-vingt-six et à La Haye le vingt-huit février mil neuf cent quatre-vingt-six.

Leo TINDEMANS
Uffe ELLEMANN-JENSEN
Hans-Dietrich GENSCHER
Karolos PAPOULIAS
Francisco FERNÁNDEZ ORDÓÑEZ
Roland DUMAS
Peter BARRY
Giulio ANDREOTTI
Robert GOEBBELS
Hans VAN DEN BROEK
Pedro PIRES DE MIRANDA
Lynda CHALKER

2. ACTE FINAL

La conférence des représentants des gouvernements des États membres convoquée à Luxembourg le 9 septembre 1985, qui a poursuivi ses travaux à Luxembourg et Bruxelles, a arrêté le texte suivant.

I

Acte unique européen

II

Au moment de signer ce texte, la conférence a adopté les déclarations énumérées ci-après et annexées au présent acte final:

1) déclaration relative aux compétences d'exécution de la Commission,

2) déclaration relative à la Cour de justice,

3) déclaration relative à l'article 8 A du traité CEE,

4) déclaration relative à l'article 100 A du traité CEE,

5) déclaration relative à l'article 100 B du traité CEE,

6) déclaration générale relative aux articles 13 à 19 de l'Acte unique européen,

7) déclaration relative à l'article 118 A, paragraphe 2, du traité CEE,

8) déclaration relative à l'article 130 D du traité CEE,

9) déclaration relative à l'article 130 R du traité CEE,

10) déclaration des Hautes Parties Contractantes relative au titre III de l'Acte unique européen,

11) déclaration relative à l'article 30, paragraphe 10, point g), de l'Acte unique européen.

La conférence a pris acte en outre des déclarations énumérées ci-après et annexées au présent acte final:

1) déclaration de la présidence relative au délai dans lequel le Conseil se prononce en première lecture (article 149, paragraphe 2, du traité CEE),

2) déclaration politique des gouvernements des États membres relative à la libre circulation des personnes,

3) déclaration du gouvernement de la République hellénique relative à l'article 8 A du traité CEE,

4) déclaration de la Commission relative à l'article 28 du traité CEE,

5) déclaration du gouvernement de l'Irlande relative à l'article 57, paragraphe 2, du traité CEE,

6) déclaration du gouvernement de la République portugaise relative à l'article 59, deuxième alinéa, et à l'article 84 du traité CEE,

7) déclaration du gouvernement du royaume de Danemark relative à l'article 100 A du traité CEE,

8) déclaration de la présidence et de la Commission relative à la capacité monétaire de la Communauté,

9) déclaration du gouvernement du royaume de Danemark relative à la coopération politique européenne.

Fait à Luxembourg le dix-sept février mil neuf cent quatre-vingt-six et à La Haye le vingt-huit février mil neuf cent quatre-vingt-six.

Leo TINDEMANS

Uffe ELLEMANN-JENSEN

Hans-Dietrich GENSCHER

Karolos PAPOULIAS

Francisco FERNÁNDEZ ORDÓÑEZ

Roland DUMAS

Peter BARRY

Giulio ANDREOTTI

Robert GOEBBELS

Hans VAN DEN BROEK

Pedro PIRES DE MIRANDA

Lynda CHALKER

DÉCLARATION

relative aux compétences d'exécution de la Commission

La conférence demande aux instances communautaires d'adopter, avant l'entrée en vigueur de l'Acte, les principes et les règles sur la base desquels seront définies, dans chaque cas, les compétences d'exécution de la Commission.

Dans ce contexte, la conférence invite le Conseil à réserver notamment à la procédure du comité consultatif une place prépondérante, en fonction de la rapidité et de l'efficacité du processus de décision, pour l'exercice des compétences d'exécution confiées à la Commission dans le domaine de l'article 100 A du traité CEE.

DÉCLARATION

relative à la Cour de justice

La conférence convient que les dispositions de l'article 32 quinto, paragraphe 1, du traité CECA, de l'article 168 A, paragraphe 1, du traité CEE et de l'article 140 A, paragraphe 1, du traité CEEA ne préjugent pas d'éventuelles attributions de compétences juridictionnelles susceptibles d'être prévues dans le cadre de conventions conclues entre les États membres.

DÉCLARATION

relative à l'article 8 A du traité CEE

Par l'article 8 A, la conférence souhaite traduire la ferme volonté politique de prendre avant le 1er janvier 1993 les décisions nécessaires à la réalisation du marché intérieur défini dans cette disposition et plus particulièrement les décisions nécessaires à l'exécution du programme de la Commission tel qu'il figure dans le livre blanc sur le marché intérieur.

La fixation de la date du 31 décembre 1992 ne crée pas d'effets juridiques automatiques.

DÉCLARATION

relative à l'article 100 A du traité CEE

La Commission privilégiera, dans ses propositions au titre de l'article 100 A, paragraphe 1, le recours à l'instrument de la directive si l'harmonisation comporte, dans un ou plusieurs États membres, une modification de dispositions législatives.

DÉCLARATION

relative à l'article 100 B du traité CEE

La conférence considère que, étant donné que l'article 8 C du traité CEE a une portée générale, il s'applique également pour les propositions que la Commission est appelée à faire en vertu de l'article 100 B du même traité.

DÉCLARATION GÉNÉRALE

relative aux articles 13 à 19 de l'Acte unique européen

Aucune de ces dispositions n'affecte le droit des États membres de prendre celles des mesures qu'ils jugent nécessaires en matière de contrôle de l'immigration de pays tiers ainsi qu'en matière de lutte contre le terrorisme, la criminalité, le trafic de drogue et le trafic des œuvres d'art et des antiquités.

DÉCLARATION

relative à l'article 118 A, paragraphe 2, du traité CEE

La conférence constate que, lors de la délibération portant sur l'article 118 A, paragraphe 2, du traité CEE, un accord s'est dégagé sur le fait que la Communauté n'envisage pas, lors de la fixation de prescriptions minimales destinées à protéger la sécurité et la santé des travailleurs, de défavoriser les travailleurs des petites et moyennes entreprises d'une manière qui ne se justifie pas objectivement.

DÉCLARATION

relative à l'article 130 D du traité CEE

La conférence rappelle à ce sujet les conclusions du Conseil européen de Bruxelles de mars 1984 qui se lisent comme suit:

«Les moyens financiers affectés aux interventions des fonds compte tenu des PIM seront accrus de manière significative en termes réels dans le cadre des possibilités de financement.»

DÉCLARATION

relative à l'article 130 R du traité CEE

Ad paragraphe 1, troisième tiret

La conférence confirme que l'action de la Communauté dans le domaine de l'environnement ne doit pas interférer avec la politique nationale d'exploitation des ressources énergétiques.

Ad paragraphe 5, deuxième alinéa

La conférence considère que les dispositions de l'article 130 R, paragraphe 5, deuxième alinéa, n'affectent pas les principes résultant de l'arrêt de la Cour de justice dans l'affairc AETR.

DÉCLARATION
DES HAUTES PARTIES CONTRACTANTES

relative au titre III de l'Acte unique européen

Les Hautes Parties Contractantes du titre III sur la coopération politique européenne réaffirment leur attitude d'ouverture à l'égard d'autres nations européennes partageant les mêmes idéaux et les mêmes objectifs. Elles conviennent en particulier de renforcer leurs liens avec les États membres du Conseil de l'Europe et avec d'autres pays européens démocratiques avec lesquels elles entretiennent des relations amicales et coopèrent étroitement.

DÉCLARATION

relative à l'article 30, paragraphe 10, point g), de l'Acte unique européen

La conférence considère que les dispositions de l'article 30, paragraphe 10, point g), n'affectent pas les dispositions de la décision des représentants des gouvernements des États membres du 8 avril 1965 relative à l'installation provisoire de certaines institutions et de certains services des Communautés.

DÉCLARATION DE LA PRÉSIDENCE

relative au délai dans lequel le Conseil se prononce en première lecture (article 149, paragraphe 2, du traité CEE)

En ce qui concerne la déclaration du Conseil européen de Milan selon laquelle le Conseil doit rechercher les moyens d'améliorer ses procédures de décision, la présidence a exprimé l'intention de mener à bien les travaux en question dans les meilleurs délais.

DÉCLARATION POLITIQUE DES GOUVERNEMENTS DES ÉTATS MEMBRES

relative à la libre circulation des personnes

En vue de promouvoir la libre circulation des personnes, les États membres coopèrent, sans préjudice des compétences de la Communauté, notamment en ce qui concerne l'entrée, la circulation et le séjour des ressortissants de pays tiers. Ils coopèrent également en ce qui concerne la lutte contre le terrorisme, la criminalité, la drogue et le trafic des œuvres d'art et des antiquités.

DÉCLARATION DU GOUVERNEMENT DE LA RÉPUBLIQUE HELLÉNIQUE

relative à l'article 8 A du traité CEE

La Grèce considère que le développement de politiques et d'actions communautaires et l'adoption de mesures sur la base de l'article 70, paragraphe 1, et de l'article 84 doivent se faire de telle façon qu'elles ne portent pas préjudice aux secteurs sensibles des économies des États membres.

DÉCLARATION DE LA COMMISSION

relative à l'article 28 du traité CEE

En ce qui concerne ses propres procédures internes, la Commission s'assurera que les changements résultant de la modification de l'article 28 du traité CEE ne retarderont pas sa réponse à des demandes urgentes pour la modification ou la suspension de droits du tarif douanier commun.

DÉCLARATION DU GOUVERNEMENT DE L'IRLANDE

relative à l'article 57, paragraphe 2, du traité CEE

L'Irlande, en confirmant son accord pour le vote à la majorité qualifiée dans le cadre de l'article 57, paragraphe 2, souhaite rappeler que le secteur des assurances en Irlande est un secteur particulièrement sensible et que des dispositions particulières ont dû être prises pour la protection des preneurs d'assurances et des tiers. En relation avec l'harmonisation des législations sur l'assurance, le gouvernement irlandais part de l'idée qu'il pourra bénéficier d'une attitude compréhensive de la part de la Commission et des autres États membres de la Communauté dans le cas où l'Irlande se trouverait ultérieurement dans une situation où le gouvernement irlandais estimerait nécessaire de prévoir des dispositions spéciales pour la situation de ce secteur en Irlande.

DÉCLARATION DU GOUVERNEMENT DE LA RÉPUBLIQUE PORTUGAISE

relative à l'article 59, deuxième alinéa, et à l'article 84 du traité CEE

Le Portugal estime que le passage du vote à l'unanimité au vote à la majorité qualifiée dans le cadre de l'article 59, deuxième alinéa, et de l'article 84, n'ayant pas été envisagé dans les négociations d'adhésion du Portugal à la Communauté et modifiant substantiellement l'acquis communautaire, ne doit pas léser des secteurs sensibles et vitaux de l'économie portugaise et que des mesures transitoires spécifiques appropriées devront être prises chaque fois que ce sera nécessaire pour empêcher d'éventuelles conséquences négatives pour ces secteurs.

DÉCLARATION DU GOUVERNEMENT DU ROYAUME DE DANEMARK

relative à l'article 100 A du traité CEE

Le gouvernement danois constate que, dans des cas où un pays membre considère qu'une mesure d'harmonisation adoptée sous l'article 100 A ne sauvegarde pas des exigences plus élevées concernant l'environnement du travail, la protection de l'environnement ou les autres exigences mentionnées dans l'article 36, le paragraphe 4 de l'article 100 A assure que le pays membre concerné peut appliquer des mesures nationales. Les mesures nationales seront prises dans le but de couvrir les exigences mentionnées ci-dessus et ne doivent pas constituer un protectionnisme déguisé.

DÉCLARATION DE LA PRÉSIDENCE ET DE LA COMMISSION

relative à la capacité monétaire de la Communauté

La présidence et la Commission considèrent que les dispositions introduites dans le traité CEE relatives à la capacité monétaire de la Communauté ne préjugent pas la possibilité d'un développement ultérieur dans le cadre des compétences existantes.

DÉCLARATION DU GOUVERNEMENT DU ROYAUME DE DANEMARK

relative à la coopération politique européenne

Le gouvernement danois constate que la conclusion du titre III sur la coopération en matière de politique étrangère n'affecte pas la participation du Danemark à la coopération nordique dans le domaine de la politique étrangère.

D.1 — Décision des représentants des gouvernements des États membres relative à l'installation provisoire de certaines institutions et de certains services des Communautés

---

JO 152 du 13.7.1967.

Les représentants des gouvernements des États membres,

Vu l'article 37 du traité instituant un Conseil unique et une Commission unique des Communautés européennes,

Considérant que, sans préjudice de l'application des articles 77 du traité instituant la Communauté européenne du charbon et de l'acier, 216 du traité instituant la Communauté économique européenne, 189 du traité instituant la Communauté européenne de l'énergie atomique et de l'article 1er, deuxième alinéa, du protocole sur les statuts de la Banque européenne d'investissement, il y a lieu, à l'occasion de la création d'un Conseil unique et d'une Commission unique des Communautés européennes et en vue de régler certains problèmes particuliers au grand-duché de Luxembourg, de fixer les lieux de travail provisoires de certaines institutions et de certains services à Luxembourg,

Décident:

Article premier

Luxembourg, Bruxelles et Strasbourg demeurent les lieux de travail provisoires des institutions des Communautés.

Article 2

Pendant les mois d'avril, de juin et d'octobre, le Conseil tient ses sessions à Luxembourg.

Article 3

La Cour de justice reste installée à Luxembourg.

Sont également installés à Luxembourg les organismes juridictionnels et quasi juridictionnels, y compris ceux qui sont compétents pour l'application des règles de concurrence, existant ou à créer en vertu des traités instituant la Communauté européenne du charbon et de l'acier, la Communauté économique européenne et la Communauté européenne de l'énergie atomique, ainsi qu'en vertu de conventions conclues dans le cadre des Communautés, soit entre États membres, soit avec des pays tiers.

Article 4

Le secrétariat général du Parlement européen et ses services restent installés à Luxembourg.

Article 5

La Banque européenne d'investissement est installée à Luxembourg, où se réunissent ses organes directeurs et où s'exerce l'ensemble de ses activités.

Cette disposition concerne en particulier les développements des activités actuelles, et notamment de celles qui sont visées à l'article 130 du traité instituant la Communauté économique européenne, l'extension éventuelle de ces activités à d'autres domaines et les nouvelles missions qui seraient confiées à la Banque.

Un bureau de liaison entre la Commission et la Banque européenne d'investissement est installé à Luxembourg, notamment pour faciliter les opérations du Fonds européen de développement.

Article 6

Le comité monétaire se réunit à Luxembourg et à Bruxelles.

Article 7

Les services d'intervention financière de la Communauté européenne du charbon et de l'acier sont installés à Luxembourg. Ces services comprennent la direction générale du crédit et des investissements ainsi que le service chargé de la perception du prélèvement et les services comptables annexes.

Article 8

Un Office des publications officielles des Communautés auquel sont rattachés un Office commun des ventes et un service de traduction à moyen et à long terme est installé à Luxembourg.

Article 9

Sont en outre installés à Luxembourg les services suivants de la Commission:

a) l'Office statistique et le service de la mécanographie,

b) les services d'hygiène et de sécurité du travail de la Communauté économique européenne et de la Communauté européenne du charbon et de l'acier,

c) la direction générale de la diffusion des connaissances, la direction de la protection sanitaire, la direction du contrôle de sécurité de la Communauté européenne de l'énergie atomique

ainsi que l'infrastructure administrative et technique appropriée.

Article 10

Les gouvernements des États membres sont disposés à installer ou à transférer à Luxembourg d'autres organismes et services communautaires, particulièrement dans le domaine financier, pour autant que leur bon fonctionnement soit assuré.

A cette fin, ils invitent la Commission à leur présenter chaque année un rapport sur la situation existante en ce qui concerne l'installation des organismes et services communautaires et sur les possibilités de prendre de nouvelles mesures dans le sens de cette disposition en tenant compte des nécessités du bon fonctionnement des Communautés.

Article 11

Afin de garantir le bon fonctionnement de la Communauté européenne du charbon et de l'acier, la Commission est invitée à procéder d'une manière graduelle et coordonnée au transfert des différents services en effectuant en dernier lieu le déplacement des services de gestion du marché du charbon et de l'acier.

Article 12

Sous réserve des dispositions qui précèdent, la présente décision n'affecte pas les lieux de travail provisoires des institutions et services des Communautés européennes, tels qu'ils résultent de décisions antérieures des gouvernements, ainsi que le regroupement des services qu'entraîne l'institution d'un Conseil unique et d'une Commission unique.

Article 13

La présente décision entrera en vigueur à la même date que le traité instituant un Conseil unique et une Commission unique des Communautés européennes.

Fait à Bruxelles, le huit avril mil neuf cent soixante-cinq.

Paul Henri SPAAK
Kurt SCHMÜCKER
Maurice COUVE DE MURVILLE
Amintore FANFANI
Pierre WERNER
J. M. A. H. LUNS

D.2 — Décision prise du commun accord des représentants des gouvernements des États membres relative à la fixation des sièges des institutions et de certains organismes et services des Communautés européennes

JO C 341 du 23.12.1992, p. 1.

LES REPRÉSENTANTS DES GOUVERNEMENTS DES ÉTATS MEMBRES,

vu l'article 216 du traité instituant la Communauté économique européenne, l'article 77 du traité instituant la Communauté européenne du charbon et de l'acier et l'article 189 du traité instituant la Communauté européenne de l'énergie atomique,

rappelant la décision du 8 avril 1965, et sans préjudice des dispositions y contenues concernant le siège des institutions, organismes et services à venir,

DÉCIDENT:

Article premier

a) Le Parlement européen a son siège à Strasbourg, où se tiennent les douze périodes de sessions plénières mensuelles, y compris la session budgétaire. Les périodes de sessions plénières additionnelles se tiennent à Bruxelles. Les commissions du Parlement européen siègent à Bruxelles. Le secrétariat général du Parlement européen et ses services restent installés à Luxembourg.

b) Le Conseil a son siège à Bruxelles. Pendant les mois d'avril, de juin et d'octobre, le Conseil tient ses sessions à Luxembourg.

c) La Commission a son siège à Bruxelles. Les services énumérés aux articles 7, 8 et 9 de la décision du 8 avril 1965 sont établis à Luxembourg.

d) La Cour de justice et le Tribunal de première instance ont leur siège à Luxembourg.

e) Le Comité économique et social a son siège à Bruxelles.

f) La Cour des comptes a son siège à Luxembourg.

g) La Banque européenne d'investissement a son siège à Luxembourg.

Article 2

Le siège d'autres organismes et services créés ou à créer sera décidé d'un commun accord par les représentants des gouvernements des États membres lors d'un prochain Conseil européen, en tenant compte des avantages des dispositions ci-dessus pour les États membres intéressés et en donnant une priorité appropriée aux États membres qui, à l'heure actuelle, n'abritent pas le siège d'une institution des Communautés.

Article 3

La présente décision entre en vigueur à la date de ce jour.

Fait à Édimbourg, le douze décembre mil neuf cent quatre-vingt-douze.

Willy CLAES	Uffe ELLEMANN-JENSEN
Klaus KINKEL	Michel PAPAKONSTANTINOU
Javier SOLANA	Roland DUMAS
David ANDREWS	Emilio COLOMBO
Jacques POOS	Hans VAN DEN BROEK
João de Deus PINHEIRO	Douglas HURD

DÉCLARATION

Les représentants des gouvernements des États membres déclarent que, compte tenu du protocole sur le Comité économique et social et sur le Comité des régions, annexé au traité instituant la Communauté européenne, le Comité des régions, ayant une structure organisationnelle commune avec le Comité économique et social, aura également son siège à Bruxelles.

DÉCLARATION UNILATÉRALE DU LUXEMBOURG

Le Luxembourg accepte cette formule dans un esprit de compromis. Il est toutefois entendu que son acceptation ne saurait être interprétée comme constituant une renonciation aux dispositions et aux potentialités de la décision du 8 avril 1965.

DÉCLARATION UNILATÉRALE DES PAYS-BAS

Pour le gouvernement néerlandais, il va de soi que la décision de 1965, vu l'élargissement de la Communauté et l'augmentation du nombre de ses institutions et organes intervenus depuis lors, ne pourra jamais faire obstacle à une répartition équilibrée et équitable des sièges de ces institutions et organes entre les États membres.

E.1 — Acte portant élection des représentants au Parlement européen au suffrage universel direct, annexé à la décision du Conseil du 20 septembre 1976

JO L 278 du 8.10.1976.

Conseil

DÉCISION

(76/787/CECA, CEE, Euratom)

LE CONSEIL,

FORMÉ par les représentants des États membres et statuant à l'unanimité,

VU l'article 21, paragraphe 3, du traité instituant la Communauté européenne du charbon et de l'acier,

VU l'article 138, paragraphe 3, du traité instituant la Communauté économique européenne,

VU l'article 108, paragraphe 3, du traité instituant la Communauté européenne de l'énergie atomique,

VU le projet du Parlement européen,

ENTENDANT mettre en œuvre les conclusions du Conseil européen des 1er et 2 décembre 1975 à Rome, en vue de tenir l'élection du Parlement européen à une date unique au cours de la période mai-juin 1978,

A ARRÊTÉ les dispositions annexées à la présente décision dont il recommande l'adoption par les États membres conformément à leurs règles constitutionnelles respectives.

La présente décision et les dispositions y annexées sont publiées au *Journal officiel des Communautés européennes.*

Les États membres notifient sans délai au secrétaire général du Conseil des Communautés européennes l'accomplissement des procédures requises par leurs règles constitutionnelles respectives pour l'adoption des dispositions annexées à la présente décision.

La présente décision entre en vigueur le jour de sa publication au *Journal officiel des Communautés européennes.*

Fait à Bruxelles, le vingt septembre mil neuf cent soixante-seize.

Pour le Conseil des Communautés européennes

Le président
M. VAN DER STOEL

Le ministre des Affaires étrangères du royaume de Belgique
De Minister van Buitenlandse Zaken van het Koninkrijk België

R. VAN ELSLANDE

Kongeriget Danmarks udenrigsøkonomiminister

Ivar NØRGAARD

Der Bundesminister des Auswärtigen der Bundesrepubl[ik]
Deutschland

Hans-Dietrich GENSCHER

Le ministre des Affaires étrangères de la République française

Louis DE GUIRINGAUD

The Minister for Foreign Affairs of Ireland
Aire Gnóthaí Eachtracha na hÉireann

Gearóid MAC GEARAILT

Il ministro degli Affari esteri della Repubblica italiana

Arnaldo FORLANI

Membre du gouvernement du grand-duché de Luxembourg

Jean HAMILIUS

De Staatssecretaris van Buitenlandse Zaken van het Koninkrijk der Nederlanden

L. J. BRINKHORST

The Secretary of State for Foreign and Commonwealth Affairs of the United Kingdom of Great Britain and Northern Ireland

A. CROSLAND

ACTE

portant élection des représentants au Parlement européen au suffrage universel direct

Article premier

Les représentants, au Parlement européen, des peuples des États réunis dans la Communauté sont élus au suffrage universel direct.

Article 2 (*)

Le nombre des représentants élus dans chaque État membre est fixé ainsi qu'il suit:

Belgique	24
Danemark	16
Allemagne	81
Grèce	24
Espagne	60
France	81
Irlande	15
Italie	81
Luxembourg	6
Pays-Bas	25
Portugal	24
Royaume-Uni	81

(*) Tel que remplacé par l'article 10 de l'AA ESP/PORT.

Article 3

1. Les représentants sont élus pour une période de cinq ans.

2. Cette période quinquennale commence à l'ouverture de la première session tenue après chaque élection.

Elle est étendue ou raccourcie en application des dispositions de l'article 10, paragraphe 2, deuxième alinéa.

3. Le mandat de chaque représentant commence et expire en même temps que la période visée au paragraphe 2.

Article 4

1. Les représentants votent individuellement et personnellement. Ils ne peuvent être liés par des instructions ni recevoir de mandat impératif.

2. Les représentants bénéficient des privilèges et immunités applicables aux membres du Parlement européen en vertu du protocole sur les privilèges et immunités des Communautés européennes annexé au traité instituant un Conseil unique et une Commission unique des Communautés européennes.

Article 5

La qualité de représentant au Parlement européen est compatible avec celle de membre du parlement d'un État membre.

Article 6

1. La qualité de représentant au Parlement européen est incompatible avec celle de:

— membre du gouvernement d'un État membre,

— membre de la Commission des Communautés européennes,

— juge, avocat général ou greffier de la Cour de justice des Communautés européennes,

— membre de la Cour des comptes des Communautés européennes,

— membre du Comité consultatif de la Communauté européenne du charbon et de l'acier ou membre du Comité économique et social de la Communauté économique européenne et de la Communauté européenne de l'énergie atomique,

— membre de comités ou organismes créés en vertu ou en application des traités instituant la Communauté européenne du charbon et de l'acier, la Communauté économique européenne et la Communauté européenne de l'énergie atomique en vue de l'administration de fonds communautaires ou d'une tâche permanente et directe de gestion administrative,

— membre du conseil d'administration, du comité de direction ou employé de la Banque européenne d'investissement,

— fonctionnaire ou agent en activité des institutions des Communautés européennes ou des organismes spécialisés qui leur sont rattachés.

2. En outre, chaque État membre peut fixer les incompatibilités applicables sur le plan national, dans les conditions prévues à l'article 7, paragraphe 2.

3. Les représentants au Parlement européen auxquels sont applicables, au cours de la période quinquennale visée à l'article 3, les dispositions des paragraphes 1 et 2 sont remplacés conformément aux dispositions de l'article 12.

Article 7

1. Le Parlement européen élabore, conformément aux dispositions de l'article 21, paragraphe 3, du traité instituant la Communauté européenne du charbon et de l'acier, de l'article 138, paragraphe 3, du traité instituant la Communauté économique européenne et de l'article 108, paragraphe 3, du traité instituant la Communauté européenne de l'énergie atomique un projet de procédure électorale uniforme.

2. Jusqu'à l'entrée en vigueur d'une procédure électorale uniforme, et sous réserve des autres dispositions du présent acte, la procédure électorale est régie, dans chaque État membre, par les dispositions nationales.

Article 8

Lors de l'élection des représentants au Parlement européen, nul ne peut voter plus d'une fois.

Article 9

1. L'élection au Parlement européen a lieu à la date fixée par chaque État membre, cette date se situant pour tous les États membres au cours d'une même période débutant le jeudi matin et s'achevant le dimanche immédiatement suivant.

2. Les opérations de dépouillement des bulletins de vote ne peuvent commencer qu'après la clôture du scrutin dans l'État membre où les électeurs voteront les derniers au cours de la période visée au paragraphe 1.

3. Dans l'hypothèse où un État membre retiendrait pour l'élection au Parlement européen un scrutin à deux tours, le premier de ces tours devra se dérouler au cours de la période visée au paragraphe 1.

Article 10

1. La période visée à l'article 9, paragraphe 1, est déterminée pour la première élection par le Conseil, statuant à l'unanimité après consultation du Parlement européen.

2. Les élections ultérieures ont lieu au cours de la période correspondante de la dernière année de la période quinquennale visée à l'article 3.

S'il s'avère impossible de tenir les élections dans la Communauté au cours de cette période, le Conseil, statuant à l'unanimité après consultation du Parlement européen, fixe une autre période, qui peut se situer au plus tôt un mois avant et au plus tard un mois après la période qui résulte des dispositions de l'alinéa précédent.

3. Sans préjudice des dispositions de l'article 22 du traité instituant la Communauté européenne du charbon et de l'acier, de l'article 139 du traité instituant la Communauté économique européenne et de l'article 109 du traité instituant la Communauté européenne de l'énergie atomique, le Parlement européen se réunit de plein droit le premier mardi qui suit l'expiration d'un délai d'un mois à compter de la fin de la période visée à l'article 9, paragraphe 1.

4. Le Parlement européen sortant cesse d'être en fonctions lors de la première réunion du nouveau Parlement européen.

Article 11

Jusqu'à l'entrée en vigueur de la procédure uniforme prévue à l'article 7, paragraphe 1, le Parlement européen vérifie les pouvoirs des représentants. À cet effet, il prend acte des résultats proclamés officiellement par les États membres et statue sur les contestations qui pourraient être éventuellement soulevées sur la base des dispositions du présent acte, à l'exclusion des dispositions nationales auxquelles celui-ci renvoie.

Article 12

1. Jusqu'à l'entrée en vigueur de la procédure uniforme prévue à l'article 7, paragraphe 1, et sous réserve des autres dispositions du présent acte, chaque État membre établit les procédures appropriées pour que, au cas où un siège devient vacant au cours de la période quinquennale visée à l'article 3, ce siège soit pourvu pour le reste de cette période.

2. Lorsque la vacance résulte de l'application des dispositions nationales en vigueur dans un État membre, celui-ci en informe le Parlement européen, qui en prend acte.

Dans tous les autres cas, le Parlement européen constate la vacance et en informe l'État membre.

Article 13

S'il apparaît nécessaire de prendre des mesures d'application du présent acte, le Conseil, statuant à l'unanimité sur proposition du Parlement européen et après consultation de la Commission, arrête ces mesures après avoir recherché un accord avec le Parlement européen au sein d'une commission de concertation groupant le Conseil et des représentants du Parlement européen.

Article 14

L'article 21, paragraphes 1 et 2, du traité instituant la Communauté européenne du charbon et de l'acier, l'article 138, paragraphes 1 et 2, du traité instituant la Communauté économique européenne et l'article 108, paragraphes 1 et 2, du traité instituant la Communauté européenne de l'énergie atomique deviennent caducs à la date de la réunion tenue, conformément à l'article 10, paragraphe 3, par le premier Parlement européen élu en application des dispositions du présent acte.

Article 15

Le présent acte est rédigé en langues allemande, anglaise, danoise, française, irlandaise, italienne et néerlandaise, tous les textes faisant également foi.

Les annexes I, II et III font partie intégrante du présent acte.

Une déclaration du gouvernement de la république fédérale d'Allemagne y est jointe.

Article 16

Les dispositions du présent acte entreront en vigueur le premier jour du mois suivant la réception de la dernière des notifications visées par la décision.

Bruxelles, le vingt septembre mil neuf cent soixante-seize.

R. VAN ELSLANDE
Ivar NØRGAARD
Hans-Dietrich GENSCHER
Louis DE GUIRINGAUD
Gearóid MAC GEARAILT
Arnaldo FORLANI
Jean HAMILIUS
L. J. BRINKHORST
A. CROSLAND

ANNEXE I

Les autorités danoises peuvent déterminer les dates auxquelles il sera procédé, au Groenland, aux élections des membres du Parlement européen.

ANNEXE II

Le Royaume-Uni appliquera les dispositions du présent acte uniquement en ce qui concerne le Royaume-Uni.

ANNEXE III

DÉCLARATION AD ARTICLE 13

Il est convenu que, pour la procédure à suivre au sein de la commission de concertation, il sera fait recours aux dispositions des paragraphes 5, 6 et 7 de la procédure établie par la déclaration commune du Parlement européen, du Conseil et de la Commission en date du 4 mars 1975 (*) (**).

DÉCLARATION DU GOUVERNEMENT DE LA RÉPUBLIQUE FÉDÉRALE D'ALLEMAGNE

Le gouvernement de la république fédérale d'Allemagne déclare que l'acte portant élection des membres du Parlement européen au suffrage universel direct s'appliquera également au Land de Berlin.

(*) JO C 89 du 22.4.1975.

(**) Cette déclaration commune est reproduite aux pages 857 à 860 du présent volume.

Eu égard aux droits et responsabilités de la France, du Royaume-Uni de Grande-Bretagne et d'Irlande du Nord et des États-Unis d'Amérique, la chambre des députés de Berlin élira les représentants aux sièges revenant au Land de Berlin dans les limites du contingent de la république fédérale d'Allemagne.

E.2 — Décision du Conseil du 1er février 1993 modifiant l'acte portant élection des représentants au Parlement européen au suffrage universel direct, annexé à la décision du Conseil du 20 septembre 1976

JO L 33 du 9.2.1993, p. 15.

LE CONSEIL,

vu l'article 21, paragraphe 3, du traité instituant la Communauté européenne du charbon et de l'acier,

vu l'article 138, paragraphe 3, du traité instituant la Communauté économique européenne,

vu l'article 108, paragraphe 3, du traité instituant la Communauté européenne de l'énergie atomique,

vu la résolution du Parlement européen du 10 juin 1992 et notamment son point 4 [1],

entendant mettre en œuvre les conclusions du Conseil européen des 11 et 12 décembre 1992 à Édimbourg relatives à la répartition des sièges du Parlement européen, à partir de 1994, pour tenir compte de l'unification de l'Allemagne et dans la perspective de l'élargissement,

ARRÊTE les modifications ci-après à l'acte annexé à la décision 76/787/CECA, CEE, Euratom du Conseil, du 20 septembre 1976 [2], tel qu'il a été modifié par l'article 10 de l'acte d'adhésion de l'Espagne et du Portugal aux Communautés européennes, dont il recommande l'adoption par les États membres, conformément à leurs règles constitutionnelles respectives.

---

(1) JO C 176 du 13.7.1992, p. 72.

(2) JO L 278 du 8.10.1976.

Article premier (*)

L'article 2 de l'acte portant élection des représentants au Parlement européen au suffrage universel direct annexé à la décision 76/787/CECA, CEE, Euratom du Conseil, du 20 septembre 1976, tel qu'il a été modifié par l'article 10 de l'acte d'adhésion de l'Espagne et du Portugal aux Communautés européennes, est remplacé par le texte suivant:

«Article 2

Le nombre des représentants élus dans chaque État membre est fixé ainsi qu'il suit:

Belgique *25*
Danemark *16*
Allemagne *99*
Grèce *25*
Espagne *64*
France *87*
Irlande *15*
Italie *87*
Luxembourg *6*
Pays-Bas *31*
Portugal *25*
Royaume-Uni . . . . *87*.»

(*) Cette modification entrera en vigueur dès l'accomplissement des procédures visées à l'article 2.

Article 2

Les États membres notifient sans délai au secrétaire généra[illegible] Conseil des Communautés européennes l'accomplissement [illegible] procédures requises par leurs règles constitutionnelles respectiv[illegible] pour l'adoption des dispositions de l'article 1er.

Lesdites dispositions entreront en vigueur le premier jour du mois suivant la réception de la dernière de ces notifications. Elles seront mises en application pour la première fois lors des élections au Parlement européen qui auront lieu en 1994.

Article 3

La présente décision est publiée au *Journal officiel des Communautés européennes.*

Elle entre en vigueur le jour de sa publication.

Fait à Bruxelles, le 1er février 1993.

Par le Conseil

Le président

N. HELVEG PETERSEN

F — Décision du Conseil du 24 juin 1988 relative au système des ressources propres des Communautés

---

JO L 185 du 15.7.1988, p. 24.

LE CONSEIL DES COMMUNAUTÉS EUROPÉENNES,

vu le traité instituant la Communauté économique européenne, et notamment ses articles 199 et 201,

vu le traité instituant la Communauté européenne de l'énergie atomique, et notamment son article 171, paragraphe 1, et son article 173,

vu la proposition de la Commission [1],

vu l'avis du Parlement européen [2],

vu l'avis du Comité économique et social [3],

considérant que la décision 85/257/CEE, Euratom du Conseil, du 7 mai 1985, relative au système des ressources propres des Communautés [4], modifiée en dernier lieu par l'Acte unique européen, a relevé à 1,4 % la limite pour chaque État membre, dont est assorti le taux appliqué à l'assiette uniforme de la taxe sur la valeur ajoutée (TVA), précédemment fixée à 1 % par la décision du Conseil du 21 avril 1970 relative au remplacement des contributions financières des États membres par des ressources propres aux Communautés [5], ci-après dénommée «décision du 21 avril 1970»;

---

[1] JO C 102 du 16.4.1988, p. 8.

[2] Avis rendu le 15 juin 1988 (non encore paru au Journal officiel).

[3] JO C 175 du 4.7.1988.

[4] JO L 128 du 14.5.1985, p. 15.

[5] JO L 94 du 28.4.1970, p. 19.

…nsidérant que la limite de 1,4 % s'est révélée insuffisante pour …ssurer la couverture des prévisions de dépenses de la Communauté;

considérant les nouvelles perspectives ouvertes à la Communauté par l'Acte unique européen; que l'article 8 A du traité instituant la Communauté économique européenne prévoit l'achèvement du marché intérieur au 31 décembre 1992;

considérant que la Communauté doit disposer de recettes stables et garanties lui permettant d'assainir la situation actuelle et de réaliser les politiques communes; que ces recettes doivent se baser sur les dépenses qui ont été jugées nécessaires à cet effet et qui ont été fixées dans les perspectives financières de l'accord interinstitutionnel entre le Parlement européen, le Conseil et la Commission qui prend effet le 1er juillet 1988;

considérant les conclusions du Conseil européen qui s'est réuni les 11, 12 et 13 février 1988 à Bruxelles;

considérant que, aux termes de ces conclusions, la Communauté pourra disposer d'ici à 1992 d'un montant maximal de ressources propres correspondant à 1,2 % du total des produits nationaux bruts de l'année aux prix du marché, ci-après dénommés «PNB», des États membres;

considérant que, pour respecter ce plafond, le montant total des ressources propres mises à la disposition de la Communauté pour la période de 1988 à 1992 ne peut dépasser pour aucune année un pourcentage déterminé de la somme des PNB de la Communauté pour l'année considérée; que ce pourcentage correspondra à l'application des principes directeurs établis pour la croissance des dépenses communautaires dans les conclusions du Conseil européen concernant la discipline budgétaire et la gestion du budget, avec une marge de sécurité de 0,03 % du PNB communautaire pour parer aux dépenses imprévues;

considérant qu'un plafond global de 1,30 % des PNB de[...] membres est fixé pour les crédits pour engagements et [...] convient d'assurer une évolution ordonnée des crédits pour en[...]ments et des crédits pour paiements;

considérant que ces plafonds devraient rester d'application jusqu'à ce que la présente décision soit modifiée;

considérant que, en vue de faire mieux coïncider les ressources versées par chaque État membre avec leur capacité contributive, il y a lieu de modifier et d'élargir la composition des ressources propres de la Communauté; qu'il convient à cet effet:

— de fixer à 1,4 % le taux maximal à appliquer à l'assiette uniforme de la taxe sur la valeur ajoutée de chaque État membre, écrêtée le cas échéant à 55 % de son PNB,

— d'introduire une ressource propre complémentaire permettant d'assurer l'équilibre budgétaire entre recettes et dépenses et fondée sur la somme des PNB des États membres; à cette fin, le Conseil adoptera une directive relative à l'harmonisation de l'établissement du produit national brut aux prix du marché;

considérant qu'il y a lieu d'inclure les droits de douane sur les produits relevant du traité instituant la Communauté européenne du charbon et de l'acier dans les ressources propres communautaires;

considérant que les conclusions du Conseil européen des 25 et 26 juin 1984 relatives à la correction des déséquilibres budgétaires restent d'application pour la durée de la validité de la présente décision; que le mécanisme de compensation actuel doit cependant être adapté pour tenir compte de l'écrêtement de l'assiette de la TVA et de l'introduction d'une ressource complémentaire et qu'il doit prévoir un financement de la correction sur la base d'une clé PNB; que cette adaptation devrait assurer que la part du

…me-Uni dans les ressources TVA soit remplacée par la part …iements du Royaume-Uni au titre des troisième et quatrième …urces (respectivement celles provenant de la TVA et du PNB) …que, pour une année donnée, l'effet qui découle pour le …oyaume-Uni de l'écrêtement de l'assiette de la TVA et de l'intro…duction de la quatrième ressource et qui n'est pas compensé par ce changement sera corrigé par un ajustement à la compensation de l'année considérée; que les contributions de l'Espagne et du Portugal devront être réduites selon les dispositions prévues aux articles 187 et 374 de l'acte d'adhésion de 1985;

considérant qu'il convient de faire en sorte que les déséquilibres budgétaires soient corrigés de telle manière que cela n'affecte pas les ressources propres disponibles pour les politiques de la Communauté;

considérant que les conclusions du Conseil européen des 11, 12 et 13 février 1988 ont prévu la création dans le budget communautaire d'une réserve monétaire, ci-après dénommée «réserve monétaire FEOGA», destinée à compenser les conséquences de variations significatives et imprévues de la parité entre l'Écu et le dollar sur les dépenses du Fonds européen d'orientation et de garantie agricole (FEOGA), section «garantie»; que cette réserve doit faire l'objet de dispositions spécifiques;

considérant qu'il convient de prévoir des dispositions permettant d'assurer la transition entre le régime instauré par la décision 85/257/CEE, Euratom et celui qui découlera de la présente décision;

considérant que le Conseil européen des 11, 12 et 13 février 1988 a prévu que la présente décision prend effet au 1er janvier 1988,

A ARRÊTÉ LES PRÉSENTES DISPOSITIONS, DONT IL RECOMMANDE L'ADOPTION AUX ÉTATS MEMBRES:

Article premier

Les ressources propres sont attribuées aux Communautés en vue d'assurer le financement de leur budget selon les modalités fixées dans les articles qui suivent.

Le budget des Communautés est, sans préjudice des autres recettes, intégralement financé par des ressources propres aux Communautés.

Article 2

1. Constituent des ressources propres inscrites au budget des Communautés les recettes provenant:

a) des prélèvements, primes, montants supplémentaires ou compensatoires, montants ou éléments additionnels et des autres droits établis ou à établir par les institutions des Communautés sur les échanges avec les pays non membres dans le cadre de la politique agricole commune, ainsi que des cotisations et autres droits prévus dans le cadre de l'organisation commune des marchés dans le secteur du sucre;

b) des droits du tarif douanier commun et des autres droits établis ou à établir par les institutions des Communautés sur les échanges avec les pays non membres et des droits de douane sur les produits relevant du traité instituant la Communauté européenne du charbon et de l'acier;

c) de l'application d'un taux uniforme valable pour tous les États membres à l'assiette de la TVA, déterminée d'une manière uniforme pour les États membres selon des règles communautaires; toutefois, l'assiette d'un État membre à prendre en compte, aux fins de la présente décision, ne peut pas dépasser 55 % de son PNB;

d) de l'application d'un taux à fixer dans le cadre de la procédure budgétaire, compte tenu de toutes les autres recettes, à la somme des PNB de tous les États membres établis selon des règles communautaires qui feront l'objet d'une directive à adopter sur la base de l'article 8, paragraphe 2, de la présente décision.

2. Constituent, en outre, des ressources propres inscrites au budget des Communautés les recettes provenant d'autres taxes qui seraient instituées, dans le cadre d'une politique commune, conformément au traité instituant la Communauté économique européenne ou au traité instituant la Communauté européenne de l'énergie atomique, pour autant que la procédure de l'article 201 du traité instituant la Communauté économique européenne ou de l'article 173 du traité instituant la Communauté européenne de l'énergie atomique ait été menée à son terme.

3. Les États membres retiennent, au titre des frais de perception, 10 % des montants à verser en vertu du paragraphe 1, points a) et b).

4. Le taux uniforme visé au paragraphe 1, point c), correspond au taux résultant:

a) de l'application de 1,4 % à l'assiette de la TVA pour les États membres

et

b) de la déduction du montant brut de la compensation de référence visée à l'article 4, point 2). Le montant brut est le montant de la compensation, ajusté en raison du fait que le

Royaume-Uni ne participera pas au financement de sa pro compensation et que la part de la république fédérale d'Al magne est réduite d'un tiers. Il est calculé comme si le montan de la compensation de référence était financé par les États membres selon leurs assiettes de la TVA établies conformément à l'article 2, paragraphe 1, point c). Pour l'année 1988, le montant brut de la compensation de référence sera réduit de 780 millions d'Écus.

5. Le taux fixé au paragraphe 1, point d), est applicable au PNB de chaque État membre.

6. Si, au début de l'exercice, le budget n'a pas été adopté, le taux uniforme de la TVA et le taux applicable aux PNB des États membres précédemment fixés, sans préjudice des dispositions qui pourraient être arrêtées conformément à l'article 8, paragraphe 2, en raison de la création d'une réserve monétaire FEOGA dans le budget, restent applicables jusqu'à l'entrée en vigueur des nouveaux taux.

7. Par dérogation au paragraphe 1, point c), si, au 1er janvier de l'exercice en cause, les règles relatives au calcul de la base uniforme pour la détermination de la TVA ne sont pas encore appliquées dans tous les États membres, la contribution financière qu'un État membre n'appliquant pas encore cette base uniforme doit verser au lieu de la TVA au budget des Communautés sera déterminée en fonction de la part du produit national brut aux prix du marché des trois premières années de la période quinquennale précédant l'année en question de cet État dans le total des produits nationaux bruts aux prix du marché des États membres. La présente dérogation cessera de produire effet dès que les règles relatives au calcul de la base uniforme pour la détermination de la TVA seront appliquées dans tous les États membres.

8. Pour l'application de la présente décision, on entend par PNB le produit national brut de l'année aux prix du marché.

Article 3

Le montant total des ressources propres attribué aux Communautés ne peut pas dépasser 1,20 % du total du PNB de la Communauté pour les crédits pour paiements.

Le montant total des ressources propres attribué aux Communautés ne peut pas dépasser, pour chacune des années de la période 1988-1992, les pourcentages suivants du total du PNB de la Communauté pour l'année en question:

— 1988: 1,15,

— 1989: 1,17,

— 1990: 1,18,

— 1991: 1,19,

— 1992: 1,20.

2. Les crédits pour engagements inscrits au budget général des Communautés au cours de la période 1988-1992 doivent avoir une évolution ordonnée aboutissant à une enveloppe globale qui ne sera pas supérieure à 1,30 % du total du PNB de la Communauté en 1992. Une relation stricte sera maintenue entre crédits pour engagements et crédits pour paiements, afin de garantir leur compatibilité et de permettre de respecter les plafonds mentionnés au paragraphe 1 pour les années suivantes.

3. Les plafonds globaux visés aux paragraphes 1 et 2 restent d'application jusqu'à ce que la présente décision soit modifiée.

Article 4

Une correction des déséquilibres budgétaires est accordée au Royaume-Uni. Cette correction se compose d'un montant de base et d'un ajustement. L'ajustement corrige le montant de base au niveau d'une compensation de référence.

1) Le montant de base est établi:

a) en calculant la différence, au cours de l'exercice précédent, entre:

— la part en pourcentage du Royaume-Uni dans la somme des versements visés à l'article 2, paragraphe 1, points c) et d), qui auraient été effectués pendant cet exercice, y compris les ajustements au taux uniforme au titre d'exercices antérieurs,

et

— la part en pourcentage du Royaume-Uni dans le total des dépenses réparties;

b) en appliquant la différence ainsi obtenue au total des dépenses réparties;

c) en multipliant le résultat par 0,66.

2) La compensation de référence est la correction résultant de l'application de l'alinéa suivant sous a), b) et c) du présent point, corrigée de l'effet qui résulte, pour le Royaume-Uni, du passage à la TVA écrêtée et aux versements visés à l'article 2, paragraphe 1, point d).

Elle est établie:

a) en calculant la différence, au cours de l'exercice précédent, entre:

— la part en pourcentage du Royaume-Uni dans le total des versements de la TVA qui auraient été effectués pendant cet exercice, y compris les ajustements au titre d'exercices antérieurs, pour les montants financés par les ressources mentionnées à l'article 2, paragraphe 1, points c) et d), si le taux uniforme de TVA avait été appliqué aux assiettes non écrêtées

et

— la part en pourcentage du Royaume-Uni dans le total des dépenses réparties;

b) en appliquant la différence ainsi obtenue au total des dépenses réparties;

c) en multipliant le résultat par 0,66;

d) en déduisant les versements du Royaume-Uni pris en compte au point 1), point a), premier tiret, de ceux pris en compte au point 2), point a), premier tiret;

e) en déduisant du montant obtenu au point c) le montant obtenu au point d).

3) Le montant de base est ajusté de manière à correspondre au montant de la compensation de référence.

Article 5

1. La charge financière de la correction est assumée par les autres États selon les modalités suivantes.

La répartition de la charge est d'abord calculée en fonction de la part respective des États membres dans les versements visés à l'article 2, paragraphe 1, point d), le Royaume-Uni étant exclu; elle est ensuite ajustée de façon à limiter la participation de la république fédérale d'Allemagne à deux tiers de la part résultant de ce calcul.

2. La correction est accordée au Royaume-Uni par réductior ses versements résultant de l'application de l'article 2, pa graphe 1, point c). La charge financière assumée par les autre États membres est ajoutée à leurs versements résultant de l'application pour chaque État membre de l'article 2, paragraphe 1, point c), jusqu'à 1,4 % de l'assiette de la TVA et de l'article 2, paragraphe 1, point d).

3. La Commission procède aux calculs nécessaires pour l'application de l'article 4 et du présent article.

4. Si, au début de l'exercice, le budget n'a pas été adopté, la correction accordée au Royaume-Uni et la charge financière assumée par les autres États membres, inscrites dans le dernier budget définitivement arrêté, resteront d'application.

Article 6

Les recettes visées à l'article 2 sont utilisées indistinctement pour le financement de toutes les dépenses inscrites au budget des Communautés. Toutefois, les recettes nécessaires à la couverture totale ou partielle de la réserve monétaire FEOGA inscrites au budget des Communautés européennes ne sont appelées auprès des États membres qu'au moment de la mise en œuvre de la réserve. Les dispositions relatives au fonctionnement de cette réserve seront, en tant que de besoin, arrêtées conformément à l'article 8, paragraphe 2.

Le premier alinéa ne préjuge pas le traitement à réserver aux contributions de certains États membres en faveur des programmes complémentaires prévus à l'article 130 L du traité instituant la Communauté économique européenne.

Article 7

excédent éventuel des recettes des Communautés sur l'ensemble es dépenses effectives au cours d'un exercice est reporté à l'exercice suivant. Toutefois, un excédent résultant d'un virement de chapitres FEOGA-Garantie vers la réserve monétaire sera considéré comme constituant des ressources propres.

Article 8

1. Les ressources propres communautaires visées à l'article 2, paragraphe 1, points a) et b), sont perçues par les États membres conformément aux dispositions législatives, réglementaires et administratives nationales, qui sont, le cas échéant, adaptées aux exigences de la réglementation communautaire. La Commission procède, à intervalles réguliers, à un examen des dispositions nationales qui lui sont communiquées par les États membres, communique aux États membres les adaptations qu'elle estime nécessaires pour assurer leur conformité avec les réglementations communautaires et fait rapport à l'autorité budgétaire. Les États membres mettent les ressources prévues à l'article 2, paragraphe 1, points a) à d), à la disposition de la Commission.

2. Sans préjudice de la vérification des comptes et des contrôles de conformité et de régularité prévus à l'article 206 bis du traité instituant la Communauté économique européenne, cette vérification et ces contrôles portant essentiellement sur la fiabilité et l'efficacité des systèmes et procédures nationales de détermination de la base pour les ressources propres provenant de la TVA et du PNB, et sans préjudice des contrôles organisés en vertu de l'article 209, point c), dudit traité, le Conseil, statuant à l'unanimité sur proposition de la Commission et après consultation du Parlement européen, arrête les dispositions nécessaires à la mise en œuvre de la présente décision ainsi que celles relatives au contrôle du recouvrement, à la mise à la disposition de la Commission et au versement des recettes visées à l'article 2 et à l'article 5.

Article 9

Le mécanisme de restitution dégressive des ressources propres provenant de la TVA ou des contributions financières fondées sur le PNB instauré jusqu'en 1991 au profit du royaume d'Espagne et de la République portugaise par les articles 187 et 374 de l'acte d'adhésion de 1985 s'applique aux ressources propres provenant de la TVA et à la ressource propre fondée sur le PNB visées à l'article 2, paragraphe 1, points c) et d), de la présente décision. Il s'applique également aux versements par ces deux États membres résultant de l'application de l'article 5, paragraphe 2, de la présente décision. Dans ce dernier cas, le taux de restitution est celui qui s'appliquait pour l'année au titre de laquelle la correction est accordée.

Article 10

La Commission soumettra, avant la fin de l'année 1991, un rapport sur le fonctionnement du système, y compris un réexamen de la correction des déséquilibres budgétaires accordée au Royaume-Uni, établi par la présente décision.

Article 11

1. La présente décision est notifiée aux États membres par le secrétaire général du Conseil des Communautés européennes et publiée au *Journal officiel des Communautés européennes*.

Les États membres notifient sans délai au secrétaire général du Conseil des Communautés européennes l'accomplissement des procédures requises par leurs règles constitutionnelles respectives pour l'adoption de la présente décision.

La présente décision entre en vigueur le premier jour du mois suivant la réception de la dernière des notifications visées au deuxième alinéa. Elle prend effet au 1er janvier 1988.

a) Sous réserve des points b) et c), la décision 85/257/CEE, Euratom est abrogée au 1er janvier 1988. Toute référence à la décision du 21 avril 1970 ou à la décision 85/257/CEE, Euratom doit s'entendre comme faite à la présente décision.

b) L'article 3 de la décision 85/257/CEE, Euratom reste applicable au calcul et aux ajustements des recettes provenant de l'application de taux à l'assiette de la TVA déterminée d'une manière uniforme sans écrêtement en ce qui concerne l'exercice 1987 et les exercices antérieurs. La déduction en faveur du Royaume-Uni à effectuer en 1988, au titre des exercices précédents, sera calculée conformément aux dispositions du point b), points i), ii) et iii), de l'article 3, paragraphe 3, de la décision précitée. La répartition de son financement sera calculée conformément à l'article 5, paragraphe 1, de la présente décision. Les montants correspondant à la déduction et à son financement seront imputés conformément à l'article 5, paragraphe 2, de la présente décision. Lorsqu'il y a lieu d'appliquer l'article 2, paragraphe 7, des contributions financières sont substituées aux versements de la TVA dans les calculs visés au présent paragraphe pour tout État membre concerné ainsi qu'au paiement des ajustements des corrections concernant les exercices précédents.

c) L'article 4, paragraphe 2, de la décision 85/257/CEE, Euratom reste applicable aux contributions financières nécessaires pour financer l'achèvement du programme complémentaire 1984-1987 «exploitation du réacteur HFR».

Fait à Luxembourg, le 24 juin 1988.

Par le Conseil

Le président

M. BANGEMANN

G — Décision du Conseil du 13 juillet 1987 fixant les modalités de l'exercice des compétences d'exécution conférées à la Commission

---

JO L 197 du 18.7.1987, p. 33.

Le Conseil des Communautés européennes,

vu le traité instituant la Communauté économique européenne, et notamment son article 145,

vu la proposition de la Commission [1],

vu l'avis du Parlement européen [2],

considérant que le Conseil confère à la Commission, dans les actes qu'il adopte, les compétences d'exécution des règles qu'il établit; qu'il peut soumettre l'exercice de ces compétences à certaines modalités et qu'il peut également se réserver, dans des cas spécifiques, d'exercer directement des compétences d'exécution;

considérant que, pour améliorer l'efficacité de la prise de décision de la Communauté, il y a lieu de limiter les types de modalités auxquels le Conseil peut recourir à l'avenir; qu'il convient en conséquence d'établir certaines règles auxquelles doit répondre toute nouvelle disposition prévoyant des modalités pour l'exercice des compétences d'exécution conférées par le Conseil à la Commission;

considérant que la présente décision ne doit pas affecter les modalités d'exécution des compétences de la Commission contenues dans des actes antérieurs à son entrée en vigueur et qu'il doit être possible, lorsque de tels actes sont modifiés ou prorogés, d'adapter ces modalités pour les rendre conformes aux modalités fixées par la présente décision ou de maintenir les modalités existantes,

---

(1) JO C 70 du 25.3.1986, p. 6.

(2) JO C 297 du 24.11.1986, p. 94.

CIDE:

Article premier

À l'exception des cas spécifiques où il se réserve d'exercer directement des compétences d'exécution, le Conseil confère à la Commission, dans les actes qu'il adopte, les compétences d'exécution des règles qu'il établit. Le Conseil précise les éléments essentiels de ces compétences.

Le Conseil peut soumettre l'exercice de ces compétences à des modalités qui doivent être conformes aux procédures énumérées aux articles 2 et 3.

Article 2

PROCÉDURE I

La Commission est assistée par un comité de caractère consultatif composé des représentants des États membres et présidé par le représentant de la Commission.

Le représentant de la Commission soumet au comité un projet des mesures à prendre. Le comité émet son avis sur ce projet, dans un délai que le président peut fixer en fonction de l'urgence de la question en cause, le cas échéant en procédant à un vote.

L'avis est inscrit au procès-verbal; en outre, chaque État membre a le droit de demander que sa position figure à ce procès-verbal.

La Commission tient le plus grand compte de l'avis émis par le comité. Elle informe le comité de la façon dont elle a tenu compte de cet avis.

PROCÉDURE II

La Commission est assistée par un comité composé des représentants des États membres et présidé par le représentant de Commission.

Le représentant de la Commission soumet au comité un projet des mesures à prendre. Le comité émet son avis sur ce projet dans un délai que le président peut fixer en fonction de l'urgence de la question en cause. L'avis est émis à la majorité prévue à l'article 148, paragraphe 2, du traité pour l'adoption des décisions que le Conseil est appelé à prendre sur proposition de la Commission. Lors des votes au sein du comité, les voix des représentants des États membres sont affectées de la pondération définie à l'article précité. Le président ne prend pas part au vote.

La Commission arrête des mesures qui sont immédiatement applicables. Toutefois, si elles ne sont pas conformes à l'avis émis par le comité, ces mesures sont aussitôt communiquées par la Commission au Conseil. Dans ce cas:

Variante a)

La Commission peut différer d'une période d'un mois au plus, à compter de la date de cette communication, l'application des mesures décidées par elle.

Le Conseil, statuant à la majorité qualifiée, peut prendre une décision différente dans le délai prévu à l'alinéa précédent.

Variante b)

La Commission diffère l'application des mesures décidées par elle d'un délai qui sera fixé dans chaque acte à adopter par le Conseil, mais qui ne peut en aucun cas dépasser trois mois à compter de la date de la communication.

nseil, statuant à la majorité qualifiée, peut prendre une déci-
différente dans le délai prévu à l'alinéa précédent.

PROCÉDURE III

La Commission est assistée par un comité composé des représentants des États membres et présidé par le représentant de la Commission.

Le représentant de la Commission soumet au comité un projet des mesures à prendre. Le comité émet son avis sur ce projet dans un délai que le président peut fixer en fonction de l'urgence de la question en cause. L'avis est émis à la majorité prévue à l'article 148, paragraphe 2, du traité pour l'adoption des décisions que le Conseil est appelé à prendre sur proposition de la Commission. Lors des votes au sein du comité, les voix des représentants des États membres sont affectées de la pondération définie à l'article précité. Le président ne prend pas part au vote.

La Commission arrête les mesures envisagées lorsqu'elles sont conformes à l'avis du comité.

Lorsque les mesures envisagées ne sont pas conformes à l'avis du comité, ou en l'absence d'avis, la Commission soumet sans tarder au Conseil une proposition relative aux mesures à prendre. Le Conseil statue à la majorité qualifiée.

Variante a)

Si, à l'expiration d'un délai qui sera fixé dans chaque acte à adopter par le Conseil en vertu du présent paragraphe, mais qui ne peut en aucun cas dépasser trois mois à compter de la saisine du Conseil, celui-ci n'a pas statué, les mesures proposées sont arrêtées par la Commission.

Variante b)

Si, à l'expiration d'un délai qui sera fixé dans chaque acte à adopter par le Conseil en vertu du présent paragraphe, mais qui ne peut en aucun cas dépasser trois mois à compter de la saisine du Conseil, celui-ci n'a pas statué, les mesures proposées sont arrêtées par la Commission, sauf dans le cas où le Conseil s'est prononcé à la majorité simple contre lesdites mesures.

Article 3

Il peut être fait recours à la procédure suivante lorsque le Conseil confère à la Commission le pouvoir de décider sur des mesures de sauvegarde:

— la Commission communique au Conseil et aux États membres toute décision relative à des mesures de sauvegarde.

  Il peut être prévu que la Commission, avant d'arrêter sa décision, consulte les États membres selon des modalités à définir dans chaque cas,

— tout État membre peut déférer au Conseil la décision de la Commission dans un délai à déterminer dans l'acte en question.

Variante a)

Le Conseil, statuant à la majorité qualifiée, peut prendre une décision différente dans un délai à déterminer dans l'acte en question.

Variante b)

Le Conseil, statuant à la majorité qualifiée, peut confirmer, modifier ou abroger la décision de la Commission. Si le Conseil n'a pas pris de décision dans un délai à déterminer dans l'acte en question, la décision de la Commission est réputée abrogée.

Article 4

La présente décision n'affecte pas les modalités d'exercice des compétences conférées à la Commission dans des actes antérieurs à son entrée en vigueur.

Lorsque de tels actes sont modifiés ou prorogés, le Conseil peut soit adapter les procédures prévues par ces actes pour les rendre conformes à celles qui sont exposées aux articles 2 et 3, soit maintenir les procédures existantes.

Article 5

Le Conseil procède à un réexamen des procédures prévues par la présente décision sur la base d'un rapport soumis par la Commission avant le 31 décembre 1990.

Fait à Bruxelles, le 13 juillet 1987.

Par le Conseil

Le président

P. SIMONSEN

H — Le Danemark et le traité sur l'Union européenne (*)

JO C 348 du 31.12.1992, p. 1.

(*) Conseil européen, Édimbourg, 11 et 12 décembre 1992. Conclusions de la présidence, partie B.

Le Conseil européen a rappelé que l'entrée en vigueur du traité signé à Maastricht exige la ratification par les douze États membres conformément à leurs règles constitutionnelles respectives; il a réaffirmé qu'il importait de mener à bien ce processus le plus rapidement possible, sans rouvrir le débat sur le texte actuel, comme prévu à l'article R du traité.

Le Conseil européen a pris acte de ce que, le 30 octobre, le Danemark a soumis aux États membres un document intitulé «Le Danemark au sein de l'Europe», énonçant comme particulièrement importants les points suivants:

— la dimension «politique de défense»,

— la troisième phase de l'Union économique et monétaire,

— la citoyenneté de l'Union,

— la coopération dans les domaines de la justice et des affaires intérieures,

— l'ouverture et la transparence dans le processus décisionnel de la Communauté,

— l'application effective du principe de subsidiarité,

— la promotion de la coopération entre les États membres pour combattre le chômage.

Dans ces conditions, le Conseil européen a arrêté l'ensemble des dispositions ci-après, qui sont pleinement compatibles avec le traité, qui sont destinées à répondre aux préoccupations danoises et qui s'appliquent donc exclusivement au Danemark, à l'exclusion de tout autre État membre, actuel ou futur:

a) décision concernant certains problèmes soulevés par le Danemark à propos du traité sur l'Union européenne (annexe 1). Cette décision prendra effet à la date d'entrée en vigueur du traité sur l'Union européenne;

b) déclarations figurant à l'annexe 2.

Le Conseil européen a également pris connaissance des déclarations unilatérales figurant à l'annexe 3, dont sera assortie la ratification danoise du traité sur l'Union européenne.

ANNEXE 1

DÉCISION DES CHEFS D'ÉTAT OU DE GOUVERNEMENT, RÉUNIS AU SEIN DU CONSEIL EUROPÉEN, CONCERNANT CERTAINS PROBLÈMES SOULEVÉS PAR LE DANEMARK À PROPOS DU TRAITÉ SUR L'UNION EUROPÉENNE

Les chefs d'État ou de gouvernement, réunis au sein du Conseil européen, dont les gouvernements sont signataires du traité sur l'Union européenne, qui est constituée d'États indépendants et souverains qui ont choisi librement d'exercer en commun certaines de leurs compétences, en vertu des traités en vigueur:

— soucieux de régler, en conformité avec le traité sur l'Union européenne, les problèmes particuliers existant actuellement et propres au Danemark et que ce pays a soulevés dans son mémorandum «Le Danemark au sein de l'Europe» du 30 octobre 1992,

— eu égard aux conclusions du Conseil européen d'Édimbourg sur la subsidiarité et la transparence,

— prenant acte des déclarations du Conseil européen d'Édimbourg concernant le Danemark,

— ayant pris connaissance des déclarations unilatérales faites à cette occasion par le Danemark et dont sera assorti son acte de ratification,

— prenant acte de ce que le Danemark n'a pas l'intention de se prévaloir des dispositions ci-après pour empêcher une coopération plus étroite et une action renforcée entre les États membres compatibles avec le traité et dans le cadre de l'Union et de ses objectifs,

arrêtent la présente décision:

SECTION A

Citoyenneté

Les dispositions de la deuxième partie du traité instituant la Communauté européenne, qui concerne la citoyenneté de l'Union, accordent aux ressortissants des États membres des droits et des protections supplémentaires, comme prévu dans cette partie. Elles ne se substituent en aucune manière à la citoyenneté nationale. La question de savoir si une personne a la nationalité d'un État membre est réglée uniquement par référence au droit national de l'État membre concerné.

SECTION B

Union économique et monétaire

1. Le protocole sur certaines dispositions relatives au Danemark annexé au traité instituant la Communauté européenne donne au Danemark le droit de notifier au Conseil des Communautés européennes sa position concernant sa participation à la troisième phase de l'Union économique et monétaire. Le Danemark a notifié qu'il ne participera pas à la troisième phase. Cette notification prendra effet au moment où la présente décision prendra elle-même effet.

2. Par voie de conséquence, le Danemark ne participera pas à la monnaie unique, il ne sera pas tenu par les règles concernant la politique économique qui s'appliquent uniquement aux États membres participant à la troisième phase de l'Union économique et monétaire et il conservera ses compétences actuelles dans le domaine de la politique monétaire conformément à ses lois et réglementations nationales, y compris les compétences de la Banque nationale du Danemark dans le domaine de la politique monétaire.

3. Le Danemark participera pleinement à la deuxième phase de l'Union économique et monétaire et continuera de participer à la coopération en matière de taux de change au sein du système monétaire européen (SME).

SECTION C

Politique de défense

Les chefs d'État ou de gouvernement prennent acte de ce que, en réponse à l'invitation de l'Union de l'Europe occidentale (UEO), le Danemark a pris, dans cette organisation, un statut d'observateur. Ils constatent également qu'aucune disposition du traité sur l'Union européenne ne contraint le Danemark à devenir un État membre de l'UEO. Par voie de conséquence, le Danemark ne participe pas à l'élaboration et à la mise en œuvre des décisions et des actions de l'Union ayant des implications en matière de défense, mais il ne fera pas obstacle au développement d'une coopération plus étroite entre les États membres dans ce domaine.

SECTION D

Justice et affaires intérieures

Le Danemark participera pleinement à la coopération dans les domaines de la justice et des affaires intérieures sur la base des dispositions du titre VI du traité sur l'Union européenne.

SECTION E

Dispositions finales

1. La présente décision prend effet le jour de l'entrée en vigueur du traité sur l'Union européenne; sa durée est régie par l'article Q et l'article N, paragraphe 2, dudit traité.

2. Le Danemark peut à tout moment, conformément à ses règles constitutionnelles, informer les autres États membres qu'il ne souhaite plus se prévaloir de tout ou partie de la présente décision. Dans ce cas, le Danemark appliquera pleinement toutes les mesures pertinentes prises dans le cadre de l'Union européenne et qui seront alors en vigueur.

ANNEXE 2

DÉCLARATIONS DU CONSEIL EUROPÉEN

DÉCLARATION SUR LA POLITIQUE SOCIALE, LES CONSOMMATEURS, L'ENVIRONNEMENT ET LA RÉPARTITION DES RICHESSES

1. Le traité sur l'Union européenne ne fait pas obstacle au maintien et à l'établissement par un État membre de mesures de protection renforcées compatibles avec le traité instituant la Communauté européenne:

- dans le domaine des conditions de travail et de la politique sociale (article 118 A, paragraphe 3, du traité CE et article 2, paragraphe 5, de l'accord sur la politique sociale conclu entre les États membres de la Communauté européenne, à l'exception du Royaume-Uni),

- en vue d'atteindre un niveau élevé de protection des consommateurs (article 129 A, paragraphe 3, du traité CE),

- en vue de réaliser les objectifs en matière de protection de l'environnement (article 130 T du traité CE).

2. Les dispositions introduites par le traité sur l'Union européenne, y compris les dispositions relatives à l'Union économique et monétaire, permettent à chaque État membre de mener sa propre politique en matière de répartition des richesses et de maintenir ou d'améliorer les prestations sociales.

DÉCLARATION SUR LA DÉFENSE

Le Conseil européen note que le Danemark renoncera à son droit d'exercer la présidence de l'Union chaque fois qu'une question concernant l'élaboration et la mise en œuvre des décisions et des actions de l'Union ayant des implications en matière de défense sera impliquée. Les règles normales régissant le remplacement du président en cas d'empêchement de celui-ci s'appliqueront. Ces règles s'appliqueront également en ce qui concerne la représentation de l'Union au sein des organisations internationales, lors de conférences internationales et à l'égard des pays tiers.

ANNEXE 3

DÉCLARATIONS UNILATÉRALES DU DANEMARK DONT SERA ASSORTI L'ACTE DANOIS DE RATIFICATION DU TRAITÉ SUR L'UNION EUROPÉENNE ET DONT LES ONZE AUTRES ÉTATS MEMBRES PRENDRONT CONNAISSANCE

DÉCLARATION SUR LA CITOYENNETÉ DE L'UNION

1. La citoyenneté de l'Union est un concept politique et juridique qui est entièrement différent de celui de citoyenneté au sens que lui attribuent la Constitution du royaume de Danemark et le système juridique danois. Aucune disposition du traité sur l'Union européenne n'implique ni ne prévoit un engagement visant à créer une citoyenneté de l'Union au sens de citoyenneté d'un État-nation. La question de la participation du Danemark à une évolution en ce sens ne se pose donc pas.

2. La citoyenneté de l'Union ne donne pas, en tant que telle, à un ressortissant d'un autre État membre le droit d'obtenir la citoyenneté danoise ou tout autre droit, devoir, privilège ou avantage qui en découle en vertu de la Constitution et des dispositions législatives, réglementaires et administratives du Danemark. Le Danemark respectera pleinement les droits spécifiques expressément prévus dans le traité et applicables aux ressortissants des États membres.

3. Les ressortissants des autres États membres de la Communauté européenne jouissent au Danemark du droit de vote et du

droit d'éligibilité aux élections municipales, prévus à l'article 8 B du traité instituant la Communauté européenne. Le Danemark a l'intention d'introduire une loi accordant aux ressortissants des autres États membres de la Communauté le droit de vote et d'éligibilité aux élections du Parlement européen dans les meilleurs délais avant les prochaines élections de 1994. Le Danemark n'a pas l'intention d'accepter que les modalités prévues aux paragraphes 1 et 2 de cet article puissent donner lieu à des dispositions réduisant les droits déjà accordés au Danemark dans ce domaine.

4. Sans préjudice des autres dispositions du traité instituant la Communauté européenne, son article 8 E exige l'unanimité des membres du Conseil des Communautés européennes, c'est-à-dire de tous les États membres, pour arrêter des dispositions tendant à renforcer ou à compléter les droits prévus dans la deuxième partie du traité CE. En outre, toute décision unanime du Conseil devra, avant d'entrer en vigueur, être adoptée dans chacun des États membres, conformément à ses règles constitutionnelles. Au Danemark, une telle adoption exigera, dans le cas d'un transfert de souveraineté, tel qu'il est défini par la Constitution danoise, soit la majorité des cinq sixièmes des députés du Folketing, soit à la fois la majorité des députés du Folketing et la majorité des électeurs se prononçant par référendum.

DÉCLARATION SUR LA COOPÉRATION DANS LES DOMAINES DE LA JUSTICE ET DES AFFAIRES INTÉRIEURES

L'article K.9 du traité sur l'Union européenne exige l'unanimité de tous les membres du Conseil de l'Union européenne, c'est-à-dire de tous les États membres, pour arrêter toute décision de rendre applicable l'article 100 C du traité instituant la Communauté européenne à des actions relevant de domaines visés à l'article K.1, points 1) à 6). En outre, toute décision unanime du Conseil devra, avant d'entrer en vigueur, être adoptée dans chacun des États membres, conformément à ses règles constitutionnelles. Au Danemark, une

telle adoption exigera, dans le cas d'un transfert de souveraine
tel qu'il est défini par la Constitution danoise, soit la majorité d
cinq sixièmes des députés du Folketing, soit à la fois la majorité
des députés du Folketing et la majorité des électeurs se prononçant par référendum.

DÉCLARATION FINALE

La décision et les déclarations ci-dessus constituent une réponse au résultat du référendum danois du 2 juin 1992 sur la ratification du traité de Maastricht. En ce qui concerne le Danemark, les objectifs de ce traité dans les quatre domaines visés dans les sections A à D de la décision doivent être vus à la lumière de ces documents, qui sont compatibles avec le traité et ne remettent pas en question ses objectifs.

4. RÉSOLUTIONS ET DÉCLARATIONS (*)

(*) NOTE DES ÉDITEURS

Dans la présente section sont reproduites, pour la commodité du lecteur, une résolution et un certain nombre de déclarations.

R
D

Sommaire

A — Déclaration commune du Parlement européen, du Conseil et de la Commission relative à l'institution d'une procédure de concertation, du 4 mars 1975

JO C 89 du 22.4.1975.

LE PARLEMENT EUROPÉEN, LE CONSEIL ET LA COMMISSION,

considérant que, à partir du 1er janvier 1975, le budget des Communautés est intégralement financé par des ressources propres aux Communautés;

considérant que, pour la mise en œuvre de ce système, le Parlement européen sera doté de pouvoirs budgétaires accrus;

considérant que l'accroissement des pouvoirs budgétaires du Parlement européen doit être accompagné d'une participation efficace de celui-ci au processus d'élaboration et d'adoption des décisions qui engendrent des dépenses ou des recettes importantes à la charge ou au bénéfice du budget des Communautés européennes,

CONVIENNENT DE CE QUI SUIT:

1. Il est institué une procédure de concertation entre le Parlement européen et le Conseil avec le concours actif de la Commission.

2. La procédure est susceptible de s'appliquer pour les actes communautaires de portée générale qui ont des implications financières notables et dont l'adoption n'est pas imposée par des actes préexistants.

3. Au moment de présenter une proposition, la Commission indique si l'acte en question est, à son avis, susceptible de faire l'objet de la procédure de concertation. Le Parlement européen, lorsqu'il donne son avis, et le Conseil peuvent demander l'ouverture de cette procédure.

4. La procédure s'ouvre si les critères prévus au paragraphe 2 sont réunis et si le Conseil entend s'écarter de l'avis adopté par le Parlement européen.

5. La concertation a lieu au sein d'une «commission de concertation» groupant le Conseil et des représentants du Parlement européen. La Commission participe aux travaux de la commission de concertation.

6. Le but de la procédure est de rechercher un accord entre le Parlement européen et le Conseil.

La procédure devrait se dérouler normalement au cours d'un laps de temps n'excédant pas trois mois, sauf dans l'hypothèse où l'acte en question doit être adopté avant une date déterminée ou s'il existe des raisons d'urgence, auxquels cas le Conseil peut fixer un délai approprié.

7. Lorsque les positions des deux institutions sont suffisamment proches, le Parlement européen peut rendre un nouvel avis, puis le Conseil statue définitivement.

Fait à Bruxelles, le 4 mars 1975.

Pour le Parlement	*Pour le Conseil*	*Pour la Commission*
C. BERKHOUWER	G. FITZGERALD	François-Xavier ORTOLI

B — Déclaration commune du Parlement européen, du Conseil et de la Commission sur les droits fondamentaux, du 5 avril 1977

JO C 103 du 27.4.1977.

…RLEMENT EUROPÉEN, LE CO… …COMMISSION,

…que les traités institu…
…de le principe du respec…
fonda… …unautés européennes
constitutio…

…i que l'a recomu…
…gles des traités…

considérant … …éraux du droit … justice, ce droit
contractantes en particu… …t droits sur … communautai…
droits de l'homme … …bres; … …les droits
4 novembre 1950, … la conven… …ond le droit
… et des libertés … les États membres
… …péenn… … sauvegarde … parties
… …entaes, … …née … des
… …ne le

ONT ADOPTÉ LA DÉCLARATION SUIVANTE:

1. Le Parlement européen, le Consei… et la …mmission so…gnent l'importance primordiale qu'ils attache… au respect d… droits fondamentaux tels qu'ils résultent notamm… des Constitu…tions des États membres ainsi que de la convention européenne de sauvegarde des droits de l'homme et des libertés fon…mentales.

2. Dans l'exercice de leurs pouvoirs et en poursuivant les objectifs des Communautés européennes, ils respectent et continueront à respecter ces droits.

Fait à Luxembo ril mil neuf cent soixa

Pour le Parle *le Conseil*

E. COLOM . OWEN *Pou*

LE PARLEMENT EUROPÉEN, LE CONSEIL ET LA COMMISSION,

considérant que les traités instituant les Communautés européennes se fondent sur le principe du respect du droit;

considérant que, ainsi que l'a reconnu la Cour de justice, ce droit comprend, outre les règles des traités et du droit communautaire dérivé, les principes généraux du droit et en particulier les droits fondamentaux, principes et droits sur lesquels se fonde le droit constitutionnel des États membres;

considérant en particulier que tous les États membres sont parties contractantes de la convention européenne de sauvegarde des droits de l'homme et des libertés fondamentales, signée à Rome le 4 novembre 1950,

ONT ADOPTÉ LA DÉCLARATION SUIVANTE:

1. Le Parlement européen, le Conseil et la Commission soulignent l'importance primordiale qu'ils attachent au respect des droits fondamentaux tels qu'ils résultent notamment des Constitutions des États membres ainsi que de la convention européenne de sauvegarde des droits de l'homme et des libertés fondamentales.

2. Dans l'exercice de leurs pouvoirs et en poursuivant les objectifs des Communautés européennes, ils respectent et continueront à respecter ces droits.

Fait à Luxembourg, le cinq avril mil neuf cent soixante-dix-sept.

Pour le Parlement	*Pour le Conseil*	*Pour la Commission*
E. COLOMBO	D. OWEN	R. JENKINS

C — Déclaration commune du Parlement européen, du Conseil et de la Commission relative à différentes mesures visant à assurer un meilleur déroulement de la procédure budgétaire, du 30 juin 1982

JO C 194 du 28.7.1982.

LE PARLEMENT EUROPÉEN, LE CONSEIL ET LA COMMISSION,

considérant que le bon fonctionnement des Communautés nécessite une coopération harmonieuse entre les institutions;

considérant qu'il convient, dans le respect des compétences respectives des différentes institutions des Communautés telles qu'elles sont définies dans les traités, de prendre d'un commun accord différentes mesures visant à assurer un meilleur déroulement de la procédure budgétaire en application des dispositions de l'article 78 du traité instituant la Communauté européenne du charbon et de l'acier, de l'article 203 du traité instituant la Communauté économique européenne et de l'article 177 du traité instituant la Communauté européenne de l'énergie atomique,

CONVIENNENT DE CE QUI SUIT:

I — CLASSIFICATION DES DÉPENSES

1. Critères

À la lumière du présent accord ainsi que de la classification des dépenses proposée par la Commission pour le budget ordinaire de 1982, les trois institutions estiment que constituent des dépenses obligatoires les dépenses que l'autorité budgétaire est tenue d'inscrire au budget pour permettre à la Communauté de respecter ses obligations, internes ou externes, telles qu'elles résultent des traités ou des actes arrêtés en vertu de ceux-ci.

2. Application sur la base du présent accord

La classification des lignes budgétaires est effectuée comme indiqué en annexe (*).

II – CLASSIFICATION DE LIGNES BUDGÉTAIRES NOUVELLES OU DE LIGNES EXISTANTES DONT LA BASE JURIDIQUE A ÉTÉ MODIFIÉE

1. En s'inspirant des données figurant au point I, la classification des lignes budgétaires nouvelles et des dépenses qui s'y rapportent s'effectue, sur proposition de la Commission, d'un commun accord entre les deux détenteurs de l'autorité budgétaire.

2. L'avant-projet de budget comporte une proposition de classification motivée pour chaque ligne budgétaire nouvelle.

3. Au cas où l'un des deux détenteurs de l'autorité budgétaire ne peut accepter la proposition de classification de la Commission, ce désaccord est soumis à une réunion des présidents du Parlement, du Conseil et de la Commission, cette dernière assumant la présidence.

4. Les trois présidents s'efforcent de résoudre les cas de désaccord éventuels avant l'établissement du projet de budget.

5. Le président du trilogue fait rapport lors de la réunion de concertation entre les institutions qui a lieu avant la première lecture du Conseil et intervient, si nécessaire, dans les débats du Conseil et du Parlement en première lecture.

(*) Cette annexe n'est pas reproduite dans ce volume (voir JO C 194 du 28.7.1982).

6. La classification c
dans le cas où l'acte
revue d'un commun a
lumière de celui-ci.

III — COLLAB
ENTRE LES INSTI
DANS LE CADR
DE LA PROCÉDURE BUDG

1. L'échange de vues sur les réflexions du Parleme
l'avant-projet de budget de la Commission et prévu avant
Conseil n'établisse le projet de budget doit avoir lieu en temps
pour que le Conseil puisse valablement tenir compte des sugg
tions du Parlement.

2. a) Lorsqu'il apparaît, au cours de la procédure budgétaire, que son achèvement pourrait nécessiter la fixation, d'un commun accord, pour l'augmentation des dépenses non obligatoires, d'un nouveau taux applicable aux crédits pour paiements et/ou d'un nouveau taux applicable aux crédits pour engagements — ce second taux pouvant être fixé à un niveau différent du premier —, les présidents du Parlement, du Conseil et de la Commission se réunissent immédiatement.

b) Compte tenu des positions en présence, tous les efforts sont faits afin de dégager les éléments susceptibles de recevoir l'accord final des deux détenteurs de l'autorité budgétaire pour que la procédure budgétaire puisse être achevée avant la fin de l'année.

c) À cet effet, chacune des parties s'engage à tout mettre en œuvre pour respecter cette échéance qui est essentielle au bon fonctionnement de la Communauté.

3. Au cas cependant où un accord n'est pas réalisé avant le 31 décembre, l'autorité budgétaire s'engage à poursuivre ses efforts

...ire et permettre l'arrêt du budget

...ux détenteurs de l'autorité budgétaire sur
...ne le niveau des dépenses non obligatoires
...arrêté.

...nts du Parlement, du Conseil et de la Commission
...n cas de besoin et sur demande de l'un d'entre eux:

... les résultats de l'application de la présente déclara-

... les problèmes en suspens afin de préparer des propositions communes de solution à soumettre aux institutions.

IV — AUTRES QUESTIONS

1. La «marge de manœuvre» du Parlement, dont le montant correspond au moins à la moitié du taux maximal, s'applique à partir du projet de budget, établi par le Conseil en première lecture, en tenant compte d'éventuelles lettres rectificatives audit projet.

2. Le respect du taux maximal s'impose au budget annuel, y compris le(s) budget(s) rectificatif(s) et/ou supplémentaire(s). Sans préjudice de la fixation d'un nouveau taux, la partie éventuellement demeurée inutilisée du taux maximal demeure disponible pour une utilisation éventuelle dans le cadre de l'examen d'un projet de budget rectificatif et/ou supplémentaire.

3. a) Les plafonds fixés dans les règlements existants seront respectés.

b) Afin de ... édure budgétaire
tion, la ... nts maximaux p...
être évitée, ... l'inscription dan...
montants se ... des possibilités ...
tion.

c) L'exécution de crédit... budget pour tout...
action communautaire ... nécessite l'arrêt ...
d'un règlement de base. L... où de tels crédits s...
inscrits au budget avant ... proposition de règl...
n'ait été soumise, la Commis... invitée à présenter
proposition pour la fin de janvi... tard.

Le Conseil et le Parlement prennen... engagement de tout
mettre en œuvre afin que le règlement ... stion soit arrêté
au plus tard à la fin mai.

Dans le cas cependant où le règlement ne pourrait être arrêté dans ce délai, la Commission soumet des propositions d... rechange (virements) permettant d'assurer l'utilisation pendant l'année budgétaire des crédits dont il s'agit.

4. Les institutions notent que la procédure de révision du règlement financier est en cours et qu'un certain nombre de problèmes devraient être réglés dans ce cadre. Elles s'engagent à faire tous les efforts pour que cette procédure aboutisse dans les meilleurs délais.

Fait à Bruxelles, le 30 juin 1982.

Pour le Parlement	*Pour le Conseil*	*Pour la Commission*
P. DANKERT	L. TINDEMANS	G. THORN

b) Afin de donner a [illegible]
tion, la fixation d [illegible]
être évitée; de même [illegible]
montants se situant au [illegible]
tion.

c) L'exécution de crédits inscri [illegible]
action communautaire significative [illegible] pour toute nou [illegible]
d'un règlement de base. Dans le cas [illegible]
inscrits au budget avant qu'une [illegible]
n'ait été soumise, la Commission [illegible]
proposition pour la fin de janvier au [illegible]

Le Conseil et le Parlement prennent l [illegible]
mettre en œuvre afin que le règlement en [illegible] soit arrêté
au plus tard à la fin mai.

Dans le cas cependant où le règlement ne pourrait être arrêté dans ce délai, la Commission soumet des propositions de rechange (virements) permettant d'assurer l'utilisation pendant l'année budgétaire des crédits dont il s'agit.

4. Les institutions notent que la procédure de révision du règlement financier est en cours et qu'un certain nombre de problèmes devraient être réglés dans ce cadre. Elles s'engagent à faire tous les efforts pour que cette procédure aboutisse dans les meilleurs délais.

Fait à Bruxelles, le 30 juin 1982.

Pour le Parlement	Pour le Conseil	Pour la Commission
P. DANKERT	L. TINDEMANS	G. THORN

D — Déclaration comm
du Parlement européen, du Co
des représentants des États mem
réunis au sein du Conseil,
et de la Commission
contre le racisme et la xénophobie,
du 11 juin 1986

JO C 158 du 25.6.1986.

LE PARLEMENT EUROPÉEN, LE CONSEIL, LES REPRÉSENTANTS DES ÉTATS MEMBRES, RÉUNIS AU SEIN DU CONSEIL, ET LA COMMISSION,

constatant l'existence et la croissance dans la Communauté d'attitudes, de mouvements et d'actes de violence xénophobes souvent dirigés contre des immigrés;

considérant l'importance primordiale que les institutions des Communautés attachent au respect des droits fondamentaux proclamés solennellement dans la déclaration commune du 5 avril 1977 ainsi qu'au principe de la libre circulation des personnes tel que prévu par le traité de Rome;

considérant que le respect de la dignité de la personne humaine et l'élimination des manifestations de discrimination raciale font partie du patrimoine culturel et juridique commun de tous les États membres;

conscients de la contribution positive que les travailleurs originaires d'autres États membres ou de pays tiers ont apportée et peuvent continuer d'apporter au développement de l'État membre dans lequel ils séjournent légalement et du bénéfice qui en résulte pour la Communauté dans son ensemble:

1) *condamnent* avec vigueur toutes les manifestations d'intolérance, d'hostilité et d'utilisation de force à l'égard d'une personne ou d'un groupe de personnes en raison de différences raciale, religieuse, culturelle, sociale ou nationale;

2) *affirment* leur volonté de sauvegarder la personnalité et la dignité de chaque membre de la société et de refuser toute forme de ségrégation à l'encontre des étrangers;

3) *estiment* indispensable que soient prises toutes les dispositions nécessaires pour garantir la réalisation de cette volonté commune;

4) *sont déterminés* à poursuivre les efforts déjà entrepris pour protéger l'individualité et la dignité de tout membre de la société et à refuser toute forme de ségrégation des étrangers;

5) *soulignent* l'importance d'une information adéquate et objective et de la sensibilisation de tous les citoyens face aux dangers du racisme et de la xénophobie, ainsi que la nécessité d'une vigilance constante pour prévenir ou réprimer tout acte ou forme de discrimination.

Fait à Strasbourg, le 11 juin 1986.

Pour le Parlement européen	*Pour le Conseil et les représentants des États membres, réunis au sein du Conseil*	*Pour la Commission des Communautés européennes*
P. PFLIMLIN	H. VAN DEN BROEK	J. DELORS

E — Résolution du Conseil du 8 juin 1993 relative à la qualité rédactionnelle de la législation communautaire

JO C 166 du 17.6.1993, p. 1.

LE CONSEIL DES [illegible] ENNES,

vu les traités instituant [illegible] ropéenne du charbon et de l'acier, la Communau[illegible] opéenne et la Commu- nauté européenne de l'énerg[illegible]

vu les conclusions de la présidence [illegible] européen d'Édim- bourg des 11 et 12 décembre 1992 ten[illegible] que des mesures pratiques soient prises afin de rendre la [illegible] communautaire plus claire et plus simple,

considérant qu'il convient d'arrêter des ligne[s] directrices fixa[nt] des critères d'appréciation de la qualité rédactionnelle de la législat[ion] communautaire;

considérant que ces lignes directrices ne sont ni obligatoires ni exhaustives et que leur but est de rendre la législation communau- taire aussi claire, simple, concise et compréhensible que possible;

considérant que ces lignes directrices sont destinées à servir de référence dans toutes les enceintes qui participent à la procédure d'élaboration des actes au sein du Conseil, tant au Conseil lui-même qu'au comité des représentants permanents (Coreper) et surtout dans les groupes de travail; que le service juridique du Conseil est invité à utiliser ces lignes directrices afin de formuler, à l'attention du Conseil et de ses organes, des suggestions d'ordre rédactionnel,

ADOPTE LA PRÉSENTE [illegible]

L'objectif général [illegible]ion communautaire plus accessible devrait [illegible] seulement par un recours systématique à la c[illegible] également par l'utilisation des lignes directrices s[illegible] que critères d'appréciation lors de la rédaction d[illegible]il:

1) la formulation devrait être claire, simple, concise et sans ambi[illegible] l'emploi abusif d'abréviations, du «jargon co[illegible]» ou de phrases trop longues devrait être évité;

2) les référ[illegible] précises à d'autres textes devraient être évitées, de même [illegible] de trop nombreuses références croisées qui rendent [illegible] difficile à comprendre;

3) les [illegible]érentes [illegible]ispositions de l'acte devraient être cohérentes entre elles; en particulier, le même terme devrait être utilisé pour exprimer un même concept;

4) les droits et obligations de ceux auxquels l'acte s'appliquera devraient être définis d'une façon claire;

5) l'acte devrait être établi selon la structure type (chapitres, sections, articles, paragraphes);

6) le préambule devrait justifier le dispositif dans des termes simples;

7) les dispositions qui n'ont pas un caractère normatif (souhaits, déclarations politiques) devraient être évitées;

8) les incohérences avec des actes existants devraient être évitées, de même que les répétitions inutiles de ces derniers. Toute

modif ou abrogation d'un acte devrait être
clairem

9) un acte qui térieur ne devrait pa comporter
de disposition mes, mais seulement les dispositions s'intégrai ns l'acte à modifier;

10) la date d'entrée en te ainsi que les di sitions
transitoires, dans le s'avéreraient né saires,
devraient être claires.

modification, pr[illegible]
clairement exprim[illegible] devrait être
[illegible] tion d'un acte [illegible]

9) un acte qui modifie u[illegible]
de dispositions de fonc[illegible] compéter
sitions s'intégrant directe[illegible] des dispo
[illegible] modifi[illegible]

10) la date d'entrée en vigueur [illegible]
transitoires, dans le cas où [illegible] que les dispositio
devraient être claires [illegible] nécessa[illegible]

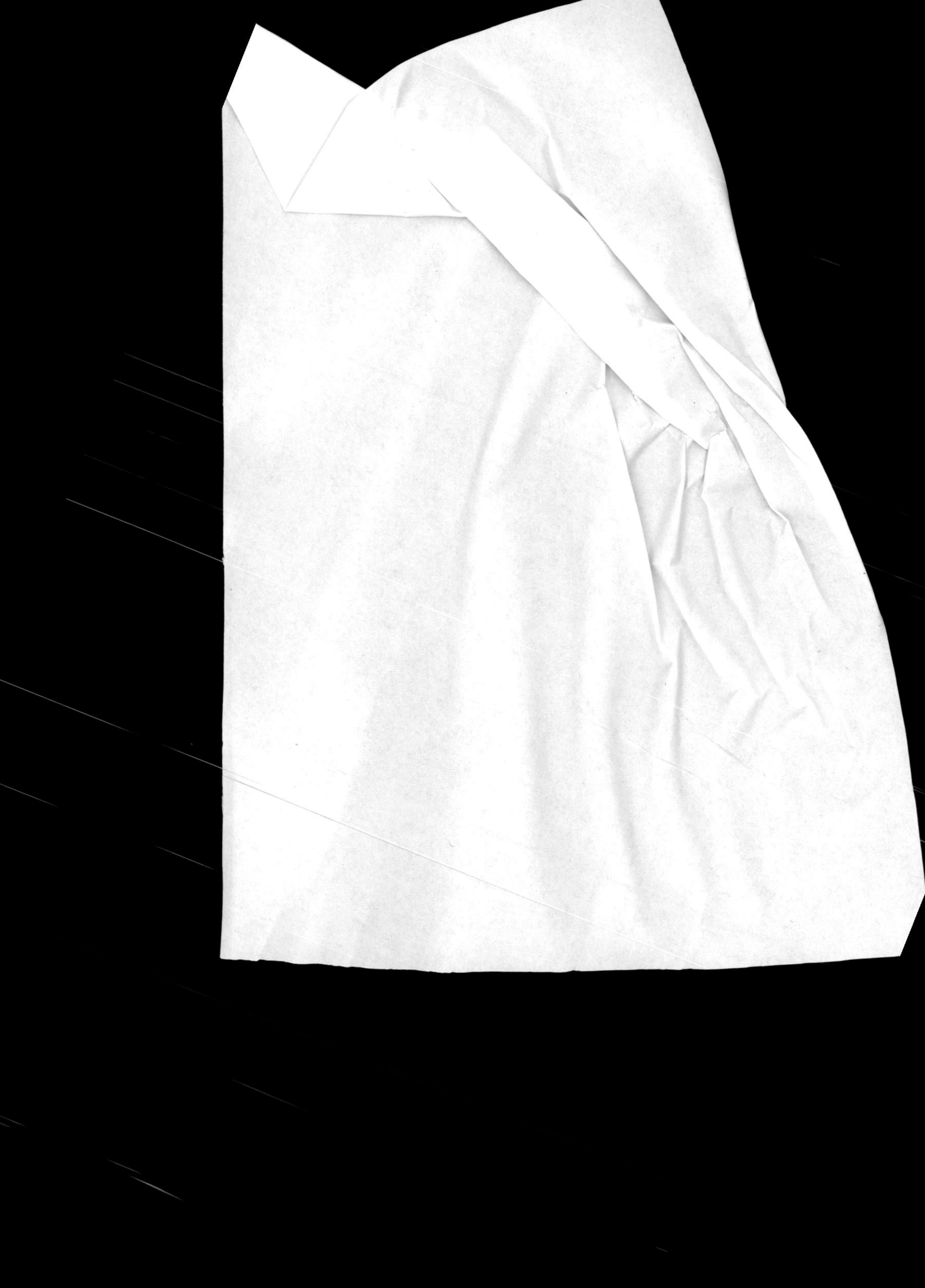

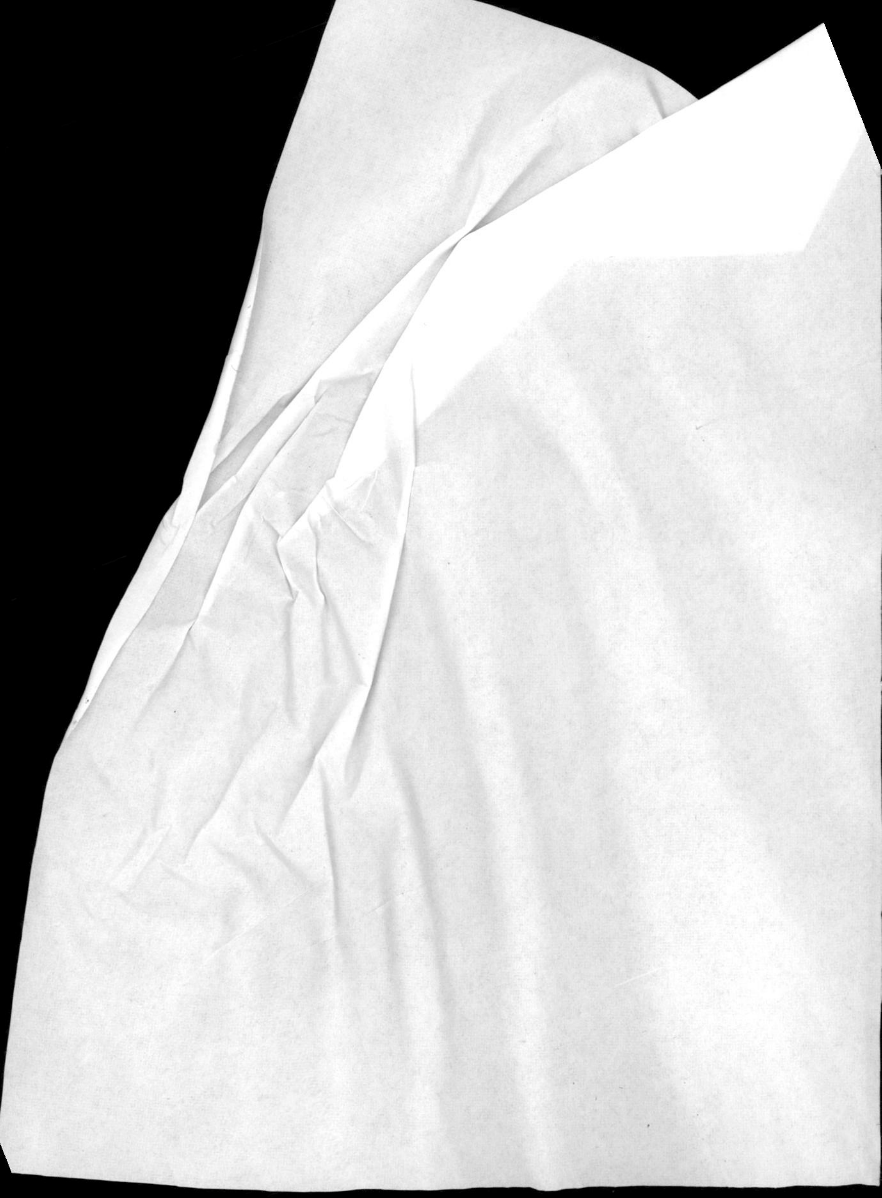

Communautés européennes

Union européenne — Recueil des traités

Édition 1993 — Tome I — Volume I

Luxembourg: Office des publications officielles des Communautés européennes

1993 — 881 p. — 11,5 × 17 cm

Tome I — Volume I: ISBN 92-824-1110-9
Volume II: à paraître

Prix au Luxembourg (TVA exclue): ECU 35

Venta y suscripciones • Salg og abonnement • Verkauf und Abonnement • Πωλήσεις και συνδρομές
Sales and subscriptions • Vente et abonnements • Vendita e abbonamenti
Verkoop en abonnementen • Venda e assinaturas

BELGIQUE / BELGIË

Moniteur belge / Belgisch Staatsblad
Rue de Louvain 42 / Leuvenseweg 42
B-1000 Bruxelles / B-1000 Brussel
Tél. (02) 512 00 26
Fax (02) 511 01 84

Autres distributeurs / Overige verkooppunten

Librairie européenne/ Europese boekhandel
Rue de la Loi 244/Wetstraat 244
B-1040 Bruxelles / B-1040 Brussel
Tél. (02) 231 04 35
Fax (02) 735 08 60

Jean De Lannoy
Avenue du Roi 202 /Koningslaan 202
B-1060 Bruxelles / B-1060 Brussel
Tél. (02) 538 51 69
Télex 63220 UNBOOK B
Fax (02) 538 08 41

Document delivery:
Credoc
Rue de la Montagne 34 / Bergstraat 34
Bte 11 / Bus 11
B-1000 Bruxelles / B-1000 Brussel
Tél. (02) 511 69 41
Fax (02) 513 31 95

DANMARK

J. H. Schultz Information A/S
Herstedvang 10-12
DK-2620 Albertslund
Tlf. 43 63 23 00
Fax (Sales) 43 63 19 69
Fax (Management) 43 63 19 49

DEUTSCHLAND

Bundesanzeiger Verlag
Breite Straße 78-80
Postfach 10 05 34
D-50445 Köln
Tel. (02 21) 20 29-0
Telex ANZEIGER BONN 8 882 595
Fax 2 02 92 78

GREECE/ΕΛΛΑΔΑ

G.C. Eleftheroudakis SA
International Bookstore
Nikis Street 4
GR-10563 Athens
Tel. (01) 322 63 23
Telex 219410 ELEF
Fax 323 98 21

ESPAÑA

Boletín Oficial del Estado
Trafalgar, 29
E-28071 Madrid
Tel. (91) 538 22 95
Fax (91) 538 23 49

Mundi-Prensa Libros, SA
Castelló, 37
E-28001 Madrid
Tel. (91) 431 33 99 (Libros)
431 32 22 (Suscripciones)
435 36 37 (Dirección)
Télex 49370-MPLI-E
Fax (91) 575 39 98

Sucursal:

Librería Internacional AEDOS
Consejo de Ciento, 391
E-08009 Barcelona
Tel. (93) 488 34 92
Fax (93) 487 76 59

Llibreria de la Generalitat de Catalunya
Rambla dels Estudis, 118 (Palau Moja)
E-08002 Barcelona
Tel. (93) 302 68 35
302 64 62
Fax (93) 302 12 99

FRANCE

Journal officiel
Service des publications des Communautés européennes
26, rue Desaix
F-75727 Paris Cedex 15
Tél. (1) 40 58 75 00
Fax (1) 40 58 77 00

IRELAND

Government Supplies Agency
4-5 Harcourt Road
Dublin 2
Tel. (1) 66 13 111
Fax (1) 47 80 645

ITALIA

Licosa SpA
Via Duca di Calabria 1/1
Casella postale 552
I-50125 Firenze
Tel. (055) 64 54 15
Fax 64 12 57
Telex 570466 LICOSA I

GRAND-DUCHÉ DE LUXEMBOURG

Messageries du livre
5, rue Raiffeisen
L-2411 Luxembourg
Tél. 40 10 20
Fax 40 10 24 01

NEDERLAND

SDU Overheidsinformatie
Externe Fondsen
Postbus 20014
2500 EA 's-Gravenhage
Tel. (070) 37 89 880
Fax (070) 34 75 778

PORTUGAL

Imprensa Nacional
Casa da Moeda, EP
Rua D. Francisco Manuel de Melo, 5
P-1092 Lisboa Codex
Tel. (01) 69 34 14

Distribuidora de Livros Bertrand, Ld.ª
Grupo Bertrand, SA
Rua das Terras dos Vales, 4-A
Apartado 37
P-2700 Amadora Codex
Tel. (01) 49 59 050
Telex 15798 BERDIS
Fax 49 60 255

UNITED KINGDOM

HMSO Books (Agency section)
HMSO Publications Centre
51 Nine Elms Lane
London SW8 5DR
Tel. (071) 873 9090
Fax 873 8463
Telex 29 71 138

ÖSTERREICH

Manz'sche Verlags- und Universitätsbuchhandlung
Kohlmarkt 16
A-1014 Wien
Tel. (0222) 531 61-0
Telex 112 500 BOX A
Fax (0222) 531 61-339

SUOMI/FINLAND

Akateeminen Kirjakauppa
Keskuskatu 1
PO Box 128
SF-00101 Helsinki
Tel. (0) 121 41
Fax (0) 121 44 41

NORGE

Narvesen Info Center
Bertrand Narvesens vei 2
PO Box 6125 Etterstad
N-0602 Oslo 6
Tel. (22) 57 33 00
Telex 79668 NIC N
Fax (22) 68 19 01

SVERIGE

BTJ AB
Traktorvägen 13
S-22100 Lund
Tel. (046) 18 00 00
Fax (046) 18 01 25
30 79 47

SCHWEIZ / SUISSE / SVIZZERA

OSEC
Stampfenbachstraße 85
CH-8035 Zürich
Tel. (01) 365 54 49
Fax (01) 365 54 11

ČESKÁ REPUBLIKA

NIS ČR
Havelkova 22
130 00 Praha 3
Tel. (2) 24 23 09 07
Fax (2) 242 21 484

MAGYARORSZÁG

Euro-Info-Service
Club Sziget
Margitsziget
1138 Budapest
Tel./Fax 1 111 60 61
1 111 62 16

POLSKA

Business Foundation
ul. Krucza 38/42
00-512 Warszawa
Tel. (22) 21 99 93, 628-28-82
International Fax&Phone
(0-39) 12-00-77

ROMÂNIA

Euromedia
65, Strada Dionisie Lupu
70184 Bucuresti
Tel./Fax 0 12 96 46

BĂLGARIJA

Europress Klassica BK Ltd
66, bd Vitosha
1463 Sofia
Tel./Fax 2 52 74 75

RUSSIA

CCEC
9,60-letiya Oktyabrya Avenue
117312 Moscow
Tel./Fax (095) 135 52 27

CYPRUS

Cyprus Chamber of Commerce and Industry
Chamber Building
38 Grivas Dhigenis Ave
3 Deligiorgis Street
PO Box 1455
Nicosia
Tel. (2) 449500/462312
Fax (2) 458630

MALTA

Miller distributors Ltd
Scots House, M.A. Vassalli street
PO Box 272
Valletta
Tel. 24 73 01/22 29 95
Fax 23 49 14

TÜRKIYE

Pres Gazete Kitap Dergi Pazarlama Dağitim Ticaret ve sanayi AŞ
Narlibahçe Sokak N. 15
Istanbul-Cağaloğlu
Tel. (1) 520 92 96 - 528 55 66
Fax (1) 251 91 97
Telex 23822 DSVO-TR

ISRAEL

ROY International
PO Box 13056
41 Mishmar Hayarden Street
Tel Aviv 61130
Tel. 3 648 60 39
Fax 3 544 60 39

UNITED STATES OF AMERICA / CANADA

UNIPUB
4611-F Assembly Drive
Lanham, MD 20706-4391
Tel. Toll Free (800) 274 4888
Fax (301) 459 0056

CANADA

Subscriptions only
Uniquement abonnements

Renouf Publishing Co. Ltd
1294 Algoma Road
Ottawa, Ontario K1B 3W8
Tel. (613) 741 43 33
Fax (613) 741 54 39
Telex 0534783

AUSTRALIA

Hunter Publications
58A Gipps Street
Collingwood
Victoria 3066
Tel. (3) 417 5361
Fax (3) 419 7154

JAPAN

Kinokuniya Company Ltd
17-7 Shinjuku 3-Chome
Shinjuku-ku
Tokyo 160-91
Tel. (03) 3439-0121

Journal Department
PO Box 55 Chitose
Tokyo 156
Tel. (03) 3439-0124

SOUTH-EAST ASIA

Legal Library Services Ltd
STK Agency
Robinson Road
PO Box 1817
Singapore 9036

SOUTH AFRICA

Safto
5th Floor, Export House
Cnr Maude & West Streets
Sandton 2146
Tel. (011) 883-3737
Fax (011) 883-6569

AUTRES PAYS
OTHER COUNTRIES
ANDERE LÄNDER

Office des publications officielles des Communautés européennes
2, rue Mercier
L-2985 Luxembourg
Tél. 499 28-1
Télex PUBOF LU 1324 b
Fax 48 85 73/48 68 17

FX-81-93-236-FR-C

OFFICE DES PUBLICATIONS OFFICIELLES
DES COMMUNAUTÉS EUROPÉENNES

L-2985 Luxembourg

ISBN 92-824-1110-9